CNONYN AFLONYDD

CYFRES Y CEWRI

1. DAFYDD IWAN
2. *AROGLAU GWAIR*, W.H. ROBERTS
3. ALUN WILLIAMS
4. *BYWYD CYMRO*, GWYNFOR EVANS
5. WIL SAM
6. *NEB*, R.S. THOMAS
7. *AR DRAWS AC AR HYD*, JOHN GWILYM JONES
8. *OS HOFFECH WYBOD*, DIC JONES
9. *CAE MARGED*, LYN EBENEZER
10. *O DDIFRI*, DAFYDD WIGLEY (Cyfrol 1)
    DAL ATI, DAFYDD WIGLEY (Cyfrol 2)
11. *O GROTH Y DDAEAR*, GERAINT BOWEN
12. *ODDEUTU'R TÂN*, O.M. ROBERTS
13. *ANTURIAF YMLAEN*, R. GWYNN DAVIES
14. *GLAW AR ROSYN AWST*, ALAN LLWYD
15. *DIC TŶ CAPEL*, RICHARD JONES
16. *HOGYN O SLING*, JOHN OGWEN
17. *FI DAI SY' 'MA*, DAI JONES
18. *BAGLU 'MLAEN*, PAUL FLYNN
19. *JONSI*, EIFION JONES
20. *C'MON REFF*, GWYN PIERCE OWEN
21. *COFIO'N ÔL*, GRUFFUDD PARRY
22. *Y STORI TU ÔL I'R GÂN*, ARWEL JONES
23. *CNONYN AFLONYDD*, ANGHARAD TOMOS

CYFRES Y CEWRI 23

CNONYN AFLONYDD

ANGHARAD TOMOS

Gwasg
Gwynedd

Argraffiad Cyntaf — Awst 2001

ISBN 0 86074 174 5

*Cyhoeddwyd ac Argraffwyd
gan Wasg Gwynedd, Caernarfon*

I

LLIO HAF, FFLUR MAI,
MANON WYN A FFION HAF
pedair chwaer a ffrind

Carwn ddiolch
i'm rhieni a Dafydd Morgan Lewis
am edrych ar y proflenni
ac am eu cefnogaeth gyson.

Cynnwys

Plentyndod 9

Dyddiau Ysgol 33

Blwyddyn o Weithredu 57

Dyddiau Coleg 79

Hen Fyd Hurt 102

Rwdlan 129

'Y Gymdeithas' 149

Bro Breuddwydion 175

Ysgrifennu 188

Crwydro 216

'Rhosod i'r Difrod' 243

Betws 262

Plentyndod

Wrth feddwl am Bron Wylfa, dail a ddaw i'r cof, dail yn symud yn y gwynt. Amgylchynid y lle gan goed, a phan ddeiliai'r rhain yn ddefodol bob blwyddyn, byddai'r tŷ yn newid ei gymeriad. Yr oedd yna wyrddni o'n cwmpas, a phan dywynnai'r haul drwy'r canghennau, byddai'r dail yn chwarae mig â'r goleuni. Fedra i ddim dychmygu lle mwy hudol i gael fy magu ynddo.

Yn ei gerdd 'Cwmwl Haf', y mae Waldo yn sôn am y profiad o fynd ar goll yn blentyn a'r gorfoledd o ganfod ei ffordd adref. Dyma gwpled olaf y gerdd:

'Sŵn adeiladu daear newydd a nefoedd newydd
Ar lawr y gegin oedd sŵn clocs mam i mi.'

Mae'r geiriau hyn yn cyfleu peth wmbredd i mi. I'm meddwl daw'r dyddiau digwmwl hynny cyn cychwyn mynychu ysgol. Ni fyddai Mam byth ymhell, a thra oedd ei cherddediad hi o fewn clyw, gwyddwn fy mod yn saff. Doedd fy ffiniau ddim yn ymestyn ymhellach na drws y cefn neu giât y tŷ, ond doedd dim angen pryderu am yr hyn a lechai y tu hwnt i'r rhain. Yr oedd gofal Mam yn ddigon.

Un o'r golygfeydd cynharaf y gallaf eu cofio yw'r olygfa o ddrws y cefn. Mae'n rhaid 'mod i wedi eistedd am hydoedd yn y fan hon yn synfyfyrio. Drwy gydol yr amser yr oedd 'sŵn y clocs' i'w clywed, a Mam wrthi'n brysur yn paratoi prydau i ni, yn golchi dillad, yn cadw trefn ar y tŷ. O'r drws cefn, gallwn weld giât y tŷ, a mawr oedd yr edrych ymlaen at yr amser y deuai Dad adref. Bryd hynny, byddai fy myd bach yn gyflawn.

Blwydd oeddwn yn cyrraedd y tŷ, ond dydi hynny ddim yn rhan o'm cof.

Dydi 'nghof ddim yn weithredol tan ddechrau'r Chwedegau, ond mae'n ddifyr meddwl 'mod i'n bodoli ers cyn fy nghof. A dweud y gwir, roedd yna ronynnau bach ohonof yn bodoli ganrifoedd lawer yn ôl. Mi af ar drywydd y rhain yn gyntaf, i chi gael gweld o ble y deuthum.

★ ★ ★

Mae 'na un gronyn yn ddwfn yn naear Sir Drefaldwyn, yn arbennig mewn un man – Llety Llwyd, Llanfihangel yng Ngwynfa. Yma, ym 1819 y daeth Edward Thomas i fyw, gŵr a aned yn Llangynyw ym 1785. Ganed mab iddo, Jaco Llety Llwyd, a ganed mab hwnnw yn Llety Llwyd hefyd, David Thomas fy hen daid. Pan adawodd hwnnw Llety Llwyd, daeth traddodiad tri chwarter canrif i ben.

Pan gerddodd fy hen daid allan o Eglwys Llanfechain ar fore ei briodas, yn Ebrill 1879, yr oedd merch ddwy ar bymtheg oed yn gafael yn ei fraich, Elizabeth, merch y saer maen yn Llanfechain. Ganed mab o'r enw David Thomas iddynt hwythau, ond wythnos yn unig y bu fyw. Y flwyddyn ganlynol, ganed ail fab iddynt, a bedyddiwyd yntau yn David Thomas. Bu fyw am 86 mlynedd, ac ef oedd fy nhaid.

Ganed chwech o blant i David ac Elizabeth Thomas,

ac arhosodd pob un yn y pen dwyreiniol o Gymru ac eithrio fy nhaid. Fo oedd yr unig un o'r plant hefyd i fynd yn athro, a chafodd swyddi yn Llundain a Birmingham. Efallai mai yno y byddai wedi aros oni bai am fawd ei droed dde. Yn y bawd hwn, cafodd TB, ac awgrym y doctor oedd iddo ganfod lle yn y wlad i fyw. Daeth yn athro i Ysgol Gynradd Rhostryfan, Sir Gaernarfon ar droad yr ugeinfed ganrif, cyn symud i Ysgol Tal-y-sarn. Damwain ydi hi felly i mi gael fy magu yn Gymraes. Oni bai am fawd troed dde fy nhaid, falle mai chwarter Cymraes yng nghyffiniau Birmingham fyddwn i heddiw.

Dyna un peth fydd yn destun rhyfeddod i mi am byth – cymaint o siawns sydd yna i chi gael eich geni yn rhywun gwahanol i chi eich hun. Oni bai i'm taid gofrestru yn wrthwynebydd cydwybodol, efallai mai oes fer iawn a gawsai. Ond fel gwrthwynebydd, fe'i hanfonwyd i gyrion Wrecsam yn was ffarm, ac yno y cyfarfu fy nain, prifathrawes yn Ysgol Nant y Fron, ger New Broughton. Yr oedd hi yn un o saith o blant, a chwech ohonynt yn ferched. Bellach, does yr un o'u disgynyddion yn Gymry Cymraeg. Ie, rhaff frau iawn ydi hi.

Daeth fy nhaid a'm nain yn ôl i Dal-y-sarn wedi'r Rhyfel Byd Cyntaf, ond setlo ym Mangor ddaru nhw yn y diwedd, a dyna pam mai fel 'Taid Bangor' yr adwaenwn David Thomas. Ganed dau o blant iddynt (bu farw un arall ar ei genedigaeth), Ffion Mai ym 1920 ac Arial Myfyr, fy nhad, ym 1924. Credir mai'r Ffion hon yw'r gyntaf â'r enw hwnnw; ni chlywsom am 'Ffion' arall hŷn na hi, er iddo ddod yn enw poblogaidd bellach. Mae 'Arial' yn dal yn enw anghyffredin. Pan oedd fy nhaid yn dal ei fab newydd-anedig yn ei freichiau am y tro cyntaf, daeth yr enw 'Arial Myfyr' iddo. Dyfalodd o ble y daeth yr enw hwn, a chofiodd y llinell a ymddangosodd mewn tawddgyrch cadwynog yn ei lyfr ar y cynganeddion, llinell o waith Einion Offeiriad, 'Arial milwyr, eiriau myfyr'.

Pan oedd fy nhad yn wyth oed, cafodd fy nain 'nervous breakdown' ac fe'i cymerwyd i ysbyty meddwl ym Manceinion. Yno y treuliodd yr ugain mlynedd canlynol. Ni welodd Ffion hi byth wedyn, ac ni welodd fy nhad hi eto nes iddo dyfu'n ddyn. Pan ddaeth y Weinyddiaeth Les, ni allai fy nhaid fforddio cadw ei wraig mewn ysbyty preifat, a chafodd ei symud i Ysbyty Dinbych. Cafodd TB yno, a marw dair blynedd yn ddiweddarach ym 1955 yn 73 mlwydd oed. Ni chefais i ei hadnabod, a dim ond am wyth mlynedd y cafodd fy nhad ei chwmni.

Uchelgais fy nhaid oedd bod yn awdur, a phan oedd yn ddeg ar hugain oed, cyhoeddodd *Y Werin a'i Theyrnas*, y llyfr cyntaf ar Sosialaeth yn yr iaith Gymraeg. Yn aelod cynnar iawn o'r Blaid Lafur Annibynnol, yr ILP, sefydlodd ganghennau yn Nyffryn Nantlle ac aeth yn ei flaen i sefydlu Cyngor Llafur Sir Gaernarfon, a Chyngor Llafur Gogledd Cymru wedi hynny. Gwnaeth waith aruthrol yn ddiweddarach gyda'r WEA, Cymdeithas Addysg y Gweithwyr, ac am ugain mlynedd olaf ei oes, bu'n olygydd eu cylchgrawn, *Lleufer*.

Cof plentyn sydd gen i ohono gan ei fod yn 78 oed pan gefais fy ngeni. Fe'i cofiaf fel dyn mawr yn gorfforol, ac un dychrynllyd o hen. Er, bu'n iach iawn gydol ei oes a phan oedd dros ei bedwar ugain, doedd o ddim yn rhy fusgrell i helpu 'nhad i hel gwartheg o'r ardd! Y cof mwyaf sydd gen i yw ohono yn eistedd yn y stafell fyw yn darllen. Bu farw pan oeddwn yn wyth oed. Pe bawn wedi fy ngeni yn gynharach, diau y byddem wedi cael sgyrsiau – a dadleuon – difyr eithriadol, a byddwn wedi cael y fraint o glywed ei atgofion.

Pan gyhoeddwyd yr Ail Ryfel Byd, roedd fy nhaid a'i blant ar wyliau yn Iwerddon, ar feics. Bu rhaid i'r tri ruthro adre ar frys rhag ofn iddynt gael eu dal ar dir 'niwtral'. Geiriau cyntaf fy nhaid wrth fy nhad wedi deall fod Rhyfel wedi ei chyhoeddi oedd, 'Diolch byth dy fod yn rhy ifanc', gan mai dim ond pymtheg oed oedd o ar y pryd. Erbyn 1944, yr oedd fy nhad bron yn ugain oed, ac ym Mhrifysgol Bangor, pan ddaeth gorchymyn iddo ymuno â'r fyddin. A bod yn fanwl, llythyr yn ei alw i'r Household Cavalry yn Windsor ydoedd, a dim ond meibion byddigions gâi fod yn rhan ohoni. Ymhen rhai wythnosau, cafwyd gwybod mai camgymeriad dybryd ydoedd. Rhoddodd fy nhad ochenaid o ryddhad.

Ni chafodd lonydd am hir. Daeth llythyr arall yn ei orchymyn i ymuno â'r fyddin. Y tro hwn, yr oedd gan fy nhad esgus parod. Yr oedd unrhyw un a oedd o fewn chwe mis i sefyll arholiadau pwysig yn cael ei esgusodi. Yn ffyddiog iawn, ysgrifennodd 'nhad i ddweud ei fod yn sefyll ei arholiadau gradd o fewn chwe mis.

Dyma'r llythyr a gafodd yn ôl,

'Unfortunately, you require 6 months and 3 days, and we cannot extend the period of exception beyond 6 months.'

Oherwydd bod ei arholiadau gradd yn cychwyn dridiau yn rhy hwyr, gorfu i 'nhad dreulio pedair blynedd o'i fywyd ym myddin Brenin Lloegr. Er i'r rhyfel ddod i ben yn swyddogol ymhen chwe mis wedi iddo ymuno, treuliodd ei amser ymhell o Fangor, ym Macedonia, Groeg, Suez, Palestina a'r Aifft. Pasiodd arholiadau i fod yn 'Radio Mechanic' a bu'n gwasanaethu gyda'r Central Mediterranean Forces. Un waith, cafodd fy nhad a'i gyfaill fynd adre'n gynnar ar wyliau. Clywodd wedyn i'w gyfeillion eraill yn y Signals gael eu lladd i gyd wedi i'w trên gael ei chwythu'n ddarnau gan derfysgwyr o Balestina. Cofnododd fy nhad y cyfnod hwn o'i fywyd mewn 567 o lythyrau adref, a chadwodd fy nhaid bob un ohonynt. Rhyddhawyd fy nhad o'r fyddin cyn Nadolig 1947, ac ymhen y mis, yr oedd yn ailgydio yn ei astudiaethau am radd B.Sc ym Mangor mewn Ffiseg a Pheirianneg Trydan gan ennill y radd honno y flwyddyn ganlynol.

Yn y Brifysgol y cyfarfu fy mam, Eryl Haf, a phriododd y ddau ym 1951 yng nghapel Wesla St. Pauls ym Mangor. Yn y briodas, dywedodd y Dr. John Gwilym Jones mai honno oedd yr unig briodas y bu ynddi lle roedd enw'r pâr priod yn proestio, ac yr oedd hynny'n arwydd da. Mae olrhain gwreiddiau teulu mam yn anos, gan nad ydynt yn ffitio'n ddestlus i un rhan o Gymru. Gan fod ei thaid, y Parch R. Môn Hughes yn weinidog Wesla, roedd yn arferiad symud tŷ bob pum mlynedd felly roeddan nhw'n grwydriaid go iawn.

Hen, hen daid fy mam oedd Edmund Evans, neu 'Utgorn Meirion' a anwyd yn Llandecwyn ym 1791. Ar ei gistfaen yn Nhalsarnau lle claddwyd ef, dywedir mai pregethwr cynorthwyol gyda'r Wesleaid ydoedd a bregethodd dros 13,000 o weithiau. Dyma englyn Ellis Owen, Cefnymeysydd iddo:

Cennad hedd: ei fedd wyf fi – yn Soar
  Y mae'r sant yn tewi;
  I gannoedd y bu'n gweini;
  Gwaed y Groes i gyd ei gri.

Gan hwn y cafodd fy nhaid ei enw, Richard Edmund Hughes, neu 'R.E' fel y câi ei adnabod. Yr oedd ef a'm nain, Grace, ymysg y myfyrwyr cyntaf yng Ngholeg y Brifysgol, Bangor ar droad yr ugeinfed ganrif. Mae gwreiddiau fy nain ym Mhen Llŷn – Wesleaid eto – a Hannah Rees, fy hen, hen, hen, hen nain a gychwynnodd yr achos Wesleaidd yn Aberdaron. Roedd taid fy nain, William Davies yn Ironmonger ym Mhwllheli. Merch William Davies oedd Hannah Laura, un o bum chwaer, ac mae sawl llythyr yn ei llawysgrifen wedi eu cadw. Priododd hi fab cigydd o Fethesda, Griffith Henry Williams a ddaeth yn ddiweddarach yn rheolwr Banc y Midland ym Methesda. Merch y Banc oedd fy nain felly, a Rhyddfrydwyr mawr oedd y teulu. Yn wir, ei chefnder, Dewi Seaborne Davies oedd yr ymgeisydd Rhyddfrydol dros Gaernarfon wedi Lloyd George.

Priododd R.E. Hughes a Grace ym 1920 a chawsant bedwar o blant, Carys, Gwyn, Eryl Haf a Manon. Bu farw Gwyn o'r diciâu yn bedair ar bymtheg oed. Wedi priodi, symudodd Carys i Lundain a Manon i Gaerdydd: felly doedd 'run o'n modrybedd yn byw yn agos, er i Manon briodi Monwysyn a dychwelyd i fyw i Fôn yn yr Wythdegau. Bu 'R.E.' yn brifathro Ysgol y Cefnfaes, Bethesda, tan ddiwedd yr Ail Ryfel Byd, lle bu'n ffrindiau gydag R.Williams Parry. Symudodd am gyfnod i Bwllheli yn brifathro yr Ysgol Ramadeg yno. Bu John Gwilym Jones, Emyr Humphreys, Elis Gwyn Jones a T.M. Bassett ar ei staff. Ond gyda Bethesda y cysylltaf deulu fy mam. Byddem yn mynd yno'n aml i aros gyda Taid a Nain. Fel gŵr cadarn y cofiaf fy nhaid, dyn trwsiadus, eisiau popeth yn iawn. Eto ar brydiau, gallai'r gŵr disgybledig hwn ymollwng i ysgwyd chwerthin am y peth lleiaf. Yr oedd ganddo synnwyr digrifwch mawr. Un o'r atgofion olaf sydd gen i yw'r un ohono yn clafychu yn ei wely ac yn dioddef o'r cancr. Byddai fy chwiorydd a minnau yn cael mynd at erchwyn y gwely i ganu iddo, a *Dwy Law yn Erfyn* oedd un o'i ffefrynnau. I ni blant, doedd dim posib inni lawn sylweddoli dwyster y dyddiau hynny, ond roeddwn i'n ymwybodol fod yna gysgodion tywyll ar y gorwel. Bu farw Taid ym 1969, ac fe'i claddwyd ym mynwent Coetmor, Bethesda. Dyna un o'r mannau sy'n codi arswyd arnaf. Dynes gref iawn yw fy mam, ond o bryd i'w gilydd, deuai'r amser iddi ymweld â Choetmor. Aros yn y car fyddem ni blant, yn disgwyl yn ofnus i Mam ddychwelyd. Deuai'n ôl i'r car a beichio crio, ac ni allem wneud dim i'w chysuro. Deuthum i synhwyro nad oedd prinder gofidiau wedi i rywun dyfu'n hŷn. Fel hyn y canodd y Parch Tecwyn Jones, sef perthynas i Taid, iddo,

> 'Ei fwyn anian a'i fonedd,
> A'i fawr barch ni ddifa'r bedd.'

Dynes fechan oedd Nain, a chefais ei chwmni nes 'mod i'n ugain oed. Gwraig foneddigaidd iawn ydoedd, a'r enw 'Grace' yn gweddu iddi i'r dim. Dioddefodd sawl croes yn ystod ei bywyd. Pan oedd yn 13 oed, collodd frawd bach teirblwydd; un ar hugain oed ydoedd pan fu farw ei mam; dair blynedd wedyn, lladdwyd ei brawd yn y Rhyfel Mawr, a chollodd fab ei hun pan oedd hwnnw yn 19 oed. Er hyn, ni chwerwodd. Yr oedd yn bopeth y dymunech i nain fod – cysur, caredigrwydd a chyd-ymdeimlad. Mawr oedd y croeso ar ei haelwyd, ac wrth agor drws y tŷ, byddai ei hwyneb yn goleuo wrth ein gweld. Drws nesaf iddynt, yr oedd J.O. Williams, *Llyfr Mawr y Plant*, yn byw, ac roeddynt yn gyfeillion mawr. Crwydrais lawer o lwybrau Dyffryn Ogwen efo Taid a Nain. Un o'm hoff nofelau yw *Un Nos Ola Leuad*, sy'n ymgorfforiad o Fethesda. Er nad oes chwarelwyr yn y teulu, mewn cymdeithas chwarelyddol y magwyd fy mam, a hiwmor a rhuddin 'pobl Pesda' sy'n nodweddu ei chymeriad.

Dyna swm a sylwedd fy nghyndeidiau felly – Llafurwyr o ochr fy nhad, Rhyddfrydwyr o ochr fy mam, a'r cyfan wedi eu gwasgaru o gwmpas Sir Gaernarfon ac yn Wesleaid rhonc. Wedi i Blaid Genedlaethol Cymru gael ei sefydlu, symudodd teyrngarwch gwleidyddol rhieni fy mam i garfan y Cenedlaetholwyr. Aelod brwd o'r Blaid fu fy mam ers yn ferch ifanc gan orymdeithio dan faner y Blaid ym Mhwllheli pan oedd ei hewythr yn ymgeisydd Rhyddfrydol! Er na throdd Taid Bangor ei gefn ar Lafur, penderfynodd fy nhad ymaelodi â Phlaid Cymru. Aros gyda'r Blaid Lafur wnaeth ei chwaer, Ffion, a daeth ei mab, Rhion Herman Jones, yn ymgeisydd Llafur yn erbyn Dafydd Elis Thomas yn Sir Feirionnydd yn ystod y Saithdegau. Mae yna brinder dybryd o Doriaid ar y ddwy ochr o'r teulu. Mae yna un nodwedd sy'n gyffredin i'r ddwy ochr – ymlyniad mawr tuag at yr iaith Gymraeg. Pan mae pobl yn fy nisgrifio fel 'rebel', fedra i yn fy myw â meddwl amdanaf fy hun felly. Y cyfan wneuthum i oedd parhau traddodiad y teulu.

Priododd chwaer fy nhad, Ffion Mai, â gweinidog Annibynwyr o Ddeiniolen, Herman Jones, ond aethant i fyw i Borth Tywyn, ger Llanelli; felly dyna fodryb arall a oedd yn byw ymhell. Bu farw ei gŵr yn frawychus o sydyn pan oedd yn 49 oed, ac arhosodd Anti Ffion yn Sir Gaerfyrddin i fagu ei dau fab. Mae gen i barch aruthrol at ei gwytnwch a'i sirioldeb yn wyneb adfyd, a deuai i'r gogledd yn aml i'n gweld. Bu'n athrawes Saesneg am ran helaeth o'i hoes yn Ysgol y Merched, Llanelli.

Wedi priodi ym 1951, bu 'nhad yn gweithio fel Peiriannydd gyda MANWEB; yn wir gyda'r cwmni hwn y bu gydol ei oes nes iddo ymddeol. Ei waith yn y dyddiau cynnar oedd trefnu fod trydan yn dod i bob cartref yn Sir Gaernarfon a Sir Feirionnydd a daeth i adnabod sawl ardal fel cledr ei law. Yn y Chwedegau, byddai'n rhaid iddo fynd ar gyrsiau Amddiffyn Sifil pan oedd y Rhyfel Oer yn ei hanterth. Fe'i haddysgwyd beth i'w wneud yn achos rhyfel niwcliar. Petai wedi dod i hynny, byddai 'nhad yn Radiological Officer yn astudio rhagolygon y tywydd ac yn gweld pa ardaloedd fyddai wedi cael eu heffeithio gan gwmwl ymbelydrol, ond diolch byth, fe'n harbedwyd rhag ymosodiad o'r fath. Yn ystod y Pumdegau, bu'n gweithio yn Llandudno a Blaenau Ffestiniog cyn cael swydd yng Nghaernarfon ym 1959. Erbyn hynny, roedd fy chwaer a minnau wedi ein geni. Fi ar Orffennaf 19, 1958 a Llio Haf ddwy flynedd ynghynt ym 1956. Roedd Taid Bangor yn falch iawn mai Llio ddewiswyd yn enw. Fel cyfaill mawr i Silyn, awdur *Llio Plas y Nos,* roedd yr enw yn golygu cryn dipyn iddo, a lluniodd englyn iddi,

'Llio Haf, unlliw hufen – Llio Haf,
Lleufer ein ffurfafen,
Llio Haf, geinaf ei gwên,
Llio wna'r Haf yn llawen.'

Er nad oedd yn fardd, ysgrifennodd fy nhaid lyfr yn egluro rheolau'r gynghanedd, *Llawlyfr y Cynganeddion.* Ches i 'run englyn ganddo. Efallai nad oedd yr awen cyn gryfed wedi rhyfeddod y cyntaf-anedig!

Am flwyddyn, bûm yn byw yng Nghae Garw, Penrhyndeudraeth, tŷ mawr mewn 'jyngl o ardd' yn ôl y sôn, ond does gen i 'run atgof ohono. Pan oeddem yn blant, gwnaeth Dad dŷ dol inni, yn seiliedig ar gynllun Cae Garw. Mi garwn gael mynd i'r tŷ rywbryd – byddai'n union fel cael mynediad i'r tŷ dol hwnnw y buom yn chwarae gymaint ag o. Pan oeddwn yn flwydd, symudodd fy rhieni i Fron Wylfa, Llanwnda. A dyna ni'n ôl yn y tŷ deiliog a ddisgrifiwyd ar y cychwyn. Rhaid bod fy rhieni yn hapus yno, achos ddaru nhw ddim symud oddi yno. Bu'n gartref i mi am bron i ddeugain mlynedd. Mae sefydlogrwydd fel yna yn help garw i gnonyn aflonydd. Lle bynnag yr awn, beth bynnag ddigwyddai, yr oedd Bron Wylfa yn angor cadarn.

Pan fyddai'r coed ym Mron Wylfa yn bwrw eu dail, ceid golygfeydd bendigedig o'r ffenestri. Mae Bron Wylfa yn glamp o dŷ, a ffenestri mawr yn edrych tua'r môr a'r mynydd. O ffenestri un ochr o'r tŷ gellir gweld Dinas Dinlle yn glir a'r môr. O'r cefn, gellir gweld

Mynydd Mawr. Wrth ddynesu at y tŷ, mae mynyddoedd glas yr Eifl yn y pellter. Pan welaf y rhain, gwn fy mod i 'adref'. Un peth yr ydwi'n hynod ddiolchgar amdano yw mai yno y magwyd fi. Peth arall sy'n fy ngwneud i'n ddiolchgar yw'r cyfnod y'm ganwyd ynddo. Petawn i wedi fy ngeni genhedlaeth yn gynt, byddwn wedi gorfod goddef yr Ail Ryfel Byd fel y bu rhaid i'm rhieni. Petawn wedi fy ngeni i genhedlaeth fy nhaid a'm nain, byddwn wedi bod yn ddigon anffodus i fod yn dyst i ddwy Ryfel Byd. Yn y rhyfel gyntaf y bu farw brawd Nain, William, yn llanc un ar hugain oed, ac fe'i claddwyd yn Bersheba, Palestina.

Fe'm ganed i gyfnod lle roedd rhyfel yn rhywbeth 'pell i ffwrdd', ac fe'm magwyd mewn cornel hynod dangnefeddus o Gymru. Fel pe na bai hyn yn ddigon o fendith, rhoddwyd rhodd arall i mi gan fy rhieni – pedair chwaer. Dwy flynedd ar fy ôl i ganwyd Fflur Mai, yna Manon Wyn, ac yn olaf Ffion Haf. Erbyn i'r olaf gael ei geni ym 1965, yr oedd gan Mam bump o blant dan naw oed! Gyda'r holl chwiorydd hyn, sicrhawyd na fyddwn i fyth yn unig, nac yn ddiymgeledd, beth bynnag ddeuai i'm rhan. Mae pob un ohonom yn wahanol, ond yr ydym yn ddigon agos o ran oed i rannu diddorebau ein gilydd, ac mae'r pump ohonom yn ffrindiau agos. Ar wahân i Manon sy'n byw bellach yng Nghaerdydd, mae'r gweddill ohonom yn byw o fewn taith hanner awr i'n gilydd. Rhoddodd presenoldeb mor fenywaidd ar yr aelwyd hyder mawr i mi yn fy rhyw; cefais fy magu gyda'r syniad nad oedd dim yn amhosib i ferched. Cyngor cyson fy mam oedd 'Peidiwch byth â mynd dan draed neb!' a phrofodd yn gyngor buddiol iawn.

Os oedd gen i hyder yn fy rhyw, roeddwn yn ymwybodol 'mod i'n wahanol mewn pethau eraill. Doeddwn i ddim yn adnabod llawer o blant eraill oedd yn Wesleaid, ac yn wir, doedd yna ddim plant eraill yn ein capel yn Nhy'n Lôn, Llanwnda. Gwnâi hynny ni dipyn bach yn wahanol. Er nad oedd prinder Cymry Cymraeg, yr oedd yna brinder aelodau Plaid Cymru, neu brinder mamau gyda cheir oedd yn blastar o sticeri'r Blaid adeg etholiad. Roedd yn ymdrech weithiau i achub cam y 'Blaid Bach' fel y'i gelwid bryd hynny. Ond y peth a'n gwnâi yn wirioneddol od ymysg plant y Chwedegau oedd y ffaith nad oedd gan ein teulu ni deledu. Mam roddodd ei throed i lawr efo hyn, a doedd dim troi arni. Doedd y ffaith nad oeddem ni blant yn gallu trafod arwyr y sgrîn fach gyda'n cyfoedion yn mennu dim arni. Yn yr iard, yr oedd gêm weithiau i ddyfalu enwau rhaglenni neu enwau actorion. Pan fyddai'r plant eraill yn chwarae'r gêm hon, byddai'n rhaid i mi sefyll fel lemon ger y wal yn eu gwylio.

Ond gartre, nid oedd angen teledu gan fod cymaint i'w wneud. Tra'n gallu dwyn i gof sawl awr ddiflas yn yr ysgol, fedra i gofio fawr gartre. Roedd o'n fwrlwm o weithgarwch. Gyda Llio y byddwn i'n rhannu llofft, ac nid oedd pall ar ei dychymyg. Byddai o hyd yn cymryd arni i fod yn rhywun – balerina fyd-enwog, ysbïwr cynhyrfus, anturiaethwr, a byddwn innau'n bâr o glustiau ufudd yn gwrando ar ei hanesion. Byddai 'nhad yn bwydo'r dychymyg hwn yn nosweithiol. Gan mai Mam fyddai'n ein bwydo a'n dilladu, gorchwyl fy nhad oedd ein rhoi yn y gwely. Cyn mynd i gysgu, caem stori bob nos. Mi fydda i'n dragwyddol ddiolchgar iddo am wneud hynny. Bydd y chwedlau a'r storïau hynny yn aros gyda mi am byth. Gallaf ddwyn i gof y pleser o orwedd rhwng y cynfasau a gwrando ar lais (blinedig yn aml) fy nhad yn adrodd straeon. Darllenai *Lyfr Mawr y Plant*, *Just William*, *Deian a Loli*, *Teulu'r Nenfwd*, *Ali Baba*, *Brenin Arthur y Plant*, *Mabinogi y Plant*, a'r ffefryn, *Haf a'i Ffrindiau*. Fwy nag unwaith, byddai 'nhad yn disgyn i gysgu wrth ddarllen, ac wedi iddo ddeffro, dyna lle roedd ei ddwy ferch fach yn syllu'n amyneddgar arno ac yn disgwyl iddo ailafael yn y stori!

Y Mabinogi ddaru ddal ein dychymyg fwyaf. Yr oedd y rhain yn wahanol i straeon arferol, yn sôn am bobl yn codi o farw'n fyw, diflannu ac ailymddangos, cymeriadau ffantasïol yn llawn cenfigen, ofn a dychryn. Hawdd oedd credu ynddynt, gan fod Dinas Dinlle i'w weld drwy'r ffenestr. Arianrhod oedd enw ffug Llio, Pryderi oedd enw ei thedi, a Pwyll oedd enw f'un i. Roedd gan Llio ddol fawr gyda'r enw bendigedig, Botwm Gloyw. Arthur oedd enw fy ngŵr dychmygol.

Byddai'r tair fenga' yn cysgu mewn llofft arall, ac yn eu byd bach eu hunain. Ond pan fyddai'n amser chwarae ysgol bach, deuai pawb â'u doliau a'u tedis nes bod gennym gasgliad gwerth chweil. Fy ngwaith i oedd paratoi llyfrau i'r 'disgyblion' – llyfrau maint eich bawd. Byddai'r lleill wedi hen ddiflasu chwarae ysgol cyn i mi orffen y llyfrau!

Gydag acer o dir ym Mron Wylfa, doedd dim angen mentro tu hwnt i'r giât, ac mewn lle diarffordd, doedd dim llawer o blant o'n cwmpas. 'Maint fy myd oedd hyd y ddôl,' fel y dywedodd Gerallt Lloyd Owen. Treuliodd Dad ran helaeth o'i fywyd yn ceisio cadw trefn ar yr ardd, a threuliais innau fy mhlentyndod yn chwarae o fewn ei ffiniau. Roedd gan bob un ohonom ei gartref. Coeden fawr oedd f'un i, a thwll cyfleus ynddi a wnâi gwpwrdd rhagorol. Dwy goeden i ffwrdd roedd 'Caer Arianrhod', coeden Llio. Gwrych mwy di-nod oedd cartref Fflur a choeden wedi pydru ar ei hochr oedd gwâl Manon. Cafodd ei throi yn siop sglodion gan fod y pren pwdr tu mewn i'r goeden yn gwneud sglodion rhagorol, wrth gael eu lapio mewn dail. Ym meddiant Manon yr oedd dau geffyl haearn hefyd, breichiau hen gadair, a gofalai am y rhain gyda'r un defosiwn ag a fu ganddi yn ddiweddarach at Branwen, ei merlen go iawn.

Manon oedd yr un a hoffai anifeiliaid. Deuthum â chath o fferm Cae Ffridd un diwrnod, ac fe'i galwyd yn Olwen, a hi oedd y gyntaf o genedlaethau o gathod. Gwaharddai Mam hwy rhag rhannu aelwyd gyda ni; mae'n gas ganddi gyffyrddiad ffwr. Nid oedd gan fy nhad galon i'w boddi, felly ymgartrefodd dwsin a mwy yn y cwt glo yn y cowt. Bywyd digon digysur ydoedd, ac oni bai am Manon, byddent wedi llwgu. Yn yr hen garafán ym mhen draw'r ardd, magodd gwningen wen o'r enw Tosca a sawl mochyn cwta. Yr unig bethau gafodd noddfa ym Mron Wylfa oedd dau fwji o'r enw Osian a Nia.

Un anifail yr un gafodd Llio a mi. Cafodd Llio gwningen ond lladdwyd hi gan wenci, a chefais innau grwban. Rabinadrath Tagore oedd un o Indiaid mawr y dydd, a phenderfynodd fy rhieni y byddai Robin Drannoeth yn enw go dda ar y crwban. Ddaru yntau ddim byw yn hir chwaith, mae arna i ofn. Doeddwn i ddim yn rhannu amynedd Manon gydag anifeiliaid mud.

Llio oedd y chwaer gerddorol. Cychwynnodd ein gyrfa gerddorol 'run pryd wrth inni gael gwersi gan Mrs. Williams, Pepper Lane, o dan y cloc yn G'narfon. Dau beth a gofiaf amdani: y ffaith ei bod yn gwbl grwn i bob pwrpas, ac anaml y symudai o'i sedd ger y piano. Yn ail, arogl y tŷ. Yr oedd blodau *hyacinth* ym mhob cornel o'r stafell ac yn meddwi rhywun â'u harogl. Tra byddai Llio yn dysgu'r gwersi yn rhwydd, ac yn chwarae'r piano yn benigamp (aeth ymlaen i gael gradd mewn Cerdd a dod yn athrawes yn y pwnc), dyna lle byddwn i wrth fwrdd yn ymlafnio â theori, ac yn methu gwneud pen na chynffon o'r ymarferion. Yr hyn oedd yn fwyaf rhwystredig oedd nad oedd rhesymeg yn dod i mewn i'r busnes o gwbl. Waeth am ba hyd y byddwn yn rhythu ar y smotiau du, ni ddeuai unrhyw waredigaeth. Doeddwn i ddim mymryn gwell ar yr offeryn ei hun. Gwylltiai Mrs. Williams yn gandryll wrth i mi anghofio'n gyson am y *B Flat*. Yn y wers olaf a gefais ganddi, gwylltiodd gymaint nes sgwennu *B Flat* yn anferth dros y dudalen gyfan. Er y gallaf ganu yn iawn, fedra i ddim chwarae unrhyw dôn ar y piano. Ond mi fedra i dyfu *hyacinths*, a dwi'n dal i wirioni ar yr arogl.

Fy hoff beth i oedd tynnu lluniau. O oedran cynnar iawn, roedd gen i ddiddordeb mewn gwaith llaw. Bu Mam mewn Coleg Celf yn Lerpwl ac mae Dad wedi bod yn dda ei law erioed. Dim ond i mi gael pensal, papur a phaent, byddwn yn dawel am oriau. Yn ogystal â thynnu llun, byddwn wrth fy modd yn sgwennu. Nid cofnodi pethau yn unig a roddai bleser i mi, ond y weithred o sgrifennu. Carwn gael dalen lân o bapur a'i llenwi â sgrifen.

Yn y gegin yr ydwi'n cofio Mam fel rheol, yn brysur yn paratoi bwyd i ni blant, a'r cyfan yn fwyd cartref. Cafodd ei hyfforddi fel athrawes, ond ni weithiodd yn broffesiynol wedi priodi. Gwnaeth y gwaith o fod yn fam yn swydd amser llawn ac yn gelfyddyd gain, ac ymhyfrydai ynddo – welais i 'rioed neb a weithiodd yn galetach. Ei thrylwyredd yw un o'i nodweddion pennaf. Ni fyddem yn cyrraedd oedfa na chyfarfod nac eisteddfod heb fod pob un ohonom fel pin mewn papur. Deuai Mam i'n nôl o'r ysgol bob dydd, a mawr fyddai'r edrych ymlaen at ddod adref. Gyda phump ohonom o amgylch y bwrdd uwch ben swper chwarel, yr oedd digonedd o straeon a hanesion i'w hadrodd, ond anodd oedd cael eich pig i mewn. Weithiau, byddai'n rhaid disgwyl am hir i ddweud eich stori, a phan ddeuai eich tro, byddech yn gwneud eich gorau i'w hadrodd yn ddifyr a chyffrous er mwyn cael gwrandawiad da. O bryd i'w gilydd, yn enwedig wrth i'r tywydd gynhesu, byddai Mam yn ein croesawu o'r ysgol efo picnic yng nghefn y car, a chaem fynd i Ddinas Dinlle i'w fwyta.

Byddai pen-blwyddi yn achlysuron pwysig. Caem ddod â phedwar neu bump o ffrindiau, a byddai gwledd o de parti yn ein haros. Gyda saith pen-blwydd, nid oedd prinder o ddyddiau dathlu, a chaem hwyl ar ddathlu Noson Tân Gwyllt hefyd gan gael ein harddangosfa ein hunain wrth y tŷ. Yn ogystal â dyddiau dathlu, deuai profedigaethau hefyd. Bûm yn ddigon ffodus i beidio profi profedigaeth agos fel y gwnaeth fy nhad a'm mam yn blant, ond ym 1967, bu farw Taid Bangor. Ddwy flynedd wedyn, bu farw Taid Bethesda. Peth ar gyfer pobl mewn oed oedd galaru. Ni chrybwyllwyd y gofid yn ein gŵydd ni blant, a chofiaf yr embaras yn fwy na'r ymdeimlad o golled. Embaras o weld pobl mewn oed yn crio a'r awydd i weld popeth yn ôl fel ag yr oedd unwaith eto. Yr oeddwn yn ddeunaw cyn mynd i gynhebrwng am y tro cyntaf.

Mae yna un adeg arall y cofiaf Mam yn crio – 27 Hydref, 1966, pan ddigwyddodd trychineb Aber-fan. Gallaf ddychmygu pob mam drwy'r wlad yn crio y bore hwnnw, ac er inni glywed y newyddion, ni allem fel plant ein hunain sylweddoli maint y drychineb.

I Ysgol Gynradd Bontnewydd yr aem yn blant. Gan fod Dad yn gweithio yng Nghaernarfon, byddai'n ein gadael ni wrth giât yr ysgol, ac yn dod i'n nôl amser cinio. Yr oedd yn ysgol gyda bron i ddau gant o blant. O oedran cynnar roedd gen i hoffter o ddarllen a sgwennu, a chasineb tuag at unrhyw beth oedd yn ymwneud â rhifau. Yn un o'r dosbarthiadau, caem 'mental arithmetic' a byddai crybwyll y gair 'test' yn gyrru ias o ofn i lawr fy nghefn. Ei ystyr oedd gwaradwydd, a hwnnw'n gyhoeddus. Byddai'n rhaid inni sefyll yn rhes hir a châi pob un gwestiwn gan yr athro. O roi'r ateb anghywir, byddech yn mynd i waelod y rhes. Yno y byddwn i yn ddi-ffael. Er bod yn well gennyf drin geiriau, cawn ymarferion 'darllen a dirnadaeth' yn ddiflas tu hwnt. Credaf fod cryn welliant wedi bod yn y dulliau o ddysgu plant. Yr oedd fy nyddiau ysgol i yn debyg i rai fy nain ar ddiwedd y bedwaredd ganrif ar bymtheg. Hen adeilad oedd yr ysgol gyda thoiledau tu allan. Cofiaf dân agored yn yr ystafell ddosbarth ac roeddwn yn perthyn i'r cyfnod pryd y câi plant lefrith ysgol am ddim. Caem ein gwahanu yn yr iard yn 'ferched a babanod' un ochr i'r wal, a'r bechgyn yr ochr arall. Caem ni'r merched wersi gwnïo tra câi'r bechgyn wersi arlunio. Ysgol hapus oedd Ysgol Bontnewydd, a phawb yn siarad Cymraeg. Dim ond yn y flwyddyn olaf y cawsom ein haddysg drwy gyfrwng y Saesneg. Eglurwyd inni mai Saesneg fyddai cyfrwng yr addysg yn yr ysgol uwchradd, felly gorau oll fyddai ein paratoi.

Yn ogystal â'r addysg yn yr ysgol, caem addysg yr Ysgol Sul. Gan nad oedd plant yn ein capel ni, byddai'n rhaid inni fynd i Gapel Wesla Horeb, Pen-y-groes ar gyfer Ysgol Sul. Darllen a chael storïau o'r Beibl fyddem yn yr Ysgol Sul ac arholiad ar ddiwedd pob blwyddyn. Yn y Gymanfa y caem ein marciau a'n tystysgrifau. Yr oedd eisteddfod yn cael ei chynnal gan y Wesleaid, ac eisteddfod yng Nghapel Bwlan, Llandwrog, yn ogystal ag eisteddfod yr ysgol ac eisteddfod yr Urdd. Cefais fy magu i roi cynnig arni ar lwyfannau yn adrodd a chanu, ond roedd yn gas gen i berfformio yn gyhoeddus. Yr oedd yn llawer gwell gen i gystadlu ar waith llaw ac arlunio. Fy mam fyddai'n ein dysgu i adrodd, a phinacl ei dysgu oedd Llio yn ennill yn Eisteddfod Genedlaethol Bangor ym 1971 ar adrodd dan 15. Treuliai oriau yn ein hyfforddi, ac i mi, diflastod di-ben-draw ydoedd. Yr unig wobr a gefais i oedd y wobr am waith llaw dan 12 yn un o Eisteddfodau'r Urdd.

Capel Wesla Ty'n Lôn oedd ein man addoli. Mae'r capel i'w weld led dau gae o Fron Wylfa, ond gyda char yr aem yno yn ddi-ffael. O holl atgofion fy mhlentyndod, hwn yw'r unig le nad yw wedi newid dim mewn deugain mlynedd, neu mewn canrif, petai'n dod i hynny. Petai ffyddloniaid 1900 yn dod i oedfa yn Nhy'n Lôn heddiw, byddent yn berffaith gartrefol yno. O ran allanolion, mae'r lle yn union fel ag yr oedd. Yr hyn sydd wedi newid wrth gwrs yw maint y gynulleidfa. Cynulleidfa fechan fu yno erioed, ond yr oedd dros ugain yn mynychu gwasanaeth pan oeddwn yn blentyn. Mae gen i gof o gawr o ddyn, Tomi Williams, Tŷ Mawr fu'n gweithio ar y môr. Nes iddi fod yn 90 oed, bu ei weddw, Mrs. Williams Tŷ Mawr, yn dod i'r oedfa yn gyson. Rhai hynod ffyddlon fu Miss Edwards fu'n chwarae'r organ am flynyddoedd, a Mrs. Hughes, 'Matron'. Un Sul nad anghofiaf yw hwnnw ym 1997 pan ddaeth Mr. Williams, gŵr hoffus iawn, i'w sedd fel blaenor, ac yna methu codi ar ddiwedd yr oedfa oherwydd ei fod yn wael. O fewn ychydig oriau, yr oedd wedi marw. Y mae pawb wedi mynd bellach, ar wahân i lond dwrn ohonom, ond mae dycnwch mawr yn perthyn i griw Ty'n Lôn, ac mi ddaliwn ati gyhyd ag y gallwn. Yma y priododd pedair ohonom. Un cymeriad nad anghofiaf byth yw hen flaenor o'r enw Mr. Povey. Gŵr yn gyrru lorïau oedd Mr. Povey, ond ni welais i rioed mohono wrth lyw lori. Dim ond yn y sedd fawr y gwelwn i ef, a dydw i erioed wedi adnabod Cristion mor loyw. Yr oedd rhywbeth tawel iawn yn ei osgo, a gallai weddïo cystal â'r un gweinidog. Hyd yn oed pan oeddem yn blant ifanc, gwyddem fod rhywbeth arbennig ynglŷn â Mr. Povey. Bu ei wraig yn wael am flynyddoedd wedi iddo farw, dioddefai o salwch nerfau, ond bu Mr. Povey yn fawr iawn ei ofal ohoni tra bu fyw. Pan glywaf yr enw 'sant', Hugh Povey ddaw i'r cof.

Gyda'r nos ym Mron Wylfa, byddai digonedd i'n cadw yn brysur. Yn y gegin y byddai Mam, naill ai yn coginio neu yn gwneud jam, siytni neu daffi ar gyfer un o ffeiriau'r Blaid. Byddai gan fy nhad sawl prosiect hefyd. Weithiau, gweithiai ar deganau i ni blant, neu byddai ganddo rywbeth mwy uchelgeisiol i fynd â'i fryd. Cofiaf ddod adre o'r ysgol un dydd a gweld JCB yn yr ardd yn gwneud twll anferth. Yr oedd Dad wedi penderfynu gwneud pwll nofio, ac fe lwyddodd. Cymerodd ddwy flynedd faith, a chododd y waliau ei hun, cael leining plastig, a gwneud system i bwmpio'r dŵr. Y canlyniad oedd oriau o ddifyrrwch i ni a phlant cymdogion, ond daeth yr hwyl i ben pan ddaeth llygoden fawr heibio a chnoi twll yn y leining. Daeth dyddiau'r sblashio i ben.

Ym 1963, prynodd Dad garafán – un fawr felyn 18 troedfedd. Yr oedd hyn cyn dyddiau'r carafannau ysgafn hwylus. Yr hyn a wnâi 'nhad oedd gosod y garafán yn rhywle megis Aber-soch neu Draeth Coch yn Sir Fôn a'i gadael yno am chwe wythnos. Yr oedd hyn yn rhyw fath o ddihangfa i Mam o gaethiwed y 'washws' a'r llnau diddiwedd. Fy atgof i o ddyddiau'r haf felly yw byw a bod yn y tywod. Dim ond bwced a rhaw oedden ni eisiau, ac roeddem yn hapus am oriau di-ben-draw. Pan gafodd garafán lai, daeth gwyliau yn fater mwy cymhleth. Erbyn hynny, yr oedd Manon yn berchen llond gwlad o anifeiliaid a chur pen rheolaidd oedd ceisio canfod cartref dros dro i bob un o'r rhain am bythefnos. Yn un Eisteddfod, wedi methu cael neb i'w gwarchod, daeth Tosca'r gwningen gyda ni bob cam i Aberteifi. Dro arall, daeth y bwji yn y car efo ni. Camgymeriad oedd hynny. Dihangodd y bwji o'i gawell a dechrau hedfan o amgylch y car. Yr oedd un o ffenestri'r car ar agor ar y pryd, ond llwyddwyd i'w chau yn sydyn. Penderfynodd y bwji setlo ar lyw y car, a dyna lle roedd Dad druan yn ceisio canol-bwyntio ar y gyrru, a llygaid y bwji yn syllu arno!

Y tro cyntaf i mi fynd oddi cartref oedd cael mynd i wersyll Llangrannog. Llethwyd yr wythnos gan hiraeth, ond ar wahân i hynny, roedd cael byw mewn pabell yn brofiad newydd. Un syniad go wreiddiol gan brifathro Ysgol Bontnewydd, Aled Roberts, oedd cyfnewid disgyblion gydag ysgol yn Ne Cymru am wythnos. Cefais fynd i'r Barri am y tro cyntaf ac aros yng nghartref Gwenda Richards a ddaeth yn wyneb cyfarwydd ar y teledu wedi iddi dyfu. Yr ail dro, aethom i Gaerdydd, lle cefais aros ar aelwyd y prifathro, Gwilym Humphreys, tad Nia, a ddaeth yn Gyfarwyddwr Addysg Gwynedd ymhen blynyddoedd. Yr oedd y cyfan yn agoriad llygad i ni ac roedd yn gyfle i weld porthladd y Barri, Sain Ffagan, Eglwys Llandaf a'r Amgueddfa Genedlaethol. Bu bron i'r cyfan gael ei ddifetha i mi ar yr ail ymweliad pan soniwyd ein bod yn mynd i weld pwll glo ar y diwrnod olaf. Yr unig beth a wyddwn am bwll glo oedd eu bod yn bethau peryglus eithriadol, fod damweiniau yn digwydd yno a glowyr yn cael eu lladd. Y noson cyn yr ymweliad, yr oeddwn yn ymwybodol mai honno o bosib oedd y noson olaf i mi fod yn fyw. Yn gysur i mi wrth farw, yr oeddwn eisiau mynd â fy nol Sindy gyda mi. Gwyddwn nad oedd plant deg oed i fod i gario doliau gyda hwy, felly fe'i gwthiais i waelod fy mag. Y funud olaf, crefais ar yr athrawes i'm hesgusodi rhag mynd. 'Peidiwch â bod yn wirion,' meddai Mrs. Roberts, ac i mewn i'r caets â mi. Pam na fyddwn i wedi rhannu f'ofn efo rhywun, wn i ddim. Profais tua hanner awr o ofn afresymol tra oeddwn dan ddaear, a sioc bleserus iawn oedd dod allan yn fyw. Dydi oedolion ddim yn deall eithafrwydd teimladau plant.

Byddai'r Nadolig yn uchafbwynt bob blwyddyn. I wneud yr achlysur yn un arbennig, deuai Taid a Nain i aros gyda ni, a Bodo chwaer Nain. Fedra i ddim meddwl am ddim mwy cynhyrfus na'r weithred honno o osod hosan ar waelod y gwely. Byddem yn deffro yn oriau mân y bore a chael ein rhyfeddu gyda'r anrhegion a gaem. Yn aml iawn, byddai Dad wedi bod wrthi tan ddau neu dri y bore yn gorffen tŷ dol neu garej neu fwrdd a chadeiriau. Yr oedd gennym un ystafell fel parlwr chwarae, a doedd dim diwedd ar y llanast y gallem ei greu yn yr ystafell hon. Yn un gornel, roedd tŷ bach, gyda drws go iawn a ffenestri, a byddai ceffyl siglo yng nghanol yr ystafell. Ger y ffenestri, yr oedd rhes o fyrddau, ac arnynt yr oedd fy nhad wedi peintio ffyrdd ac afonydd. Gyda'n ceir bach, caem bleser mawr yn eu tywys ar hyd y lonydd. Yna, gwnaeth dai, fferm a modurdy i gwblhau'r olygfa.

Pan oeddwn ar fy mlwyddyn olaf ym Montnewydd, cafodd ein dosbarth fynd i aros am wythnos i Blasty Glynllifon, dafliad carreg o'n cartref. Cyngor Sir Gaernarfon oedd y perchnogion bryd hynny, ac aeth cannoedd o blant ysgol yno i gael profiad o ddysgu a byw oddi cartref. Ni chawsom aros yno yr wythnos lawn. Yr oedd yn flwyddyn yr Arwisgo, a rhaid oedd symud oddi yno i wneud lle i'r Dywysoges Margaret a pharti mawr. Bu plant Bontnewydd yn rhan o ddathliadau'r Arwisgo. Cofiaf wisgo fel pobl troad y ganrif i ganu 'Llongau Caernarfon' mewn cyngerdd ym Maesincla. Ar y pryd, roeddwn wedi 'nghyfareddu efo rhamant y digwyddiad, a chedwais dudalen o'r *Caernarvon and Denbigh Herald* oedd yn egluro sut roedd Charles yn perthyn i Owain Glyndŵr. Bu cyfres o bartïon dathlu a buom mewn tri o leiaf – un yr ysgol, un y capel ac un y pentref. Ym mhob parti, caem gwpan efo llun y Tywysog arni. Cadwai fy mam saim yn y cwpanau hyn, ond stoc wael oeddynt, a thorrodd clust pob un. Ddaru fy rhieni ddim ceisio ein gwahardd rhag mynd i'r dathliadau. Ofer yn ddiau oedd ceisio egluro i blant y cysylltiad rhwng brad gwleidyddol a jeli. Ond ar yr un pryd â'r dathlu mawr, yr oedd yna leisiau eraill yn y gwynt, a'r amlycaf ohonynt oedd llais Dafydd Iwan.

Dyddiau Ysgol

Yr un flwyddyn ag y gwnaed Carlo'n Dywysog Cymru, cefais innau ddyrchafiad a chychwyn cyfnod newydd yn fy mywyd yn Ysgol Dyffryn Nantlle, Pen-y-groes. O fewn ychydig fisoedd, yr oedd Dafydd Iwan, ac yntau yn gadeirydd Cymdeithas yr Iaith, wedi ei garcharu. Un o'r protestiadau cyntaf yr aethom iddynt fel teulu oedd gwrthdystiad ym Mangor yn erbyn carcharu Dafydd Iwan. Yr oedd yn gyfnod newydd ym myd canu ysgafn; cawsom gyngerdd ym Mhen-y-groes gyda Dafydd Iwan, Huw Jones a'r Tebot Piws yn chwythu rhyw anadl newydd i adloniant Cymraeg. Amhosib oedd i'r cynnwrf yma beidio â dylanwadu ar berson ifanc.

Yn Nyffryn Nantlle y dechreuais ddiosg fy niniweidrwydd, a hynny'n go sydyn. Yr oedd Dyffryn Nantlle ei hun yn ardal dipyn caletach na Bontnewydd, ac awyrgylch ysgol uwchradd yn galetach nag un ysgol gynradd. Dysgais yn bur sydyn fod yn rhaid i rywun fod yn 'tyff' mewn lle fel hyn, ac ro'n i'n boenus o ymwybodol nad oeddwn i yn 'tyff' o gwbl. Ond bu'n fagwraeth dda, ac yn ysgol brofiad werth chweil.

Er mai Cymry oedd 99% o blant ac athrawon yr ysgol, yn Saesneg yr oedd y gwersi i gyd – ar wahân i Gymraeg ei hun ac addysg grefyddol. Cofiaf Bobi Gordon, a fu'n eithriadol ffyddlon i'r Urdd ar hyd ei oes, yn ei gôt wen yn y labordy Cemeg yn ein dysgu am y 'Periodic Table' a minnau heb y syniad lleiaf am beth oedd o'n sôn. Yn y labordy Bioleg ddrewllyd roedd Mrs. Robaits Bei-ol, ac yn ei hacen Gymreig gref, llafarganai'r mantra, *'All living things are plants or animals'* cyn gorffen y dosbarth yn ddeddfol gyda, *'Stools tidily under the table. Forward!'* Yr oedd Lladin yn bwnc newydd a diystyr; felly hefyd Geometry, Algebra a Physics. Methiant llwyr fu'r ymdrech i'm disgyblu yn y gwyddorau hyn. Wn i ddim faint o ymdrech a wneuthum; gyda phynciau mor ddiystyr a diflas, doedden nhw ddim gwerth i mi ymlafnio i'w deall. Rydw i wedi cael trafferth erioed i ddysgu pethau na allaf gymryd diddordeb ynddynt.

Fy mhwnc gorau oedd Hanes, a'm hanlwc i oedd mai'r maes llafur Lefel O oedd yr Ail Ryfel Byd. Bu'n rhaid inni astudio'r rhyfel hon am ddwy flynedd. Yr oedd dyfyniadau Churchill ar flaen fy mysedd, ynghyd â symudiadau Rommel a'i ffrindiau. Churchill oedd y boi da a Hitler oedd y boi drwg; doedd dim byd drwg am ein hochr 'ni'. Ddaru neb fy mharatoi ar gyfer y sôn am y gwersylloedd rhyfel. Cawsom ein sodro mewn seddi yn y neuadd un diwrnod ac roedd yna gyffro plentynnaidd yn ein mysg am ein bod yn cael 'sioe ffilm'. Ar y sgrîn daeth lluniau o Iddewon nad oeddynt yn fwy na sgerbydau, a distawodd pawb. Dyna pryd y diflannodd rhywbeth go sylfaenol ynof – cred yn naioni dynoliaeth. Os gallai pobl wneud hyn i'w gilydd, doedd dim pen draw ar eu drygioni. Gorffennodd y gyfres o ffilmiau gyda'r bom yn Hiroshima, ond y cyfan ddangoswyd inni oedd y cwmwl gwyn mawr siâp madarch. Fe'n harbedwyd ni rhag gweld gwir effaith y bom honno, neu wn i ddim beth fyddai'r argraff arnom.

Dechreuais ddarllen yn awchus am yr Ail Ryfel Byd yn y diwedd, ac un llyfr wnaeth argraff ddofn arnaf oedd *Dyddiadur Anne Frank*. Wedi darllen hwn, prynais ddyddiadur, a chychwyn arferiad o gadw dyddiadur yn bedair ar ddeg oed, rhywbeth yr ydw i wedi parhau i'w wneud ers hynny. Llyfr arall y gwirionais arno oedd *Carve Her Name With Pride*, hanes bywyd yr ysbïwraig Violette Szabo. Tan hynny, hanes dynion fu hanes y rhyfel, ond gyda'r llyfr hwn, deallais fod gan ferched ran i'w chwarae. Cofiaf feddwl y carwn fod mor ddewr â Violette, ond fe'm poenai yn arw na allwn i fyth oddef cael fy arteithio, na mynd drwy'r boen y bu rhaid iddi hi ei oddef. Cefais dracsiwt yn anrheg un Nadolig, ac wrth ymlwybro ar fy mol yn y gwair ym mhen draw'r ardd, carwn gymryd arnaf mai fi oedd un o arwyr yr Ail Ryfel Byd.

Un athro a gofiaf yw Iolo Huws-Roberts a ddeffrôdd fy niddordeb mewn llenyddiaeth Saesneg, yn enwedig Shakespeare. Ysgrifennodd ar fy llyfr, *'You'll make a fine novelist, but buy a typewriter!'* Roedd fy sgrifen yn draed moch. Athro Saesneg arall a ddylanwadodd arnaf yn y Chweched Dosbarth oedd Gareth Miles. Parodd i mi sylweddoli fod addysg yn golygu llawer mwy na sefyll arholiad. Yn y gwersi Cymraeg, cefais fy nghyflwyno i waith T.H. Parry-Williams, a'i waith ef sydd wedi dylanwadu fwyaf arnaf. Cefais ei lofnod yn Eisteddfod Bangor, 1971. Yn Nyffryn Nantlle, hawdd oedd credu mai maes llafur lleol oedd yr un Cymraeg Lefel A. Yr oedd John Gwilym Jones yn ymwelydd cyson â'r ysgol, R. Williams Parry wedi ei fagu yn y pentref nesaf, Parry-Williams lawr y lôn, a Kate Roberts dros y mynydd yn

Rhostryfan. Yr oeddem yng nghanol tiriogaeth y Bedwaredd Gainc. Saunders Lewis oedd yr unig un oedd yn byw y tu allan i'r dalgylch! Buom yn ffodus o ran dramâu, ac yr oedd y Saithdegau yn gyfnod cynhyrchiol i Gwmni Theatr Cymru. Byddai taith i Fangor bob mis neu ddau i weld clasuron yn Theatr Gwynedd.

Tan y cyfnod hwn, plentyn oeddwn i, ond yna dechreuodd pob math o fydoedd ymagor o'm blaen. Dechreuais sylweddoli nad y fi yn unig oedd â'm meddyliau bach fy hun, yr oedd gan bawb arall eu meddyliau eu hunain hefyd, ac mewn llyfrau a nofelau, câi'r bydoedd hyn eu rhannu. Yr oedd megis agor bocs Pandora a phob peth yn arwain at ddiddordeb newydd. Dechreuais wylio ffilmiau, a gychwynnodd hoffter o'r sinema am weddill fy mywyd, yn fwy felly gan i mi gael fy amddifadu o ddramâu teledu. Yn ddeuddeg oed, cefais weld *Doctor Zhivago* am y tro cyntaf, ac fe'm cyfareddwyd yn llwyr ganddo. Dyna oedd fy nghyflwyniad i Rwsia, diddordeb a drodd yn obsesiwn bron. Bryd hynny, gan fod y Llen Haearn yn dal mewn bod, yr oedd hi'n wlad gyfrinachol. Ymhlith ei gasgliad o recordiau, yr oedd gan fy nhad ganeuon Côr y Fyddin Goch, ac fe fyddwn wrth fy modd yn gwrando arnynt. Yna, darllenais hanes teulu'r Tsar Nicholas a'i deulu a'u tynged erchyll. Eglurodd rhywun yn fy nosbarth nad oedd modd i mi gefnogi'r Comiwnyddion **a'r** Tsar, ac roedd yn rhaid dewis ochr. Ond i mi, er bod achos y Comiwnyddion yn un clodwiw, fedrwn i ddim diystyru mai pobl o gig a gwaed oedd teulu'r Tsar. Treuliais oriau yn dychmygu beth oedd tynged y ferch ieuengaf, Anastasia.

Yr oedd Che Guevara yn eicon poblogaidd yr adeg

honno, ac yr oeddwn eisiau gwybod pwy oedd o. Yr oedd
eraill yn sôn am Freud a'r isymwybod; fod ystyr i
freuddwydion, ac yr oeddwn eisiau dysgu am hynny. Yr
oeddwn eisiau dysgu ieithoedd, eisiau gweld y byd,
eisiau gwneud popeth ar unwaith. Fy ffrindiau yn yr
ysgol oedd Anwen, Jacqueline, Meryl a Heulwen, a buom
yn brysur yn cynhyrchu llyfrynnau bach o farddoniaeth
a ffantasïau. Dyma ddechrau mynychu dosbarthiadau
Sbaeneg a Rwsieg gyda'r nos, ond ni pharodd hynny'n
hir. Cyn gynted ag y deuai un obsesiwn i ben byddai un
arall yn cychwyn. Ymddangosai popeth diddorol fel
petai tu allan i faes llafur yr ysgol; dyna oedd yn
rhwystredig. Yr oedd bydoedd newydd yn ymagor, ac yr
oedd rhaid gwastraffu ein hamser ar yr hyn a elwid yn
'addysg'.

Un bore, bu'n rhaid deffro'n gynnar i ddanfon Llio at
y bws a oedd yn teithio i Berlin gyda Chôr y Sir. Dydw i
erioed yn cofio teimlo cymaint o eiddigedd tuag at neb. I
wneud pethau'n waeth, nid oedd gan Llio fawr o awydd
mynd. Byddwn wedi gwneud unrhyw beth i gael bod yn
ei lle. Wrth weld y bws yn cael ei lyncu yn y nos,
addunedodd y Cnonyn Aflonydd y byddai hithau hefyd
yn ymaelodi â Chôr y Sir, er nad oedd ganddi fawr o
ddiddordeb mewn canu, nac yn gallu darllen cerddor-
iaeth. Treuliais fisoedd lawer yn ymarfer ac yn
perffeithio fy nawn i ddilyn miwsig gyda'r glust. Yn
anffodus, ni ddaeth trip tebyg i ran y côr wedyn, a
rhoddais y gorau iddo. Y pella yr es i gyda thrip yr ysgol
oedd Eil-O-Man.

Ddiwedd y Chwedegau, prynodd fy nhad garafán lai,
ac ni fu pall ar y teithio wedyn. Ddaru ni ddim mynd

dramor, ond deuthum i nabod pob cornel o Brydain fel cefn fy llaw. Pob gwyliau Pasg, Sulgwyn a haf, byddai'r garafán yn cael ei phacio, ac i ffwrdd â ni. Aethom i'r Alban rhyw bum gwaith, i Wlad yr Haf, Swydd Efrog, Cernyw, Norfolk, Caer-grawnt, Sir Benfro, Ardal y Llynnoedd a sawl lle arall. Yr oedd hyn yn dipyn o fenter i'm rhieni a bu sawl tro trwstan ac argyfwng. Un tro, cychwynnodd fy rhieni i ymweld â phentref pan sylwodd rhywun mai dim ond pedair ohonom oedd yn eu dilyn. Wyddai neb ble roedd Ffion. Ymhen hir a hwyr, dychwelodd Dad i'r garafán a dyna lle roedd Ffion druan. Yn ei frys i gael pawb yn barod, yr oedd Dad wedi cloi drws y garafán – a Ffion yn dal ynddi! Droeon eraill, dol Ffion, Tina Chwecheiniog, fyddai'n creu helbul. Ambell waith, yng nghefn y car, byddem yn agor ffenest y car ac yn gadael i'r doliau gael awyr iach a gweld eu gwalltiau yn chwifio yn y gwynt. Wrth i Tina Chwecheiniog wneud hyn, daeth ei phen i ffwrdd. Fyddai dim ots petaem yn teithio ar hyd lôn wledig, ond roedd fy nhad yn tynnu carafán ar draffordd brysur! Doedd dim amdani ond stopio mewn man argyfwng, a cherddodd fy nhad yn ôl ar hyd y draffordd nes canfod pen y ddol anffodus. Nid llawer o dadau fyddai yn gwneud hynny. Doedd dim pen draw ar driciau Ffion. Gwelodd fy nhad hi unwaith o flaen siop flodau yn cymysgu bylbiau blodau.

'Be sydd haru'ch pen chi'n gwneud y fath beth?' holodd fy nhad, fel garddwr ei hun.

'Eisiau i bobl gael syrpreis wedi iddyn nhw dyfu!' oedd ateb parod Ffion.

Gwyliau wedi eu cynllunio gan fy nhad oedd y gwyliau

carafán, a'r amcan oedd gweld cymaint o eglwysi, golygfeydd a chartrefi pobl enwog ag oedd modd mewn pythefnos neu dair wythnos. O ganlyniad, wn i ddim beth yw ymlacio ar wyliau! Dyma a ysgogodd ddiddordeb ynof mewn pob math o bethau, a phan soniwyd yn yr ysgol am Hardy neu Wordsworth, teimlwn fod gen i adnabyddiaeth go dda ohonynt gan i mi weld eu cartrefi, y ddesg y buont yn cyfansoddi arni, y pin ysgrifennu, y gwely oedd yn eiddo iddynt a'r man lle claddwyd hwy. Dysgais gryn dipyn am y berthynas rhwng gwledydd Prydain hefyd. Cofiaf fy nhad yn sobri wrth ein cymryd i Culloden a gweld maint dioddefaint yr Albanwyr. Cawsom weld cofeb y Tolpuddle Martyrs a deall fod gan y Saeson hwythau eu brwydrau yn erbyn anghyfiawnder.

Y peth mwyaf cynhyrfus oedd deall fod gennym ni'r Cymry ein hanes hefyd. Un o'm hoff lyfrau yn blentyn oedd *Arwyr o Hanes Cymru*. Ond yr oedd hanes Cymru wedi dod i ben yn ddisymwth gydag Owain Glyndŵr, ac yn yr ysgol, chefais i ddim dysgu dim o hanes diweddar fy ngwlad fy hun. Dyna pam yr wyf mor ddyledus i Dafydd Iwan – fy athro pwysicaf. Wrth ei glywed ef yn canu am bont Trefechan, teulu'r Beasleys, yr Ysgol Fomio a Thryweryn, dyma ddechrau holi fy rhieni am yr hanes tu ôl i'r gân, a pharodd yr hanesion hyn i'm gwaed ferwi! Nid rhywbeth pell i ffwrdd oedd anghyfiawnder bellach; roedd o'n digwydd yn fy ngwlad fy hun. Y rhai oedd ar flaen y gad yn ymladd yr anghyfiawnder hwn oedd Cymdeithas yr Iaith Gymraeg. Ymaelodais yn Eisteddfod Rhuthun ym 1973, wedi i mi gael fy mhenblwydd yn bymtheg oed.

Byddaf yn dweud yn aml i mi gael dau fath o addysg – addysg y Wladwriaeth a'm dysgodd i dderbyn popeth ac a barodd i mi feddwl nad oeddech yn cyfrif llawer os oeddech yn ferch yn byw yng nghefn gwlad Arfon. Yr addysg arall oedd un Cymdeithas yr Iaith a'm dysgodd i gwestiynu popeth ac a brofodd i mi fod merched a chefn gwlad yn allweddol yn y frwydr dros ryddid i Gymru.

Dafydd Iwan oedd yr arwr mawr. Cofiaf un Nadolig wnïo dol enfawr oedd yn mesur rhyw droedfedd a hanner. Wedi ei chwblhau, wyddwn i ddim i bwy i'w rhoi, nes y cofiais fod gan Dafydd Iwan ferch fach. Ar fore Nadolig, sefais ar garreg drws tŷ fy arwr a churo'r drws. Fe'i hagorwyd gan Dafydd Iwan ac edrychodd yn hurt ar y ferch ysgol o'i flaen gyda'r ddol anferth.

'Eisiau rhoi y ddol yma i'ch merch chi ydw i.'

'Wel diolch yn fawr – ydech chi'n nabod Elliw?'

'Ym, – nac ydw,' meddwn, cyn diflannu.

Doeddwn i erioed wedi cyfarfod ei ferch, ond dyna beth ydi eilunaddoliaeth.

Ar wal fy ystafell wely erbyn hynny, doedd dim modd gweld y papur wal. Gorchuddiwyd pob modfedd â phosteri. Credaf mai Dafydd Iwan oedd ar tua dwsin ohonynt, Ffred ar fwy nag un, ac roedd gen i gasgliad gwerthfawr o bosteri cynnar Cymdeithas yr Iaith. Yr oedd llun a wneuthum o Ifan ab Owen Edwards am iddo sefydlu'r Urdd, a minnau wedi cael cymaint o hwyl yng Nglan Llyn; llun trist o'r Tsar Nicholas a wneuthum â phensil, darlun mawr o 'D.J.', poster a beintiais o Che Guevara, a ffotograff o Omar Sharif fel Dr. Zhivago. Yr oedd poster gyda geiriau Castro, *Reforma! Pan! a Libre!*, a hefyd llun mawr a beintiais yn yr ysgol. Mae'r darlun hwn yn dal gennyf ac yn golygu tipyn i mi. Daeth athro celf llanw i'r ysgol, rhoi'r teitl *The Frolumpus of a Walkey Ney* inni a dweud wrthym am ei ddarlunio. Yr hyn a wnes oedd creadur mewn ogof yn edrych ar fywyd, er nad oedd sôn am Rala Rwdins a'i hogof bryd hynny! Darlunio fy hun a wnethum ar drothwy bywyd. Mae'r peli biliards yn cynrychioli'r Aelwyd yn y Groeslon lle byddwn yn cymdeithasu, y môr a'i bysgod yn cynrychioli'r maeth a gawn gartref, a'r tai a'r coed yn cynrychioli'r byd. Yr oeddwn yn ymwybodol iawn yn bymtheg oed fy mod ar drothwy bywyd llawn a chynhyrfus.

Deuthum yn raddol ymwybodol hefyd na fyddai'r bywyd hwn yn parhau am byth. Daw i ran pob plentyn yn ei dro, y sylweddoliad nad bod tragwyddol mohono. Daeth i mi tua'r deuddeg oed, ac yn anffodus, dechreuais feddwl fod pob math o bethau yn bod arnaf ac y deuai'r diwedd yn bur sydyn. Mae llun camera a dynnwyd gan fy nhad yn cofnodi'r amser hwn. Edrychaf yn berffaith hapus ymysg fy chwiorydd, ond cofiaf feddwl ar y pryd mai hwnnw fyddai'r llun olaf a gâi ei dynnu ohonof. Ddaru *Doctor Zhivago* ddim helpu yn hyn o beth. Gan na chaniatawyd i mi fynd i gynhebrwng, fy mhrofiad cyntaf o angladd oedd un mam Zhivago ar gychwyn y ffilm. Cefais fraw yn gweld corff mewn arch, a'r hoelion yn sicrhau'r caead. Pan oedd y cyfan ar ben, dangoswyd cip o'r fam yn ei harch wedi i'r bedd gael ei lenwi. Wedi gweld yr olygfa honno, hunllef cyson i mi oedd dyfalu beth ddeuai ohonof petawn yn agor fy llygaid, a sylweddoli bod dydd fy nghladdedigaeth wedi bod. Yr unig un i mi drafod y syniadau hyn gyda hi oedd fy ffrind ysgol, Meryl. Ei hymateb hi oedd na fyddwn yn ymwybodol gan mai dyna oedd ystyr bod yn farw. Ond yn fy myw, ni allwn dderbyn hynny.

Ar adegau felly y mae rhywun yn mynd i ddyfalu ac amau pob math o bethau. Cawsom ein hannog fel plant i gredu mewn Siôn Corn, a ddaru mi ddim amau ei fodolaeth nes i blant yr ysgol uwchradd ddechrau gwneud sbort ar ein pennau. Holi ein rhieni wedyn,

'Dad, ydi Siôn Corn yn bod?'

'Ydi, i bawb sydd yn credu ynddo.'

'Mae plant ysgol yn deud nad ydi o'n bod.'

'Gan bwy maen nhw'n cael eu presantau Dolig?' gofynnai.

'Gan eu rhieni.'

'Dyna sy'n digwydd. Wrth beidio credu yn Siôn Corn, mae Siôn Corn yn peidio dod atyn nhw, a rhaid i'w rhieni roi anrhegion iddyn nhw yn ei le.'

Doedd 'na ddim ateb i hynny! Felly, dyma barhau i gredu mewn Siôn Corn, petai ond i arbed pres i'n rhieni. Eto, bob bore Dolig wrth sylwi ar fy rhieni yn edrych arnom, gwyddwn nad oedd Siôn Corn yn dod atynt hwy, a gwaredwn yr amser pan fyddwn wedi tyfu'n oedolyn, ac na fyddai Siôn Corn yn oedi wrth ochr fy ngwely.

Ta waeth, un diwrnod, roeddwn yn gorwedd ar fy nghefn yn yr ardd ac yn edrych ar yr awyr, a chofiaf ystyried y peth yn ddifrifol a dod i'r casgliad ei bod yn gwbl amhosibl i rywun fynd o amgylch y byd ar sled a cheirw mewn un noson. Roedd gan fy nhad ateb i hyn hefyd – fod plant Awstralia yn cael eu Nadolig hwy yn yr haf a ballu… ond wedi meddwl am y peth, roedd yn rhaid i mi ddod i'r casgliad mai rhith yn ein dychymyg oedd Siôn Corn. Wedi dod i'r casgliad hwnnw, cofiaf fynd drwy gamau eraill mewn rhesymeg. Os oedd marc cwestiwn uwch ben Siôn Corn, yna yr oedd yr un marc ynglŷn â thylwyth teg, corachod, Duw, Iesu Grist a phob grym anweledig arall y'm magwyd i gredu ynddo. Proses raddol ydoedd, ond proses o wynebu'r gwir. Y cyfan oedd yn bod oedd realiti, a phroses galed oedd ceisio dod i delerau ag o. Erbyn i mi gyrraedd y pymtheg oed, roeddwn i'n gryn agnostig, er yn dal i fynd i'r capel. Ond wrth ddod i ddysgu mwy am syniadau newydd, deuthum i'r casgliad mai cysur oedd Crist, cysur i helpu dynoliaeth i wynebu trybestod y byd hwn ac erchylltra marw a darfod.

Rhywbeth oedd yn llawer mwy real i mi oedd gwleid-yddiaeth. Ar y ffordd i Eisteddfod Caerfyrddin ym 1974, dechreuais holi fy nhad beth oedd y gwahaniaeth rhwng y gwahanol bleidiau gwleidyddol. Am y tro cyntaf, yr oedd yr ymrannu rhwng pleidiau yn dechrau gwneud rhyw fath o synnwyr. Yr oedd 1974 yn flwyddyn go dda i ddechrau deall materion fel hyn gan i ddau etholiad cyffredinol gael eu cynnal. Yr oeddwn yn rhy ifanc i bleidleisio, ond byddwn yn helpu yn Swyddfa'r Blaid yng Nghaernarfon yn plygu taflenni a'u rhoi mewn amlenni ar gyfer y criw canfasio. Ches i ddim mynd i'r cyfrif ar noson y canlyniad, ond cynhaliwyd yr etholiad cyntaf ar ddydd Gŵyl Dewi, ac yr oedd yn ddyddiad pur arwyddocaol. Dyna'r dyddiad y daeth Ffred Ffransis o Garchar Walton, a dyna'r dydd y collodd Gwynfor Evans sedd Caerfyrddin o dair pleidlais. Cawsom ni blant ein deffro am dri o'r gloch y bore wrth i Dad ddod adre o'r cyfrif. Roedd Dafydd Wigley i mewn gyda 14,103 o bleidleisiau! Yr oedd Dafydd Elis Thomas hefyd i mewn dros Feirionnydd. Fedra i ddim cyfleu i chi y llawenydd a olygodd hynny i mi. Y peth gorau oedd cael mynd i'r ysgol y diwrnod canlynol a chael dal fy mhen yn uchel – fi a'm rosét mawr gwyrdd. Nid 'Blaid Bach' mohonom mwyach!

Ar Hydref 10, 1974, cynhaliwyd yr ail Etholiad Cyffredinol, a'r tro hwnnw, llwyddodd Gwynfor i fynd i mewn yn ogystal â'r ddau Ddafydd. Dyma roddais yn fy nyddiadur,

> Mae o wedi digwydd, breuddwyd wedi dod yn wir – Gwynfor i'n harwain. Hanes – dyna be ydi hanes, Wigley, Dafydd Elis Tomos a Gwynfor yn y Senedd. Mae Cymru wedi ei hachub! ...Fedra i ddim coelio. Ma hyn di rhoi rhyw egni tanllyd newydd ynof – hunan-hyder, cynnwrf... mae [Cymru yn] gwrthod, gwrthod syrthio, a dyma fuddugoliaeth arall... O hyn ymlaen fydd petha'n newid. Tro mawr yn fy hanes... fydd na ddim peidio ar weithio rŵan.

Un o'r pethau mwyaf cynhyrfus ges i ei wneud wedyn oedd mynd ar 'Drên y Ddau Ddafydd' i'w hebrwng i Dŷ'r Cyffredin. I mi, roedd yna arwyddocâd hanesyddol dwfn i'r hebrwng hwnnw.

Tua'r un pryd, wedi ei gyfnod maith yng ngharchar, etholwyd Ffred Ffransis yn gadeirydd Cymdeithas yr Iaith, ac un o'r pethau cyntaf a wnaeth oedd rhoi chwe mis o wyliau i Senedd y mudiad, a dechrau mynd o gwmpas y wlad yn cynnal cyfarfodydd lleol, rhywbeth a alwyd yn 'Blwyddyn ymysg ein pobl'. Tan hynny, yr unig beth yr oeddwn yn gallu ei wneud oedd gwisgo cymaint ag y gallwn o fathodynnau ar fy ngwisg ysgol nes bod mwy o fetel nag o wlân ar fy siwmper. Cofiaf John Gill, un o'r athrawon, a thad Ian Gill y BBC, yn edrych arnaf gan broffwydo, 'Yn jêl fyddwch chi ar eich pen, hogan'. Doedd dim gwahaniaeth gen i. Yr oedd gen i dafod y ddraig ar fy het, ar fy nghôt ac ar sodlau fy sgidiau hyd yn oed. Pob mis, byddwn yn gwerthu *Tafod y Ddraig* i blant ac athrawon yr ysgol. Yna, derbyniais lythyr yn y post yn rhoi gwybod i mi y byddai cyfarfod lleol o'r Gymdeithas yn cael ei gynnal yn Neuadd Goffa Pen-y-groes ar Chwefror 6, 1975. Aeth tair ohonom yno, ond er mawr siom inni, roedd nodyn ar y drws i ddweud eu bod wedi symud y cyfarfod i'r 'Gôt', Llanwnda. Heb unrhyw drafnidiaeth, yr unig ddewis oedd gennym oedd cerdded y ddwy filltir i'r Gôt yn y tywyllwch.

Wn i ddim beth fyddai wedi digwydd pe na bawn wedi gwneud y daith honno ar noson oer o Chwefror, ond profodd yn garreg filltir yn fy hanes. Yn y Gôt, yr oedd Dafydd Iwan, Gareth Miles, Ffred Ffransis ac ysgrif-ennydd y Gymdeithas, Marc Phillips, a ddaeth yn Gadeirydd Plaid Cymru'n ddiweddarach. Yno hefyd yr oedd merch o Waunfawr y byddwn yn dod yn ffrindiau mawr â hi, Teresa Pierce. Yn fy awydd i wneud rhywbeth, derbyniais y swydd o fod yn gysylltwr cell. Petawn wedi fy ethol i fod yn llysgennad dros Gymru, fyddwn i ddim balchach. Rhoddodd Ffred a Marc lifft adref i mi, a mawr oedd y sioc ar wyneb Mam pan ddywedais fod Ffred Ffransis yn y parlwr. Yr oedd yn rhaid gwneud paned iddynt, a soniodd Ffred fod cyfaill arall iddo, Hubert, yn y fan tu allan, ond ei fod yn rhy swil i ddod i mewn. Plediodd fy mam arno i'w nôl, a dychwelodd Ffred efo Hubert – cwningen anferth chwe troedfedd wedi ei stwffio. Chwarddodd Mam yn boleit, yn methu credu mai hwn oedd Ffred Ffransis y Merthyr, ond mynnodd Ffred barhau'r jôc. Rhoddodd Hubert i eistedd ar y soffa ac roedd yn rhaid i Mam wneud paned iddo yntau. Yr oedd yn noson hynod wallgof, a fedrwn i byth gymryd Ffred yn *gwbl* o ddifrif wedi'r cyfarfyddiad cyntaf hwnnw.

Yr oeddwn wedi cysylltu â Ffred ar bapur cyn hynny. Byddwn byth a hefyd yn fy amser rhydd yn gwneud rhyw fath o waith llaw. Peintio wyau yn gywrain oedd un diddordeb, a gwneud doliau peg oedd un arall. Anfonais ddwsin o'r doliau peg i Gwmni Cadwyn a gofyn a allai Ffred Ffransis eu gwerthu. Yr oedd gen i sticer taclus ar bob un gyda 'Gwnaed yng Nghymru' arno ond chlywais i ddim gan Cadwyn, ac ni ddatblygodd y fenter.

Ddiwedd yr un mis, yr oedd yn rhaid i ni i gyd yn y Chweched ysgrifennu stori i'w chyflwyno i gystadleuaeth y Gadair yn Eisteddfod yr Ysgol. Ysgrifennais stori am 'Dafod y Ddraig' a disgrifio draig yn fy hebrwng drwy'r canrifoedd yn dangos i mi argyfwng yr iaith Gymraeg. Ar noson yr Eisteddfod ei hun, yr oedd plant y Chweched wedi cael eu siarsio i eistedd yng nghefn y Neuadd Goffa, gan mai un ohonynt hwy fyddai'n fuddugol. Gan wybod nad oedd gennym obaith bod ymysg y 'swots', a chan deimlo braidd yn herfeiddiol, eisteddodd tair ohonom yn y tu blaen i gael golygfa dda o'r seremoni. Gwelodd yr athro Cymraeg ni a gwylltio'n gandryll cyn ein hel i gefn y Neuadd. Wedi gwrando ar y feirniadaeth faith, cyhoeddodd y beirniad ffugenw'r buddugol, a phrin y gallwn gredu 'nghlustiau – fy ffugenw i ydoedd! Dechreuodd fy ffrind grio, a wyddwn i ddim beth i'w wneud. Ddaru mi ddim dychmygu y gallwn ennill y Gadair. Mewn dim, yr oedd yr orsedd wedi dod i'm hebrwng, a dyna lle roeddwn ar y llwyfan ger bron pawb mewn stad o sioc. Honno yw'r fuddugoliaeth felysaf y gallaf ei chofio gan ei bod mor gwbl, gwbl annisgwyl. Fe'i henillais y flwyddyn ganlynol hefyd, ond y Gadair gyntaf sy'n sefyll yn y cof. Anfonais y stori i olygydd *Tafod y Ddraig*, Cynog Dafis, ac fe'i cyhoeddwyd. Dyna'r tro cyntaf i mi weld fy ngwaith mewn print.

Gadawodd fy ffrind gorau, Meryl, yr ysgol wedi blwyddyn gyntaf y Chweched, a diflastod i mi oedd y flwyddyn olaf. Yswn am gael bod yn rhydd o gaethiwed amserlen ysgol, ac roeddwn eisiau gweld y byd. Cymerais fy swydd fel cysylltydd cell Cymdeithas yr Iaith o ddifrif, a byddwn yn cynnal cyfarfodydd yn fisol, yn cadw cofnodion ac yn llythyru ag aelodau a chyrff allanol. Yn yr oedran hwnnw, gwnes bethau na fyddwn yn mentro eu gwneud yn awr, er enghraifft, cynnal disco yn Neuadd Goffa Pen-y-groes i godi arian. Llwyddwyd i glirio'r £25 o gostau, ond siom fawr i mi oedd peidio gwneud elw. Un o'r ymgyrchoedd cyntaf a drefnais oedd yr un i gael y Cyd-Bwyllgor Addysg i roi tystysgrifau Lefel 'O' a Lefel 'A' Cymraeg. Ar y Diwrnod Gwobrwyo, aeth tua phump ohonom ar y llwyfan pan gyhoeddwyd ein henwau, ond gan wrthod derbyn y tystysgrifau. Wfftio wnaeth rhai yn y gynulleidfa a sibrydodd rhywun tu ôl i Mam, ''Daiff honna ddim pellach na Bangor'. Dyna'r meddylfryd yn aml, credu mai arwydd o lwyddiant ydi mynd yn bell o'ch bro enedigol. Lluniais dystysgrif daclus fy hun gydag ysgrifen Geltaidd a chael y Prifathro i'w harwyddo, ac ymhen blynyddoedd, cafodd y Cyd-

Bwyllgor afael ar eiriadur a chynhyrchu tystysgrifau dwyieithog. Dangosodd rhai o'r Wasg ddiddordeb a bu'n rhaid i mi wneud fy nghyfweliad radio cyntaf. Roeddwn mor nerfus fel y bu raid i mi ailgychwyn tua hanner dwsin o weithiau! Dyma pryd yr oeddwn yn weithgar gydag Undeb Disgyblion Cymru. Cymerais yr awenau gan Dylan Iorwerth, ac amcan yr Undeb oedd brwydro am fwy o Gymraeg yn yr ysgolion. Penderfynais wneud cylchgrawn, a hwnnw oedd y cylchgrawn cyntaf i mi ei gyhoeddi. Fe'i teipiais fy hun, ar hen deipiadur fy nhad, a ddaru mi ddim meddwl am ofyn cyngor neb ynglŷn â chysodi – dim ond torri'r darnau teip a'u gosod yn stribedi. Ni allaf gofio sawl copi a argraffais, ond credaf mai dyna'r unig rifyn a ymddangosodd. *Ymlaen!* oedd enw'r cylchgrawn, a fi ddarluniodd y clawr. Gofynnais i'r Parch. Gareth Maelor pa fath o bin ddylwn i ei ddefnyddio i wneud cartwnau, a fo a'm cyflwynodd i'r 'rotring pen'.

Yr oeddwn yn dipyn o gartwnydd gartref. Yn ein teulu yr oedd yn draddodiad i wneud cardiau pen-blwydd ein hunain. Dechreuais wneud cartwnau a ddaeth yn go boblogaidd ymhlith y teulu. Nid oedd prinder achlysuron doniol i'w portreadu, ac yn ffodus, mae fy mam wedi cadw pob un o'r rhain yn ofalus. Bellach, mae'n anodd dwyn i gof beth oedd yr union stori, ond nodwedd cymaint o'r cartwnau yw eu bod yn hollol eithafol. Byddai Mam yn cael ei phortreadu yn ddi-ffael fel gwraig dew, dew. (Doedd hi ddim, ond yr oedd yn poeni am ei phwysau drwy'r amser). Gwnes gyfres o bosteri teneuo iddi fu'n addurno waliau'r gegin am flynyddoedd, un yn gopi o boster enwog Kitchener gyda'i fys cyhuddgar, a'r gorchymyn, 'RHAID i chi deneuo!' Mae'r cartwnau hyn yn awr yn dod â myrdd o atgofion yn ôl. Rhyw olwg cartwnydd sydd gennyf ar y byd.

Tan i mi ddod i'r afael â biwrocratiaeth, yr oedd bywyd yn eitha syml. Ond yn y Chweched, yn ystod y misoedd olaf, rhaid oedd llenwi pob math o ffurflenni. Un o'r rhain oedd gwneud cais am le mewn prifysgol, a dyma gael trafodaeth wleidyddol yn ystafell y Chweched wrth i'm cyfoedion drafod sut i labelu eu hunain am y tro cyntaf,

'Be da chi fod i roi dan 'Nationality' – Welsh ta British?'

Gwrthodais lenwi unrhyw ran o'r ffurflen gan ei bod yn Saesneg a bûm yn gohebu gyda'r UCCA sut i gael cydnabyddiaeth i ffurflenni Cymraeg oedd wedi cael eu cyfieithu. Pryderai fy nhad na fyddwn yn cael lle mewn coleg o gwbl. Ond yr oeddwn wedi cael fy nerbyn i Brifysgol Aberystwyth ar yr amod y cawn y graddau digonol ar sail fy nghryfder yn y Papur Arbennig yn Gymraeg. Nid oeddwn wedi disgleirio yn fy ngyrfa academaidd, ond yr oeddwn wedi dangos gallu yn y Gymraeg. Mae rhieni rhai plant yn uchelgeisiol iawn. Yr oedd gen i rieni gwahanol. 'Cyn belled â'ch bod chi'n hapus,' oedd agwedd fy nhad, ac roedd fy mam dipyn yn fwy penodol, 'Waeth gen i be newch chi yn yr ysgol, cyn belled â'ch bod yn cael marciau da yn y Gymraeg,' meddai Mam. O ganlyniad, byddai ymdrech arbennig yn cael ei wneud gennym ni blant yn y pwnc hwnnw. Yn haf 1976, er na chefais ganlyniadau gwych, ac er i mi wrthod llenwi ffurflen Saesneg, llwyddais i gael lle ym

Mhrifysgol Aberystwyth. Doedd dim angen i Dad wneud gormod o ffwdan fy mod i yn protestio. Dilyn yn ôl ei droed yr oeddwn. Pan oedd yr *evacuees* yn dod i'w ysgol ef yn Friars, Bangor, ym 1940, penderfynodd y prifathro roi'r gorau i wersi Hanes Cymru gan na fyddai'r *evacuees* yn gallu ynganu'r geiriau Cymraeg. Os nad oedd yr *evacuees* am ddilyn hanes Cymru, doedd fy nhad a'i gyfaill ddim am ddilyn hanes Lloegr. Aethant i eistedd yng nghefn y dosbarth a gwrthod cymryd rhan yn y gwersi. Dim ond yn ddiweddarach y cefais y stori hon gan fy nhad!

Nid oedd unrhyw bwysau arnom yn yr ysgol i fynd i goleg yng Nghymru. Byddai'r athro gyrfaoedd yn gofyn pa bwnc yr oeddech am ei ddilyn, ac yn bodio drwy'r llawlyfr prifysgolion ac yn rhoi gwybod i chi p'run fyddai'r dewis gorau. O ganlyniad, byddai dogn helaeth o blant Dyffryn Nantlle yn mynd i brifysgolion yn Lloegr, oni bai eu bod yn dymuno gwneud gradd yn y Gymraeg. Yr oedd gen i fy rhesymau fy hun dros ddewis Aberystwyth – yno yr oedd Swyddfa Cymdeithas yr Iaith Gymraeg.

Roeddwn eisoes wedi cael blas ar ambell rali. Un diwrnod, daeth y prifathro ataf a dweud fod yna 'ryw ddynion' eisiau fy ngweld i.

'Fi?' gofynnais, yn methu credu pam y byddai unrhyw un eisiau fy ngweld i yn benodol. Pan euthum at ddrws yr ysgol, tua phedwar stiwdant oedd yno, rhai barfog hirwalltog, peryg yr olwg. Aelodau o Gymdeithas yr Iaith ym Mangor oeddent eisiau gwybod a allwn gael criw i ddod i Rali Llanelltyd, un o'r 'ralïau arwyddion' mawr olaf. Yr oedd John Morris fel Ysgrifennydd Gwladol, wedi ceisio osgoi'r ddadl ynglŷn â Bermo / Barmouth ac wedi gosod arwyddion ffyrdd gyda rhifau yn unig. Ni ddaeth neb o'r ysgol gyda mi, ond cefais fynd ar fws y myfyrwyr o Fangor gyda Llio a theimlo'n henaidd iawn. Wynfford James oedd y Cadeirydd ar y pryd, ac yn ei araith dywedodd ei fod yn edrych ymlaen at y dydd pan na fyddai angen Cymdeithas yr Iaith. Parodd hyn i mi deimlo'n ddigalon iawn. Doeddwn i ddim eisiau i Gymdeithas yr Iaith ddod i ben ar yr union adeg roeddwn i'n cael dod i mewn i'w rhengoedd! Ar ganol y rali, daeth Gwilym Tudur gyda llond fan o arwyddion ac arestiwyd pobl gan yr heddlu. Euthum i achos llys yn Nolgellau wedyn i gefnogi y rhai a ymddangosodd ger bron y fainc. Mae'n siŵr mai hwnnw oedd fy achos llys cyntaf. Yno y gwelais Teresa drachefn a deuthum i adnabod Ifanwy Rhisiart a'i dwy chwaer o Waunfawr.

Gwelais y rhain eto pan gefais fynd allan gyda chriw i dynnu arwyddion yn ardal Caernarfon. Dewi Tomos oedd Cadeirydd y gell, a chawsom ddod ar y daith 'i wylio am yr heddlu'. Yswn am gael gwneud rhywbeth o werth fy hun. Yr oedd Dad wedi fy rhybuddio mai ofer fyddai i mi wneud unrhyw beth cyn bod yn ddeunaw, neu ef a fyddai'n gorfod ymddangos yn y llys ar fy rhan. Ond anodd iawn oedd aros. Gallaf gydymdeimlo yn awr efo bechgyn 16 oed oedd yn dweud celwydd am eu hoedran er mwyn cael mynd i'r fyddin. Peth dychrynllyd o rwystredig yw bod ar dân eisiau gwneud rhywbeth a chael eich rhwystro am nad ydych wedi byw ar y ddaear yn ddigon hir.

Ddeuddydd wedi i mi ddathlu'r ffaith i mi fod ar y blaned hon am ddeunaw mlynedd, cefais nodyn cyfrinachol gan Teresa Pierce. Wn i ddim drwy law pwy y daeth, ond roeddwn i fel tawn i wedi cael neges gan ysbïwr peryglus. Byrdwn y llythyr oedd dweud fod aelodau o Gymdeithas yr Iaith am feddiannu tai haf y noson ganlynol. Mae'r nodyn hwnnw yn dal yn fy meddiant, er gwaetha'r rhybudd sinistr ar ei waelod, 'Llosga'r nodyn hwn'. Euthum i gyfarfod Teresa a Delyth Beasley, a chawsom lifft gan rywun i feddiannu tŷ haf ym Metws Garmon. Cael ein gadael tu allan ddaru ni, heb syniad sut i gael mynediad – nes i Teresa dynnu ei hesgid a'i lluchio drwy'r ffenestr ffrynt. Am sŵn! Disgwyliwn i bawb ddod allan i weld, ond nid oedd smic wrth inni gamu yn betrusgar dros y gwydr i barlwr dieithr. Ymhen hir a hwyr, daeth yr heddlu a'n cymryd i'r swyddfa yng Nghaernarfon a'n rhoi yn y celloedd dros nos. Dim ond ychwanegu at y rhamant wnaeth Delyth wrth ddweud mae'n siŵr mai yn yr union gelloedd hyn y rhoddwyd Tri yr Ysgol Fomio ddeugain mlynedd ynghynt. Cytunodd Teresa gan ychwanegu mai'r un saim a gafodd Saunders Lewis â'r un ddefnyddiwyd i goginio ein brecwast ni y bore wedyn! Mae'n siŵr fod fy rhieni yn poeni eu henaid ac yn methu'n lân â gwerthfawrogi mor gynhyrfus oedd y cyfan i mi. O'r diwedd, roeddwn i wedi cael gwneud rhywbeth 'gwerth chweil'.

Yr oeddwn wedi cael mynd i Gyfarfod Cyffredinol 1975, a dyna pryd y rhoddod Dafydd Iwan ei araith danbaid yn erbyn meddylfryd Adfer, a gredai nad oedd Cymry di-Gymraeg yn Gymry gant y cant. Cofiaf eiriau Dafydd, 'Pa hawl sydd gan unrhyw un ohonom i ddweud "Frawd, yr wyt ti yn anghyflawn"?' Ni allwn ddeall pam yr oedd pobl megis Dafydd Iwan ac Emyr Llywelyn yn ffraeo ymysg ei gilydd fel hyn; ymddangosai fel gwastraff egni llwyr. Yr oedd gennyf gryn feddwl o Emyr Llywelyn gan mai ef a aeth i garchar amser Tryweryn. Yn y diwedd, ysgrifennais lythyr i'r *Cymro* yn mynegi fy mhryder gan ddweud fod gennym elynion amgenach megis Prydeindod i ymladd yn eu herbyn. Euthum gam ymhellach ac ysgrifennu llythyr personol at Emyr Llywelyn i geisio deall achos y gynnen. Cefais ateb ganddo yn fy ngwahodd i Gyfarfod Cyffredinol Adfer yng Ngholeg Bala-Bangor. Euthum yno ar fy mhen fy hun yn teimlo'n ddigon nerfus, – a dod oddi yno wedi fy mhenodi yn Ysgrifennydd Ieuenctid! Tra oedd pawb arall yn ymrannu i ddau grŵp, roeddwn i yn y sefyllfa ryfedd o gael troed yn y ddau wersyll! Petawn wedi deall fod llawer o sail bersonol i'r ffrae, ac mai dadl rhwng personoliaethau ydoedd, fyddwn i ddim wedi ceisio mor galed i ddeall y ddau safbwynt. Ond wrth gychwyn coleg, byddwn yn mynychu Pwyllgor Canol Adfer yng Nglantwymyn a chyfarfodydd Cymdeithas yr Iaith heb ddeall pam na allai'r ddwy garfan gydweithio. Yng nghyfarfodydd Adfer, gwrando ar Emyr Llywelyn yn traethu a fyddem yn aml, a hawdd iawn oedd i'w garisma effeithio ar rywun. Wedi iddo siarad unwaith yn erbyn caethiwed 'morgais' a gochel swyddi saff, euthum ato a gofyn iddo a ddylwn wneud rhywbeth mwy defnyddiol na mynd i goleg. Cyngor Emyr Llew oedd y byddai'n well i mi fynd i goleg. Lwc mai dyna oedd ei ateb. Petai wedi dweud wrthyf am encilio i fynyddoedd Eryri i chwilio am ysbryd Glyndŵr, byddwn wedi gwneud hynny yn llawen!

Anodd yw dirnad yn awr pa mor hawdd yw dylanwadu

ar rywun deunaw oed. Bryd hynny, achos Cymru oedd yr *unig* beth oedd yn cyfrif – deuai o flaen teyrngarwch i rieni a theulu. Yr oeddwn yn cael fy swyno gan weithredoedd arwrol. Yr oedd John Jenkins wedi cael dedfryd faith o garchar am ymhel â ffrwydron, ond ysgrifennais gerdyn ato yn y carchar. Yr oeddwn eisiau gwneud mwy na hyn i ddangos fy edmygedd ohono. Byddai wedi bod yn ddigon petawn wedi gwneud darlun ar gerdyn iddo, ond roedd yn rhaid i mi fynd ymhellach. Penderfynais wnïo tapestri iddo. Nid un syml, ond copïo un o'r cynlluniau cymhleth Celtaidd hynny a gynlluniodd John Jenkins yng ngharchar – hyn heb unrhyw brofiad blaenorol o wneud tapestri. Daliais ati, er iddi gymryd misoedd lawer i mi. Beth oedd yr holl waith pwytho i mi i un a oedd yn aberthu cymaint o'i fywyd yng ngharchar y Sais? Cofiaf Nain yn edmygu'r gwaith a minnau'n egluro tynged John Jenkins, a hithau'n deud, 'y creadur bach'. Un dda oedd Nain, gwraig 'R.E'. Wedi iddynt foddi Tryweryn, tyngodd na fyddai hi byth eto yn mynd ar gyfyl dinas Lerpwl – a wnaeth hi ddim chwaith. Dydw i ddim yn credu ei bod yn loes fawr i Lerpwl golli cwsmer mor anfynych, ond doedd dim ots gan Grace Hughes, roedd hi wedi gwneud ei safiad. Dro arall, pan oeddwn yn y carchar, ysgrifennodd o'i chartref ym Methesda yn dweud wrth Wyn Roberts mor falch ydoedd nad oedd o yn aelod seneddol arni hi.

'Camgymeriad oedd hynny, Nain. Mae Bethesda yn ei etholaeth o.'

'Ydi o wir? Roeddwn i'n meddwl mai Dafydd Wigley oedd fy aelod seneddol i.'

A dyma ni'n chwerthin am y syniad o Wyn Roberts yn

darllen ei llythyr. Roedd Dafydd Wigley mor weithgar fel mai hawdd iawn oedd i Bleidwraig ym Methesda gredu ei bod yn ei etholaeth. Roedd sawl un ym Methesda yn ystyried Dafydd Orwig fel eu haelod seneddol gan mor weithgar oedd yntau.

Yr oedd fy rhieni yn weithgar iawn gyda'r Blaid. Wesleaeth a Chenedlaetholdeb oedd conglfeini fy magwraeth. Aelod gweithgar iawn o Gangen Merched Arfon o Blaid Cymru oedd Mam. Ym 1971, etholwyd fy nhad yn gynghorydd ar Gyngor Dosbarth Gwyrfai yn enw'r Blaid. Aflwyddiannus fu ei ymgais wedyn i gael ei ethol i'r Cyngor Sir, ond mater o ddyletswydd ydoedd iddo yn hytrach nag uchelgais. Ganol y Saithdegau, ef oedd Cadeirydd MAGA, Mudiad Addysg Gyflawn Arfon, oedd yn ymgyrchu dros addysg Gymraeg. Cyn pen dim, yr oedd eraill wedi sefydlu 'Parents for Optional Welsh' i sicrhau na fyddai addysg Saesneg yn colli ei chadarnle yng Ngwynedd. Ers blynyddoedd, mae 'nhad wedi bod yn drysorydd y mudiad Cefn.

Gartref ym Mron Wylfa, roedd Dad wedi cael difyrrwch newydd i lenwi ei oriau hamdden. Yr oedd wedi prynu camera 'cine'. Byddai'n ein ffilmio ni blant, a mawr oedd y difyrrwch pan gaem 'noson ffilmiau' o flaen y tân. Busnes drud oedd o yr adeg honno, ac o ganlyniad, byddem yn rhedeg i bobman i arbed ffilm! Byddai yn ein ffilmio ar ein gwyliau, ond cychwynnodd wneud ffilmiau cartref. Un ffilm fer a wnaeth oedd Scrooge, gyda mi yn chwarae rhan Scrooge. 'Silent movies' oedd y rhain, felly rhaid oedd cyfleu y stori heb siarad. Cafodd fy nhad hwyl fawr ar wneud y rhain, er nad oedd gennym ni blant fawr o 'fynedd pan gaem ein tynnu oddi wrth ein chwarae i wisgo dillad ffansi a disgwyl am hydoedd nes oedd Dad yn cael y 'shot' berffaith. Rŵan, rydym wrth ein boddau yn gwylio'r hen ffilmiau hyn. Un o'r pethau oedd yn rhaid i mi ei wneud fel Scrooge oedd cael fy ffilmio yn yr ardd gefn a hithau'n dywyll fel y fagddu yn wylo'n hidl wrth weld fy medd fy hun. Wn i ddim be oedd pobl drws nesa yn ei feddwl o'r hogan ifanc efo mwstash, barf a chôt fawr yn ymbalfalu yn y drain a 'spotlight' cryf i oleuo ei hwyneb!

Daeth amser y gwahanu yn y diwedd, a minnau'n gadael cartref. Doedd gen i ddim rhithyn o hiraeth. Roeddwn yn eithriadol falch o adael yr ysgol, ac nid euthum ar ei chyfyl wedi hynny. Roeddwn wedi edrych ymlaen at adael cartref i mi gael annibyniaeth. Onid hwn oedd y cyfnod y bûm yn cyfrif y dyddiau er ei fwyn? A doeddwn i ddim yn ei ystyried fel 'gadael cartref'. Dwy awr a fyddai'n gymryd imi ddod yn ôl o Aberystwyth a dychwelyd i ganol bywyd teuluol eto. Nid felly y teimlai Mam. Wylodd yn hidl wedi fy ngadael yn Neuadd Pantycelyn a mawr fu'r crio yr holl ffordd adref. Roedd deryn arall wedi gadael y nyth. Petai'n gwybod faint o drwbwl y byddai'r deryn hwnnw yn ei achosi, byddai wedi crio llawer iawn mwy, mae'n siŵr.

Blwyddyn o Weithredu

Os oeddwn yn teimlo'n las yn dod i Ysgol Dyffryn Nantlle, roeddwn yn teimlo'n saith gwaith glasach yn cyrraedd Prifysgol Aberystwyth. Diau i mi ddelfrydu'r Coleg ger y Lli drwy synio amdano fel yr oedd adeg Gwenallt neu Waldo. Pan euthum i wrando ar Goronwy Daniel, Prifathro'r Coleg, yn annerch y myfyrwyr newydd yn uniaith Saesneg a gweld cymaint o'r gynulleidfa oedd o Loegr, sylweddolais am y tro cyntaf fy mod mewn lleiafrif gwirioneddol. Yr oeddwn mewn lleiafrif fel Gogleddwr hefyd. O'r myfyrwyr benywaidd ddaeth i Neuadd Pantycelyn ym 1976, chwech yn unig oedd o Ogledd Cymru. Yr oedd yn amlwg fod ysgolion Cymraeg Rhydfelen ac Ystalyfera yn rhoi llawer mwy o anogaeth i fyfyrwyr fynd i Brifysgol Cymru nag a wnâi'r ysgolion eraill. Daeth y chwe Gog yn ffrindiau mawr – Marian Pwlldefaid, y ddwy Nia – Nia Wyn a Nia Maude, a'r ddwy Ann – Ann P. ac Ann Mona. Yr oedd yn gyfnod digon bywiog yn gymdeithasol, a Mynediad am Ddim yn eu hanterth. Er hyn, ddaru mi ddim lluchio fy hun i fywyd coleg, rhyw hofran ar y cyrion a wnes. Fel llwyrymwrthodwr oedd efo un obsesiwn yn unig, sef Cymru, nid yw'n syndod 'mod i'n destun sbort ymysg myfyrwyr eraill. Dim ond un 'partner in crime' go iawn oedd gen i – Siôn Aled, ddaeth yn Brifardd yn

Eisteddfod Machynlleth ym 1981 cyn ei heglu hi i Awstralia am ddeng mlynedd.

Tua adeg Ffair Borth, rai dyddiau wedi cychwyn yn y Coleg, aeth Siôn Aled, Teresa a minnau i Lundain i ddringo mast Crystal Palace yng nghanol Llundain. Yr ymgyrch ddarlledu oedd mewn bri yr adeg honno, a dringo mastiau oedd y ffasiwn. Nid oedd gennym unrhyw ffordd o gyrraedd Llundain, ond wedi cael lifft o Ffair Borth i'r Bala gan Euros Jones (y Parchedig bellach), dyma guro ar ddrws cartref Gareth Llwyd Dafydd ym Mhantyneuadd, Y Parc. Cytunodd Gareth yn syth i'n gyrru i Lundain, ac wedi cyrraedd y mast, cydsyniodd i'w ddringo hefyd! Gan inni wrthod ymrwymo i gadw'r heddwch, cawsom ein dedfrydu i bum diwrnod o garchar yn Holloway. Na, doedd o mo'r ffordd ddelfrydol o gychwyn gyrfa golegol.

Wrth fynd drwy ddrysau Holloway, cofiaf gymysgedd o ofn ac o edrych ymlaen – 'mod i o'r diwedd wedi cyrraedd 'carchar go iawn'. Cyngor buddiol iawn Teresa oedd i mi fyhafio fy hun a pheidio herio neb, neu ni fyddai gen i neb ond fy hun i'w beio. Y cyfan a gofiaf o'r carchariad hwnnw yw merch ifanc yr un oed â mi, Esca Dolan, a rannai'r gell ac a oedd yn fam i ddau o blant. Dim ond eistedd ar y bync a wnâi yn canu rhyw gân *'Let's Make a Baby'*. Afraid dweud nad oedd gennym fawr yn gyffredin, ac anodd oedd gwneud sgwrs, ninnau'n dod o blanedau gwahanol. Wedi f'ymweliad cyntaf â charchar, sylweddolias nad oedd cymaint â hynny i'w ofni. Nid byw ar fara a dŵr mewn pydew dwfn yr oeddem, ac o'i gymharu â chael fy arteithio neu fyw mewn gwersyll rhyfel, yr oedd yr amodau yn rhai hynod o ffafriol.

Blwyddyn o weithredu fu'r flwyddyn honno yn Aberystwyth. Ymhen mis ar ôl dod o Holloway, roedden ni i lawr yn Llundain eto yn torri ar draws Tŷ'r Cyffredin. Y gosb am hynny oedd bod yn y celloedd am deirawr, ac yna cael rhybudd ffurfiol, 'You're banned from here for the rest of your LIFE, understood?' Cyn pen y flwyddyn, roedden ni'n ôl yno.

Rhwng Siôn, Teresa a minnau yr oedd cystadleuaeth pwy allai gael y nifer mwyaf o wysion. Byddai Siôn a minnau yn eu gosod ar y wal fel tystysgrifau, ond Teresa enillodd y gystadleuaeth, yn ddi-os. Anodd egluro y dylanwad oedd gan Teresa arnaf yr adeg honno. Roedd hi'n ysbryd rhydd, ac yn teimlo'r un mor gryf â minnau ynglŷn â Chymru, yr Iaith, – a Dafydd Iwan! Ofer oedd i'm rhieni neu 'nghyd-fyfyrwyr pryderus sgwrsio â mi ynglŷn â bod yn gall ac ystyried y dyfodol a ballu. Y cwbl oeddwn i eisiau ei wneud oedd parhau i droedio'r llwybr cynhyrfus llawn antur, a dim ond Teresa a Siôn oedd fel petaent yn rhannu'r wefr.

Y funud y byddai Teresa yn curo ar fy nrws ym Mhantycelyn, gwyddwn fod antur ar y gorwel. Efallai ei bod yn resyn na fyddwn wedi cymryd at hobi mwy diniwed megis gwylio trenau, achos y syniad o deithio oedd hanner y pleser. O gael torri'n rhydd o hualau caeth yr ysgol, roeddwn eisiau mynd i bobman. Cymaint difyrrach (a mwy perthnasol) nag eistedd mewn stafell ddarlithio yn gwrando ar reolau Cymraeg Canol oedd teithio nôl a blaen o Lundain, croesawu pobl o garchar, gweithredu liw nos a herian mewn llysoedd. Ni welwn ddiben astudio hanfodion gramadeg y Gymraeg os nad oeddem hefyd yn dilyn y cwrs ymarferol o weithredu drosti. Yr oedd gweithredu hefyd gymaint difyrrach nag eistedd mewn tafarn noson ar ôl noson yn sipian lemonêd. Doedd y busnes canlyn bechgyn ddim yn rhywbeth yr oeddwn wedi arbenigo ynddo chwaith. Yn niffyg brodyr, byddwn yn gyfeillgar gyda sawl bachgen, ond byddai unrhyw berthynas ddyfnach wedi peri embaras difrifol i mi. Wnaeth hynny ddim rhwystro myfyrwyr Aber rhag pryfocio Siôn a minnau yn ddi-drugaredd. Yn anffodus, fedrwn i ddim gwerthfawrogi'r jôc o gwbl.

Un o'r pethau a'm gwnaeth yn fwy derbyniol gan griw y coleg oedd i mi ennill coron yr Eisteddfod Ryng-golegol. Roedd o'n brawf mewn ffordd fod gen i ddiddordeb mewn rhywbeth ar wahân i'm hobsesiwn gyda Chymdeithas yr Iaith. Ysgrifennu darn o ryddiaith a wneuthum a thipyn o syndod oedd ennill y Goron. Flynyddoedd ynghynt, enillodd ewythr i mi, Herman Jones, y goron Ryng-golegol cyn mynd yn ei flaen i ennill yn y Genedlaethol ym 1946. O edrych yn ôl ar griw y coleg yr adeg honno, daeth canran uchel iawn yn wynebau cyfarwydd ar S4C – Aled Eirug, Ronw Protheroe, Siân Gwenllian, Rhodri Williams, Bethan Jones Parry, Siân Sutton, Tweli Griffiths, Huw Eirug, Gary Owen, Marian Wyn Jones, Ceidiog Hughes, ac aeth ambell un i gyfeiriad y wasg – Huw Prys Jones a Dylan Iorwerth.

Weithiau byddwn yn difaru mai yn Aberystwyth yr oeddwn, achos ymddangosai fod y cynnwrf colegol go iawn yn digwydd ym Mangor. Tra oedd gan Aber ei undeb Cymraeg (UMCA) o fewn Undeb y Myfyrwyr, sefydlodd Bangor undeb Cymraeg annibynnol (UMCB). Roedd dylanwad Adfer ar fyfyrwyr Bangor a fu'n gymorth i greu'r syniad mai gweithred o frad oedd mynd drwy ddrysau'r 'Undeb Saesneg', heb sôn am gymryd rhan yn ei gweithgareddau. Arfon Jones oedd un o'r myfyrwyr prin a geisiodd genhadu ymysg y myfyrwyr Saesneg. Tua diwedd y Saithdegau, cychwynnodd UMCB ymgyrch yn erbyn ehangu'r brifysgol ym Mangor a bu sawl achos o fyfyrwyr yn meddiannu adeiladau'r Coleg. Gan fod Llio yn fyfyriwr ym Mangor, cawn y storïau o lygad y ffynnon. Ysai Siôn a minnau am gael bod yn rhan o'r cynnwrf hwn, ond roeddem yn alltudion yn Aberystwyth. Yr unig beth a wnaethom oedd gwrthod mynychu ein darlithoedd 'mewn cydymdeimlad â'r sefyllfa ym Mangor'. Eglurodd ein darlithwyr nad oedd safiad o'r fath yn gwneud iot o wahaniaeth, ond roedd o'n gwneud i ni deimlo'n well!

Ar yr ochr academaidd, nid oeddwn yn gwneud fawr o gynnydd. Yn ogystal â gwneud popeth a fedrwn efo'r Gymdeithas, roeddwn i'n cymryd rhan yn ymgyrchoedd Bangor hefyd. Cafodd hyd yn oed y deintydd ddigon ar drefnu apwyntiadau i mi. Meddai, 'Don't you know when your next rally is coming up? You seem to get arrested every time'.

Y pynciau yr oeddwn i fod i'w hastudio oedd Cymraeg, Hanes ac Athroniaeth. Dydw i erioed wedi cael fawr o fwynhad yn astudio Cymraeg fel y cyfryw, ond gan 'mod i'n cael hwyl ar ysgrifennu creadigol, roeddwn yn cael fy ngwthio i'w ddewis fel prif bwnc. Hanes oedd fy ngwir ddiddordeb, ac roedd cael eistedd wrth draed rhai fel Geraint Jenkins neu John Davies yn bleser pur. Am Athroniaeth, ddeallais i 'run gair o'r cwrs.

Fis Ionawr, 1977, bu farw Nain. O fewn pythefnos, roeddwn i mewn rali ac wedi cael fy arestio eto. Cofiaf Mam yn gofyn i mi, 'Doeddech chi ddim yn ei gweld hi'n fuan wedi marw Nain?' ac wrth gwrs yr oedd hi, o edrych yn ôl. Ar y pryd, doeddwn i ddim wedi meddwl am y peth. Roedd gweithredu wedi dod yn ffordd o fyw. Yn fwy na hynny, roedd ambell un wedi sylwi mor barod yr oeddwn i weithredu, ac yn cymryd mantais llawn o hynny. Fedrwn innau ddim gwrthod. Doeddwn i ddim eisiau bod yn rhan o'r dorf yn edrych o'r tu allan, roeddwn i am fod yn ei chanol hi. Pan gefais fy arestio y mis Ionawr hwnnw, gwrthodais arwyddo ffurflen fechnïaeth am fod hynny'n golygu cydnabod y Frenhines. Roedd pawb arall wedi cael eu rhyddhau ar fechnïaeth ac yn rhynnu tu allan i swyddfa'r heddlu yn aros amdanaf. Mi gymerodd dipyn o amser i'm perswadio nad oeddwn yn bradychu fy nghenedl wrth arwyddo'r fath ffurflen. Styfnig ydi'r gair sy'n dod i'r meddwl mae'n debyg – styfnig fel mul.

Drwy flynyddoedd olaf y Saithdegau, yr ymgyrch dros Sianel Deledu Gymraeg oedd prif ymgyrch Cymdeithas yr Iaith. Fel un a fagwyd heb deledu, roedd yn anodd i mi lawn werthfawrogi'r pwyslais a roddwyd ar yr ymgyrch hon. Ond roedd Saunders Lewis wedi gweld y pwysigrwydd, felly dyna ddiwedd y mater. Ef ddywedodd,

'Heddiw, teledu yw pennaf lleiddiad y Gymraeg. Dyna pam y mae cael awdurdod teledu a darlledu annibynnol i Gymru yn fater byw neu farw i'r iaith'.

Roedd y geiriau hyn o ragair *Tynged yr Iaith* wedi eu serio ar fy nghof. Rhai anodd oedd y blynyddoedd hyn i'r ymgyrch. Roedd Adroddiad Crawford ac Annan wedi datgan y dylai'r Bedwaredd Sianel, pan ddeuai, gael ei neilltuo i'r Gymraeg yng Nghymru. Y drafferth oedd nad oedd dim yn digwydd. Teimlai Cymdeithas yr Iaith fod perygl i'r ymgyrch suddo i ebargofiant oni bai fod gweithred go fawr yn cael ei threfnu. Ni fyddai Siôn, Teresa a mi (y Provos) byth yn rhan o'r trafodaethau hyn ar weithredu. Galw arnom ni a wnâi'r Senedd pan oedd angen gweithredwyr. Penderfyniad y Senedd oedd trefnu achos cynllwyn – roedden nhw'n boblogaidd gan yr heddlu y cyfnod hwnnw. Y syniad oedd cael gweithred ddifrifol iawn yn erbyn mast teledu, a chael Senedd Cymdeithas yr Iaith i dderbyn cyfrifoldeb. Penderfynwyd mai mast Blaen-plwyf, ger Aberystwyth, fyddai'r targed. Doedd y cynllun ddim yn un cymhleth iawn – gwneud y difrod mwyaf posibl oedd y bwriad.

Ddechrau Chwefror 1977, euthum gyda dau neu dri arall i fast Blaen-plwyf gyda gordd, racsio'r lle, a dianc. Roedd hi'n un o weithredoedd mwyaf uchelgeisiol y Gymdeithas gyda char a gyrrwr anhysbys i'n danfon a'n cludo a nifer o fyfyrwyr gyda 'walkie talkies' cyn dyddiau'r ffonau symudol. O gael ein dal, roedd perygl y byddai'r gosb yn un drom, ond y cof sydd gen i yw fod y straen o ddianc yn waeth nag ildio i'r heddlu. Wedi chwalu popeth o fewn golwg gyda gordd, cawsom ein cipio ymaith i 'dŷ saff' – a hyd heddiw, ni wn pwy oeddynt, ond diolch yn fawr i chi am ein gwarchod yr un fath! Y bore wedyn, fy 'alibi' oedd 'mod i wrth fy nesg erbyn darlith naw – rhywbeth nad oedd wedi digwydd o'r blaen yn ystod y tymor hwnnw! Ar y newyddion, dywedwyd fod gwerth miloedd o bunnau o ddifrod wedi ei achosi i fast Blaen-plwyf. Rhaid oedd cael gwared o'n dillad a'u llosgi rhag i'r heddlu wneud profion fforensig arnynt. Yn ddiweddarach, dygwyd cyhuddiadau o gynllwyn yn erbyn Cadeirydd y Gymdeithas, Wynfford James, a Chadeirydd y Grŵp Darlledu, Rhodri Williams. Yr oedd y cynllun wedi llwyddo, ac yr oedd gennym achos cynllwyn ar y gweill.

Erbyn diwedd y mis, roedd criw ohonom i lawr yn Llundain eto yn meddiannu swyddfeydd y BBC yn Bush House ac yn mynd drwy'r ddefod o luchio ffeiliau drwy'r ffenest. Fe'n rhyddhawyd gyda'r esgus nad oedd yr heddlu am wneud merthyron ohonom. Mewn ymgais frwd i gael ein harestio, a chael achos llys yn Llundain, dyma gerdded i mewn i'r Uchel Lys a thorri ar draws yr Arglwydd Denning, gyda'r siant gyfarwydd 'Sianel Gymraeg yn awr!' Lluchiwyd ni nôl ar y stryd. Rhaid oedd gwneud y siwrne faith yn ôl i Aberystwyth heb achos llys, a heb gyfrannu dim at yr ymgyrch. Doedden ni ddim yn llwyddo bob tro.

Mae Menna Elfyn yn un o'i cherddi wedi cyfeirio at fisoedd cyntaf 1977,

'Tri mis cythryblus y'th genhedlwyd,
Nebo, Blaenplwyf ac Allt y Gaeaf'.

Cyfeiriad yw 'Allt y Gaeaf' at drosglwyddydd Winter Hill tu allan i Fanceinion, ac ymosod ar hwn oedd y weithred fwyaf difrifol i Siôn Aled, Teresa a minnau ei gwneud. Gwnaed ymchwil manwl, a rhaid oedd torri i mewn i'r trosglwyddydd a diffodd y cyflenwad trydan. I raddau, yr oedd y ffaith fod dau o weithredwyr Blaen-plwyf yn gorfod gwneud gweithred ddifrifol eto o fewn mis yn dangos ein bod yn cael ein hecsbloetio, ond doedd fawr o ddewis. Roedd prinder difrifol o weithredwyr, ac oni bai ein bod ni yn ei gwneud, doedd y weithred ddim am ddigwydd. Roeddem o'r farn fod cyflawni'r weithred yn bwysicach na'r ffaith ein bod ni'n cael ein defnyddio. Yr hyn oedd yn peri mwy o straen o gryn dipyn oedd mai cyfrifoldeb y gweithredwyr oedd cyrraedd y mast ger Manceinion, a doedd yr un ohonom yn berchen car. Gan ein bod dan 21 oed, yr oeddem yn rhy ifanc i logi un hefyd. Doedd dim amdani ond sefyll ar y pafin dros y ffordd i Bantycelyn, dal ein bawd allan a dechrau bodio. O edrych yn ôl, mae'n syndod fod yr ymgyrch ddarlledu wedi parhau o gwbl.

Delwyn Siôn oedd y cyntaf i'n codi, ac wedi cyfres o liffts a bwyd Indian yn Manceinion, dyma gyrraedd y mast a daeth esgid Teresa i'r adwy unwaith eto. Drwy ryw ryfedd wyrth, llwyddwyd i ganfod y cyflenwad trydan a'i ddiffodd am rai munudau, ond parodd hyn i'r heddlu feddwl ein bod yn weithredwyr llawer mwy soffistigedig nag oeddem. Gydag enwau fel Shaun, Theresa a 'Hang-a-rat', roeddent yn argyhoeddedig fod gennym gysylltiad â'r IRA. Fe'n cadwyd yn y celloedd am ddeuddydd tra daeth heddlu Dyfed-Powys i fyny i'n holi am weithred Blaen-plwyf. Teresa druan oedd dan amheuaeth am Blaen-plwyf, ac am unwaith, doedd hi ddim yn agos inni. Meddai'r plismon wrthyf fi, 'I know you didn't do it, you've got an honest face'. Bu bron i mi gyfaddef yn y fan a'r lle!

Tra oedden ni'n suddo yn ddyfnach i ddŵr poeth, nôl

yng Nghymru, nid oedd gan fy rhieni syniad lle roeddem, a ffoniodd fy nhad John Bwlch-llan, Warden Pantycelyn. Yn ôl y sôn, dywedodd John Davies wrth fy nhad 'mod i'n ddigon hen i ofalu amdanaf fy hunan os oeddwn yn ddigon hen i ddod i'r coleg. O'r diwedd, dyma ni'n cael ein hebrwng gerbron Leyland Magistrates, a'r ddedfryd? Chwe mis o garchar gohiriedig – i bawb ond Teresa. Oherwydd ei record, fe'i carcharwyd hi'n syth. Tra'n aros i'r heddlu fynd â hi, cyfaddefodd nad oedd eisiau wynebu Risley eto. Addewais innau mewn munud wan y byddwn yn torri'r 'bendar', sef y ddedfryd ohiriedig, a dod yn gwmni iddi yn Risley. Os oedd pobl yn fy ngalw i yn unplyg, doeddwn i ddim yn yr un cae â Teresa. Gwrthodais dalu'r ddirwy a gefais gyda'r ddedfryd, ac anfonais y llythyr hwn at fainc Leyland,

'I broke into the IBA premises in Winter Hill with one and only one intention – to switch off the never-ending flow of English and Anglo-American programmes that come to Wales via stations such as Winter Hill.'

Cyrhaeddodd llythyr gan Teresa o Risley yn dweud wrthyf am beidio torri'r 'bendar' gan ddweud, 'Elli di ddim fforddio dod i Risli am 6 mis felly paid â bod yn ddwl y diawl gwirion.'

Sobrodd carchariad Teresa fi. Cyrhaeddais yn ôl i'm stafell ym Mhantycelyn i weld ei sach cysgu ar y llawr. Roeddwn i yn ei cholli yn bersonol, colli ei chwmni pan ddeuai i aros gyda mi, colli ei gwên lydan a'i hwyneb siriol, colli ei chwerthin a'i hagwedd ddihidio at y byd.

Roedd cael cyfaill yng ngharchar yn llawer gwaeth na bod yn y carchar eich hun.

Rhaid 'mod i wedi cymryd peth amser i ystyried i ba gyfeiriad roedd fy mywyd yn mynd, achos mi ddechreuais ddarllen fy Meibl. Wedi dod i'r coleg, câi rhywun ei herio yn gyson, yn gymdeithasol, yn foesol, yn wleidyddol ac yn ddiwinyddol. Yn y dosbarthiadau Athroniaeth, roedd y darlithydd yn ein holi beth oedd diben gwerthoedd os nad oedd gennym sail iddynt. Un gŵr wnaeth argraff ddofn arnaf oedd Tomi (Emyr Tomos) oedd yn Gristion o argyhoeddiad. Hwn, gyda'i wallt hir a'i farf, oedd Ysgrifennydd Cymdeithas yr Iaith ar y pryd. Wrth deithio i Lundain byddwn i a Siôn yn cael sawl sgwrs â Tomi yn ceisio deall sail ei argyhoeddiad. Ymhen dipyn, daeth Siôn i gredu, a pharodd hyn i mi feddwl yn ddyfnach. Credaf i Tomi gael digon ar y dadlau diddiwedd, a dywedodd yn blaen wrthyf, os oeddwn am ganfod Duw go iawn, dylwn fynd ar fy ngliniau a gweddïo.

Dyna wneuthum yn y diwedd, a chael y profiad cyfarwydd o siarad ar ffôn heb neb yn gwrando yr ochr arall. Fodd bynnag, wrth ddarllen y Beibl Gideon yn fy stafell y diwrnod canlynol, teimlwn ei fod yn gwneud llawer mwy o synnwyr. Cofiaf un adnod yn arbennig,

> Deuwch ataf fi, bawb a'r y sydd yn flinderog ac yn llwythog ac mi a esmwythâf arnoch. (Math.11.28)

Dechreuais fynychu cyfarfodydd yr Efengylwyr a hynny'n go nerfus. Os oedd aelodau Cymdeithas yr Iaith yn cael amser caled gan eu cyd-fyfyrwyr, roedd yr 'Efengýls' yn cael amser llawer gwaeth. O ganlyniad, roedd y criw bach yn y neuadd yn cadw yn glos iawn at ei gilydd. Teimlwn 'mod i'n cael fy ystyried yn ddigon od heb ychwanegu 'Efengýl' at y labeli a roddwyd arnaf. Felly cadw rhyw hyd braich ddaru minnau. Ar wahân i Tomi, doedd gan yr Efengylwyr fawr i'w ddweud wrth bobl oedd yn torri'r gyfraith chwaith.

Ond mi ddaru dod i gredu yn Nuw newid fy mywyd. Rhoddodd ystyr mewn bywyd i mi, a'i roi mewn perspectif. Yn hytrach na meddwl mai achub Cymru oedd prif bwrpas byw, sylweddolais fod yna ddiben amgen, a bod brwydr yr iaith yn ffitio i batrwm ehangach. Rhoddais y gorau i fod yn llwyrymwrthodwr gan mai rheol er mwyn rheol oedd honno, – moesoldeb a dim arall. Yn 'Y Dewin', bistro yn Aberystwyth, dyma ddechrau yfed 'sangria', ac yfed llond jwg gan fod blas mor dda arno. Pur sigledig oeddwn yn mynd adref, nid yr hyn sy'n nodweddu Cristnogion newydd-anedig fel rheol! Dro arall, cofiaf fodio ar fy mhen fy hun ar daith go bell. Gwyddwn nad oedd yn rhaid i mi ofni gan fod Duw yn gofalu amdanaf. Cymerodd dipyn o amser i mi sylweddoli fod Duw yn gwerthfawrogi tipyn o synnwyr cyffredin yn ogystal â ffydd.

Roedd fy mlwyddyn gythryblus yn Aberystwyth yn tynnu tua'i therfyn, a'm cwrs gradd Cymraeg yn ymddangos yn gwbl amherthnasol i'm bywyd. Cofiaf rai o linellau Gwenallt yn gwneud argraff ddofn arnaf,

'Ni, weinion a deillion diallu, y llesg feidrolion a llwfr,
O aed heibio Dy aberth; aed Dy dân, O Dad, aed y dwfr;
Ni fynnwn y bustl a'r finegr, y main a'r ffrewyll a'r myrr,
Na gado ein melyn godau, esmwythyd ein bywyd byr.'

Rhoddodd y llinellau hyn fynegiant i'r hyn a deimlwn, ein bod mor barod i chwenychu hawddfyd, a'n bod yr un pryd mor llwfr. Gorau po gyntaf, meddyliais, y byddwn yn gadael yr esmwythfyd academaidd ac yn wynebu'r 'byd go iawn'.

Mae 'na rai teithiau yr ydych yn eu cofio, er cyn fyrred ydynt. Cofiaf yn iawn y daith fer o f'ystafell ym Mhantycelyn i swyddfa'r Bwrsar i roi gwybod na fyddwn i angen ystafell yn y Neuadd y flwyddyn nesaf. Roeddwn yn mynd i adael y coleg. Gyda phob cam, gwyddwn pe bawn yn troi yn fy ôl y byddai fy mywyd yn gwbl wahanol, ond ddaru mi ddim. O adael coleg, wyddwn i ddim yn iawn beth oeddwn am ei wneud, ond roedd gen i awydd cael swydd fyddai o werth gwirioneddol, megis nyrsio. O fod yn nyrs, carwn weithio gyda phlant, ond yn anffodus, nid oedd cwrs nyrsio plant yng Nghymru. Ysgrifennais lythyr – uniaith Gymraeg – at Goleg Hyfforddi Nyrsus Plant yn Llundain, – i holi pa gamau y dylwn eu cymryd. Gofynnodd Llundain i mi ohebu â hwy yn Saesneg sawl gwaith, ond gwrthodais, felly aeth y syniad hwnnw i'r gwellt. Dwi'n meddwl yn aml pa mor wahanol y byddai 'mywyd pe na bawn mor styfnig.

Ni lwyddais i basio arholiadau'r flwyddyn gyntaf, ond er gwaethaf ymbil taer y darlithwyr, gwrthodais ail-sefyll. Gwyddwn nad oeddwn eisiau dim i'w wneud â'r Brifysgol byth eto. Mae'r cof am arholiadau'r haf hwnnw yn gymysg â delweddau o gerrig pafin wedi eu peintio yn goch, gwyn a glas – Haf Jiwbili Arian y Frenhines ydoedd. Treuliais Noson y Jiwbili ei hun gyda Tomi yn chwilio am goelcerth i'w thanio cyn pryd. Yr oedd Tomi yn rhoi'r gorau i'w swydd fel ysgrifennydd ac yn symud o Aberystwyth i fyw. Dwi'n credu tase fo wedi gofyn, y byddwn wedi ei ddilyn. Roedd gyda mi pan ddathlais fy mhen-blwydd yn bedair ar bymtheg oed – yn Llys y Goron, Caernarfon. Gyda mi yn y doc yr oedd Vaughan Roderick, Richard 'Ben' Roberts a'r bythol ffyddlon, Siôn Aled.

Treuliais yr haf hwnnw yn gweithio yn yr Archifdy yng Nghaernarfon yn mynd drwy lythyrau stad Glynllifon, Llandwrog efo John Dilwyn, ac yn ceisio dyfalu beth wnawn i gyda gweddill fy mywyd. Roedd bywydau fy chwiorydd yn symud ymlaen – Llio, wedi graddio mewn Cerdd ym Mangor wedi cael swydd fel athrawes yn Ysgol Gynradd Degannwy, Fflur wedi cychwyn cwrs fel ysgrifenyddes ym Mangor, a'r ddwy leiaf yn dal yn yr ysgol. Wedi i Tomi adael ei swydd, hysbysebodd y Gymdeithas am Ysgrifennydd arall, ac ymgeisiais amdani. Dau arall gynigiodd oedd Geraint Lovgreen (cyfyrder i mi) a Helen Greenwood, a bûm ddigon ffodus i gael y swydd. Cyn cychwyn y gwaith, bu raid i mi dreulio mis yn Risley am beidio talu dirwyon. Bendith fwya'r carchariad hwnnw oedd cael cwmni Ifanwy Rhisiart o Waunfawr i rannu cell â hi.

Yr ydw i wedi ffurfio cyfeillgarwch gyda myrdd o bobl, ond mae'r cwlwm a wneir o fewn muriau cell yn un arbennig o glos. Dydi Ifanwy a minnau ddim yn gweld ein gilydd yn aml, ond mae'r cwlwm wedi aros yn dynn. Mae treulio 24 awr gyda rhywun ddydd ar ôl dydd yn golygu fod gennych adnabyddiaeth bur dda o'r person hwnnw ymhen mis. Ifanwy lwyddodd i wneud y carchariad hwnnw yn oddefadwy.

Am fod Risley yn Ganolfan Gadw yn hytrach na

charchar, yr oedd llawer mwy o fynd a dod rhwng llysoedd, a olygai fod y rheolau yn llawer mwy caeth. Nid oedd toiledau yn y celloedd, a chaem ein cadw dan glo o bedwar y pnawn tan saith y bore wedyn. Fel y profodd fy nhad yn y fyddin, y mân reolau sy'n blino rhywun fwyaf. Bob bore, rhaid oedd tynnu pob cynfas oddi ar y gwely, a'u plygu mewn ffordd arbennig. Yna, roedd rhaid rhoi eich holl eiddo ar y fatres ar gyfer y 'check' dyddiol. Deuai 'sgriw' o amgylch bob bore a byseddu pob cerpyn yn ofalus – hyd yn oed hem eich trowsus. Yr oeddech yn gyson dan amheuaeth o guddio cyffuriau neu gyllyll. Cyn i'r swyddog ddod heibio, byddech wedi golchi'r gell gyda'r mop a dŵr oer a pholisho'r llawr. Rhyw lanhau digon arwynebol oedd hwn, a doedd y lle ddim yn teimlo'n lân. Er hynny, roedd yn fodd o'n cadw'n brysur. Am ddwy awr bob bore a dwy awr bob pnawn, byddem yn gweithio yn y 'Workroom' – trwsio dillad y carcharor-ion gwrywaidd fel rheol – ond pan ddeuai'r *Visiting Magistrates* o gwmpas, caem deganau meddal i'w gwnïo. Un o'r rhai yn y 'Workroom' yr un pryd â mi oedd Mary Bell, a laddodd ddau fachgen pan oedd yn un ar ddeg oed. Erbyn i mi ei gweld, roedd yn ferch ifanc hardd gyda gwallt coch a llygaid na welais mo'u tebyg.

Edrychwn ymlaen at bedwar o'r gloch bob dydd. Byddai drws y gell yn cau a gadael i Ifanwy a minnau greu ein Hafallon. Treuliem yr amser yn darllen, rhannu llythyrau a straeon tan y byddai'n amser diffodd y golau am ddeg. Yn y bore, caem ein brecwast yn y gell, a chofiaf Ifanwy yn rhannu briwsion bara gyda'r adar tu allan drwy'r twll oedd yn y ffenest. Yr oedd chwe mis Teresa wedi dod i ben erbyn hynny, ond roedd ôl ei

71

gwaith ym mhobman – roedd wedi peintio pob wal yn y carchar! Daeth Sharon Voyle a Carys Parc (chwaer Gareth ddaeth i fyny'r mast) i mewn am ychydig ddyddiau, a chawsom gyfarfod cell gan anfon cynnig i'r Cyfarfod Cyffredinol. Fy nghynnig i oedd y dylid caniatáu gweithredu heb dderbyn cyfrifoldeb – i'n harbed rhag gwastraffu amser yn Risley. Cefais ddeall gan Ffred fod hyn wedi peri trafferthion mawr yn ôl yng Nghymru – derbyn cyfrifoldeb oedd un o gerrig sylfaen Cymdeithas yr Iaith.

Yr wyf wedi cofnodi llawer o hanes Risley ar ddalennau *Yma O Hyd*, felly wna i mo'i ailadrodd, dim ond ategu ei fod o'n brofiad *boring* ddychrynllyd. Roedd o'n agoriad llygad hefyd. Cefais gip ar fyd tanddaearol – fel petawn wedi cael fy ngollwng i beipiau carthffosiaeth y wlad – lle roedd byd cyfan yn digwydd heb i gymdeithas fod yn ymwybodol o hynny. Synnais at gymaint oedd yn dioddef anhwylder meddwl, ac ar gyfer 90% ohonynt, nid carchar oedd yr ateb. Yng nghanol problemau y bobl hyn, nid oedd mân brotestiadau'r iaith yn ymddangos yn bwysig o gwbl. Addewais i mi fy hun y byddwn yn ymgyrchu dros well amodau mewn carchardai wedi cael fy rhyddhau, ond wedi dod allan, doeddwn i ddim eisiau gwneud dim byd a fyddai yn fy atgoffa o garchar.

Rhaid dweud nad oes dim byd tebyg i'r profiad o gael eich rhyddhau o garchar. Mae fel cael eich rhyddhau o fyd fflat du a gwyn i fyd lliw tri-dimensiwn. Talodd fy nhad weddill y ddirwy er mwyn i mi gael dod allan 'run pryd ag Ifanwy. Hyd heddiw, does gen i 'run syniad gymaint o straen fu fy ngharchariad ar fy rhieni a'm teulu. Wedi i mi ddod adref, roeddynt wedi bod yn gweithio ar f'ystafell wely, a dyna lle roedd tusw o flodau a theipiadur newydd sbon. Wrth fynd i gysgu y noson honno, daeth Mam ataf a gofyn i mi addo na fyddwn i byth yn mynd i garchar eto. Roeddwn innau yn llawn teimladau cymysg. Hon oedd fy ngyrfa mewn bywyd. Dyma'r un peth y gallwn ei wneud dros Gymru. Fe'i hystyriwn yn gryn fuddugoliaeth i mi ddod drwy'r profiad heb i'r Drefn dorri f'ysbryd. Fedrwn i ddim rhoi'r gorau i hyn i gyd rŵan er mwyn fy mam.

Wedi i Mam adael f'ystafell, gwawriodd arnaf mai fi yn unig oedd yn rhydd. Yr oeddwn wedi edrych ymlaen gymaint at y noson hon, ac wedi disgwyl profi gorfoledd. Ond sylweddolais fod trefn anwaraidd Risley yn dal i rygnu 'mlaen, yr oedd yna'r un faint o ddioddefaint, yr un faint o anghyfiawnder y noson honno â'r un noson arall, dim ond fy mod i wedi llwyddo i ddianc. Am wn i mai effaith mwyaf carchar arnaf oedd fy ngwneud yn fwy ymwybodol yn gymdeithasol, agor fy llygaid i ddioddefaint eraill, a sylweddoli mai dim ond y dosbarth gweithiol oedd oddi mewn i waliau Risley. Euthum i Risley yn garcharor iaith. Deuthum oddi yno yn sosialydd o argyhoeddiad.

Wedi seibiant byr gartref, roeddwn i'n ôl yn Aberystwyth yn cychwyn fy swydd gyntaf 'go iawn', os gellir galw gweithio i Gymdeithas yr Iaith yn waith go iawn. Seler danddaearol oedd 5, Maes Albert, lle roedd y Swyddfa, a'r unig fantais oedd ei fod dros y ffordd i'r Llys Ynadon. Lle tamp a llaith efo rhyw Stafell Gynddylan o doiled ydoedd, efo graffiti am Dafydd Dafis Ffos y Ffin ar y wal. Uwch ben y drws, roedd arwydd ffordd wedi ei dynnu gyda'r enw afreal 'Elysian Grove'. Dyma lle roeddwn wedi dod i dreulio blwyddyn o f'amser gydag Aled Eirug yn gyd-weithiwr, a ddaeth yn Bennaeth Rhaglenni'r BBC ymhen blynyddoedd. Gan mai newydd ddod o Risley yr oeddwn, doedd y swyddfa ddim yn ymddangos cynddrwg â hynny, ond buan iawn y daethom i'w chasáu. Yr esgus lleiaf oedd y ddau ohonom ei angen i wneud ein dyletswyddau mewn mannau eraill o Gymru, ac roedd Aled yn well na mi am ganfod esgusion wrth iddo wario llawer o'i amser gyda'r ymgyrch ddarlledu. Ysgrifenyddes ddwy a dimai oeddwn i, heb y syniad lleiaf sut i gadw cofnodion a ffeiliau. Ar y diwrnod cyntaf, aeth fy mys yn sownd yn y teipiadur! Rydym yn sôn yn awr am ddyddiau cyn dyblygydd, na ffacs nac e-bost. Yn yr ystafell fechan, i ddiben dyblygu, roedd anghenfil llawn inc o'r enw Gestetner, ac roedd rhaid cadw dalennau i'w hailddefnyddio ar lein ddillad uwch ei ben, gyda phegiau yn dal y rhain wrth iddynt ddiferu o inc tew fel triog. Drwy gydol y flwyddyn, dydw i ddim yn cofio i mi allu cael fy mysedd yn lân o'r aflwydd. Un system ffeilio y gwyddwn amdani – ateb llythyr, neu ei roi yn y bin. Yn archifau Cymdeithas yr Iaith yn y Llyfrgell Genedlaethol mae gen i ofn fod bwlch amlwg yn y flwyddyn 1977-78. Yn ogystal â chael ei defnyddio fel swyddfa, roedd y lle hefyd yn stordy i arwyddion ffyrdd a photiau paent. Yr oedd cymaint o olwg arno unwaith fel yr awgrymodd Rhodri Williams ein bod yn ffonio'r heddlu i gwyno fod fandaliaid wedi ymosod ar y lle! Rhodri oedd ein bos a Chadeirydd y Gymdeithas. Petai rhywun wedi awgrymu bryd hynny y byddai'n bennaeth cwmni teledu Agenda a

Chadeirydd Bwrdd yr Iaith ymhen blynyddoedd, byddai'r ddau ohonom wedi chwerthin yn harti – wel, mi fyddwn i, p'run bynnag.

Gan nad oeddwn yn byw ym Mhantycelyn bellach, bu rhaid i mi chwilio am do uwch fy mhen. Yn dal dan ddylanwad Adfer braidd, roedd gen i'r syniad gwirion 'mod i eisiau byw yn y wlad. Felly er 'mod i'n ddi-gar, cefais stafell ar lawr uchaf tŷ gothig yn New Cross oedd yn rhan o faes carafannau. Gan feddwl fod New Cross yn enw rhy Seisnig, rhoddais yr enw Llanfihangel-y-Creuddyn i bawb, ac o ganlyniad fyddai fy llythyrau byth yn fy nghyrraedd. Ymhen hir a hwyr, cefais afael ar foto beic, clamp o un oedd yn codi ofn arnaf. Fe'i gadewais ym Mhantycelyn am fisoedd a doedd neb balchach na mi pan gafodd o'i ddwyn. Hen fflat unig a thywyll oedd yr un yn New Cross efo slumod yn hedfan o gwmpas y lle. Sawl noson, yn hytrach na gorfod wynebu ei unigrwydd, byddai'n well gen i gysgu yn y bocsrwm ym Mhantycelyn, a heb yn wybod i Corris y gofalwr, daeth y lle yn ail gartref i mi wrth i mi ymweld â ffrindiau coleg.

Mae'n rhyfedd meddwl ein bod wedi cyflawni cymaint o'r swyddfa fechan honno, yn enwedig a minnau'n dibynnu ar drafnidiaeth gyhoeddus ac yn defnyddio'r gwasanaeth trên anwadal rhwng Aberystwyth a Phorthmadog. Gan 'mod i mor ddibynnol ar bobl eraill am lifft, golygai hynny aros dros nos yn aml gyda ffrindiau, a dyna sut y deuthum i 'nabod cymaint o aelodau'r Gymdeithas – Wayne Williams a Mari oedd yn byw yn Nhregaron, Cen ac Enfys Llwyd oedd yn Aberystwyth ar y pryd, Meinir a Ffred Ffransis yn Llanfihangel-ar-arth a Wynfford James a Menna ym

Mhenrhiw-llan. Ohonynt i gyd, cymerodd fwy o amser i mi ddod i adnabod Ffred na neb arall, er mai gydag ef, ynghyd â Cen ac Enfys, y mae'r cyfeillgarwch a'r ymgyrchu wedi para hwyaf. Cymerodd amser i gael gwared o 'mharchedig ofn tuag ato! Byddai Ffred yn arfer anfon cant a mil o bapurau i'r Swyddfa (fel mae'n dal i wneud!) gyda llawysgrifen traed brain yn gofyn i mi eu teipio a'u hanfon, a byddwn yn gwneud hynny. Doedd neb wedi egluro i mi mai *anwybyddu* stwff Ffred oedd yr arferiad. Daeth Ffred i fanteisio ar fy niniweidrwydd, ond wedi treulio amser ar ei aelwyd yn Nolwerdd, cefais fy nerbyn fel aelod estynedig o'i deulu i bob pwrpas, a chynyddodd fy mharch tuag ato ef a Meinir. Gallai bywyd yn Aberystwyth fod yn ddigon unig weithiau os nad oedd rhywun dan ugain ac yn fyfyriwr, ac roedd dianc i Ddolwerdd i fod yng nghwmni Lleucu, Carys ac Angharad yn dod â rhyw normalrwydd i 'mywyd, er na wn ai dyna'r union air. Doedd Dolwerdd mo'r tŷ twtiaf a welais, er ei fod ymysg yr hapusaf. Sut y cafodd Ffred drefn erioed ar y stoc yn y cwt yng nghefn y tŷ, wn i ddim. Byddwn yn cysgu yn yr un stafell â'r plant, yn cyrraedd yn hwyr y nos, ac yn codi'n gynnar yn y bore. Yn aml byddai Ffred wedi codi o'm blaen i lwytho fan Cadwyn. Weithiau byddai'n mwynhau'r moethusrwydd o seibiant dros baned o goffi du a chetyn. Y darlun ddaw yn ôl i mi yw llond stafell o fwg baco (er iddo roi'r gorau i'r smocio wedyn), cath ar lin Ffred, *Western Mail* o'i flaen a miwsig Elvis dros y tŷ i gyd.

Rhaid dweud i mi ganolbwyntio yn llwyr bron yn ystod y flwyddyn honno ar Achos Cynllwynio Blaenplwyf, ac ysgrifennais lyfr ar y diwedd i gofnodi'r hanes.

Bûm yn mynd o amgylch celloedd yn egluro'r ymgyrch ddarlledu ac yn dweud beth oedd angen ei wneud i gefnogi Rhodri a Wynfford. Cael pobl i Gaerfyrddin i gefnogi'r achos llys oedd yr ymdrech fawr. O'r diwedd, cafwyd dyddiad i'r achos, Gorffennaf 10ed, 1978. Cyhoeddwyd peth wmbredd o bosteri, taflenni a sticeri. Y peth cyntaf ddigwyddodd ar fore cynta'r achos oedd i Rhodri gael ei herwgipio mewn modd reit ddramatig gan ugain o Gymry blaenllaw. Yr ail ddiwrnod, cafwyd protest ar falconi'r llys a phobl yn caethiwo eu hunain y tu mewn. Y trydydd diwrnod, roedd aelodau'n rhwystro'r ffordd, ac ati, ac ati. Collais lawer o'r cynnwrf hwn gan 'mod i'n gaeth yn swyddfa-dros-dro y Gymdeithas yn Swyddfa'r Blaid. Yno y gweithiwn, y bwytâwn, ac ar y llawr yn aml y cysgwn. Roedd yn rhaid paratoi bwletinau i'r Wasg yn ddyddiol ac ar ddiwrnod y ddedfryd, edrychais gyda balchder ar yr hyn yr oeddwn wedi ei deipio. Roedd Ffred wedi paratoi tri math gwahanol o ddatganiad – y cyntaf petai carchariad yn syth, yr ail os byddai carchariad gohiriedig, a'r trydydd pe baent yn cael eu profi'n ddieuog. Disgwyliwn yn eiddgar wrth y ffôn efo'r pentwr o amlenni yn barod i bostio'r datganiadau. Dyma oedd penllanw blwyddyn o weithgarwch. Canodd y ffôn a daeth y newyddion syfrdanol – roedd y rheithgor wedi methu cytuno. Edrychais ar y pentwr o ddatganiadau – roeddynt yn ddiwerth. Nid oeddem wedi breuddwydio am y posibilrwydd hwnnw! Mawr fu'r strach i baratoi ymateb pwrpasol. Wedi'r holl waith, rhaid oedd cael achos arall.

Cynhaliwyd yr ail achos cynllwynio yng Nghaerfyrddin ym mis Tachwedd 1978 a chafwyd araith gan Dafydd Elis Thomas (oedd yn ffrind i'r Gymdeithas ar y pryd) yn nodi pa mor warthus oedd y ffaith eu bod wedi dewis y rheithgor yn ofalus yr ail dro. Er mai dwsin o bobl gyffredin Sir Gaerfyrddin oeddynt i fod, ychydig iawn oedd gyda chyfenwau Cymreig. Doedd hi fawr o syndod i neb fod Rhodri a Wynfford wedi cael eu canfod yn euog yr ail waith, a chawsant ddedfryd o chwe mis o garchar. Erbyn hynny, roeddwn i'n fyfyriwr unwaith eto – ym Mhrifysgol Bangor y tro hwn.

Dyddiau Coleg

Yr unig reswm y gallaf feddwl pam yr euthum yn ôl i'r Coleg ydi am nad ydw i'n fodlon os ydi rhywbeth wedi fy nhrechu. O beidio cael gradd, byddwn yn difaru am weddill fy mywyd na chymerais y cyfle i wneud job iawn ohoni. Yng nghefn fy meddwl, wedi gweithio am ryw ddwy flynedd i Gymdeithas yr Iaith, roedd gen i'r syniad mai yn ôl i'r coleg yr awn, i orffen y dasg a adewais.

Embaras a dim llai oedd wynebu'r Athro Geraint Gruffydd a holi beth oedd y drefn ynglŷn ag ailgydio mewn cwrs gradd. Fyddwn i ddim wedi gweld bai arno petai wedi fy nhagu yn y fan a'r lle. Fo oedd wedi crefu arnaf i ailsefyll yr arholiadau blwyddyn gyntaf yn Aberystwyth. Gan i mi wrthod gwneud hynny, byddai'n rhaid i mi ail-wneud y flwyddyn honno i gyd eto. Wrth iddo siarad â mi, y cwbl fedrwn ei wneud oedd syllu ar flaenau fy 'sgidiau yn myfyrio ar fy ffolineb, ond pan mae rhywun yn ugain oed, dydi blwyddyn ddim yma nac acw. Yr unig reol na wyddwn amdani oedd fod yn rhaid graddio o fewn pum mlynedd. Gan i mi gofrestru ym 1976, byddai'n rhaid i mi raddio erbyn 1981, ac os oeddwn am ail-wneud y flwyddyn gyntaf byddai'n rhaid i mi gychwyn arni yn syth.

Mewn pythefnos, roeddwn wedi cael caniatâd i adael fy swydd gyda'r Gymdeithas, wedi ffarwelio â'r B&B yn Aberystwyth, wedi symud yn ôl i fyw gartre, ac wedi cofrestru ym Mangor. Pam Bangor, dydw i ddim yn cofio. Efallai i mi feddwl y byddai bywyd academaidd yn haws i'w oddef mewn rhywle gwahanol. Doedd o ddim wrth gwrs. Yr un diflastod a deimlwn wrth ganfod fy hun tu ôl i ddesg, ond efallai ei fod yn llai o straen na chrwydro'r wlad yn cenhadu ar ran Cymdeithas yr Iaith. Byddwn yn mwynhau'r darlithoedd ar Lenyddiaeth Gymraeg, roeddwn yn ymwybodol o'r fraint o gael amser i astudio'r fath berlau. Wedi dwy flynedd oddi cartref, roedd cael dychwelyd adref fel cael suddo nôl i gadair freichiau gyfforddus. Yn ogystal â bod yn rhad, yr oeddwn yn cael cwmni fy chwiorydd a'm rhieni eto. O ganlyniad, doedd dim ots gen i gymaint â hynny nad oeddwn yn rhan o fwrlwm y coleg. Mae llawer o bobl yn gwaredu byw gyda'u rhieni, ac mae mynd yn ôl i wneud hynny – wedi bod yn annibynnol – hyd yn oed yn waeth. Nid felly roedd hi yn fy achos i. Roedd Bron Wylfa yn lle bendigedig i fyw ynddo, yng nghanol bwrlwm pobl ifanc a rhieni oedd yr un mor wallgof. Yn aml iawn, byddem yn aros ar ein traed tan ddau o'r gloch y bore yn siarad – yr oedd hi'n ddau o'r gloch o leiaf erbyn i bawb gyrraedd adref o'u mynych grwydradau.

Pan garcharwyd Rhodri a Wynfford, geiriau Ffred ar risiau'r llys yng Nghaerfyrddin fis Tachwedd 1978 oedd fod yn rhaid inni ddedfrydu ein hunain i chwe mis o weithredu caled dros Gymdeithas yr Iaith. Rhwng hyn, a theimlo'n euog 'mod i wedi gadael y swyddfa braidd yn ddirybudd, canfyddais fy hun yn gwnued yr un faint o weithgarwch gyda'r Gymdeithas er nad yn gyflogedig mwyach. Cyn pen dim, yr oeddwn gerbron yr Athro Bedwyr Lewis Jones am golli darlithoedd, ac roedd gwaeth i ddod. Ailgychwynnodd yr Undeb Cymraeg yr ymgyrch yn erbyn ehangu.

Cofiaf gyrraedd y coleg un bore a gweld sticeri 'Dim Ehangu' wedi eu plastro dros adeilad Llyfrgell y Coleg. Yn ddiweddarach yr un diwrnod, bu protest yn y Cwod, galwyd y plismyn ac wrth i mi sefyll rhwng gweithredwr a phlismon, cefais fy arestio ar y cyhuddiad o 'rwystro heddwas rhag cyflawni ei ddyletswydd'. Mewn dim, roeddwn ymysg y myfyrwyr gafodd eu gwysio i ymddangos gerbron Is-Brifathro'r Coleg, Gwyn Williams. Charles Evans, un o'r rhai goncrodd Everest, oedd Prifathro'r Coleg, gŵr hynod wrth-Gymreig, ond doedd ei iechyd ddim yn dda, felly Gwyn Williams, yr Is-Brifathro, oedd yn gweithredu ar ei ran. Yn y Llys Disgyblu, mynnodd Gwyn Williams siarad Saesneg â mi a gofynnais iddo beth oedd y rheswm. 'This is an official meeting' oedd yr unig ateb a allai ei gynnig. Safodd Alwyn Gruffudd, Llywydd yr Undeb, ar ei draed a gweiddi 'Llys Cangarŵ!' a cherddodd y ddau ohonom allan o'r gwrandawiad. Mae'n debyg mai dyna fyddai diwedd fy ail gyfnod yn y coleg oni bai i mi gyfarfod Ifan Roberts (y Parch. bellach). Gwaredodd ef fy mod wedi cerdded allan o wrandawiad disgyblu, ac fe'm perswadiodd i fynd yn ôl a dadlau fy achos. Chefais i mo 'nghosbi, ond ni bu eraill mor ffodus. Cafodd Alwyn Gruffudd, Gwion Lynch, Iwan Edgar, Rhian Eleri ac eraill eu lluchio o'r Coleg am byth. Cofiaf am gefnogaeth un darlithydd unig i'r myfyrwyr – Brinley Rees.

Bu ralïau i gefnogi, ac roedd diswyddo pum myfyriwr yn megino tân oedd eisoes yn mudlosgi. Meddiannwyd adeiladau'r Coleg am wythnos gan y myfyrwyr Cymraeg ac i'n cael allan, bu rhaid cael gorchymyn Uchel Lys. Yn wir, drwy feddiannu y deuthum i adnabod adeiladau Coleg Bangor! Ond yr oedd yn frwydr y teimlai sawl un yn gryf yn ei chylch. Pan oedd cenhedlaeth fy rhieni yn y Coleg ddeng mlynedd ar hugain ynghynt, rhyw dri chant o fyfyrwyr oedd yno, a'r mwyafrif yn Gymry Cymraeg. Gyda thua 3,000 o fyfyrwyr, roedd y coleg wedi ehangu tu hwnt i bob synnwyr. Yn ystod wythnos ola'r tymor buom yn cysgu ar lawr y Brif Ddarlithfa mewn sachau cysgu, yn cael popeth ar 'pulley' drwy'r ffenest a bu Mam yn dod draw gyda llond basgedi o fwyd. Pan orfodwyd ni i adael yr adeilad, goruchwyliodd yr heddlu y broses. Roeddent yn ein gwylio yn dod allan yn drefnus, pob un gyda'i sach cysgu. Yr hyn na wyddent oedd fod llond pob sach cysgu o gardiau llyfrgell! Yn yr oes gyfrifiadurol hon, fyddai hyn ddim yn peri fawr o drafferth, ond drwy ddwyn y cardiau bryd hynny, golygai fod gwaith y Llyfrgell yn dod i stop. Gyda chyfrinachedd mawr, trefnwyd i guddio'r cardiau mewn man penodol. Rwy'n amau a oedd y myfyrwyr wedi rhag-weld difrifoldeb y weithred.

Drwy wythnos gynta'r gwyliau, bu'r heddlu yn ymweld â chartrefi'r myfyrwyr Cymraeg i gyd, yn eu holi ac yn archwilio eu cartrefi. Llwyddais i osgoi'r holi hwn, o bosib am nad oeddwn yn byw yn y Neuadd Breswyl. Er mai'r rheol oedd 'dweud dim' wrth yr heddlu, roedd yn anorfod fod y rhai dibrofiad yn nulliau'r heddlu yn dechrau siarad. Pan gafodd rhai myfyrwyr eu cymryd i'r ddalfa, roedd pethau'n amlwg yn mynd yn rhy bell. Un noson, cawsom alwad gan arweinwyr yr Undeb yn dweud fod yn rhaid dychwelyd y cardiau i'r heddlu neu byddai'r canlyniadau'n ddifrifol. Yr oeddwn ymysg y rhai a gafodd y dasg o adael y cardiau llyfrgell mewn bagiau sbwriel ger y toiledau yn Ninas Dinlle cyn hysbysu'r heddlu fod rhwydd hynt iddynt ddod i'w nôl. Smonach fel hyn oedd canlyniad gweithredu heb dderbyn cyfrifoldeb.

Prin oedd y rhai yng Nghymdeithas yr Iaith ag amynedd efo 'gwleidyddiaeth myfyrwyr' o'r fath a chefais fy rhybuddio rhag cael fy nhynnu i mewn yn ormodol. Tra oedd Wynfford a Rhodri yn treulio Nadolig 1978 dan glo, cafodd Ffred un o'i syniadau am weithredoedd 'aberthol'. Y syniad gwallgof oedd cerdded (tra'n ymprydio) dros y Nadolig, o fast Blaen-plwyf i Garchar Abertawe lle roedd y ddau. Petai Ffred wedi cael ei ffordd yn gyfan gwbl, mae'n bur debyg y byddem wedi gorfod cerdded heb esgidiau. Pump ohonom fu'n ddigon gwirion i gerdded, ac er mwyn y Wasg, dywedsom ein bod yn cynrychioli'r Pum Amod i'r Sianel Gymraeg. (Fedra i ddim cofio beth oeddynt bellach). Fi oedd yr unig ferch yn eu mysg, ac nid oeddwn yn ffit o bell ffordd. Fe'i cawn yn straen i fod heb fwyd, a hithau'n aml yn eira ar y ffordd. Y cyfaddawd oedd 'mod i'n cael bwyta cawl, ac erbyn diwedd y daith, roedd y cawl hwnnw yn cynnwys llysiau a thalpiau mawr o gig! Uchafbwynt y daith – wedi cyrraedd HMP Abertawe – oedd cael mynd i Dalar Wen – cartref Gwynfor Evans a Rhiannon – a chael cinio Dolig hwyr. Dyna un o'r ychydig adegau i mi gael amser ar aelwyd Gwynfor Evans.

Gwawriodd dydd Calan 1979 heb i'r un ohonom fod â syniad pa mor dywyll fyddai'r flwyddyn honno – y flwyddyn y dethlais fy mhen-blwydd yn 21. Dyma'r flwyddyn y byddai Cymru yn gwrthod Datganoli ac yn cychwyn ar ddedfryd o ddeunaw mlynedd dan y Torïaid. Parhau wnaeth y trafferthion yn y Coleg. Oherwydd i'r myfyrwyr gael eu diarddel, roedd y myfyrwyr Cymraeg ar streic. Trefnodd Adfer brotest i dorri ar draws Senedd Ddisgyblu arall gan y Coleg, a daeth yr heddlu i Gaffi Deiniol ac arestio Ieuan Wyn, Eryl Owain, Arthur Tomos a Ffred Ffransis. Digwydd bod yn y caffi yn cael paned oedd Ffred druan. Dwi'n credu mai dyna'r unig dro yn ei fywyd iddo gael ei arestio fel aelod o Adfer!

Gair am y sefydliad unigryw hwnnw – Caffi Deiniol, drws nesaf i'r Belle Vue ym Mangor Uchaf. Pan sefydlwyd Undeb Myfyrwyr Colegau Bangor, doedd ganddo ddim incwm a bu rhai o'r myfyrwyr yn ddigon hirben i rentu adeilad a'i droi yn gaffi. Am ddeng mlynedd, bu Caffi Deiniol yn sefydliad allweddol ym mywyd Cymraeg y Coleg a Bangor Uchaf. Daeth yn ganolbwynt lle gallai myfyrwyr a darlithwyr a'r cyhoedd gyfarfod ei gilydd. Helen Greenwood oedd yn gyfrifol am y Caffi gyda Mrs. Thomas yn coginio, a rota o fyfyrwyr yn helpu tu ôl i'r cownter. Ei phrofiad yng Nghaffi Deiniol fu'r sbardun i Helen sefydlu Tafarn Tomato Jiws yn Eisteddfod Machynlleth lle bu'r enwog gogydd 'Dudley' yn rhan o'r fenter. Colled fawr ydoedd pan ddaeth y les i ben a phan werthwyd y caffi. Ond erbyn hynny, doedd UMCB ddim yr hyn a fu. Un o'r achlysuron rhyfeddaf i mi oedd cyfarfod rhai o fyfyrwyr Bangor flynyddoedd yn ddiweddarach i geisio egluro iddynt *pam* y sefydlwyd UMCB yn y lle cyntaf.

O edrych yn ôl, er cyn bwysiced oedd yr ymgyrch i

Gymreigio'r Brifysgol, ymgyrch sydd eto i'w hennill, mae gen i amheuon ynglŷn â doethineb encilio yn llwyr i geto o undeb Cymraeg. Roedd gwahardd unrhyw gymysgu â myfyrwyr eraill yn ennyn drwgdeimlad, a ni'r Cymry Cymraeg oedd ar ein colled. Collasom y cyfle i ddod i adnabod myfyrwyr o gefndiroedd eraill gan amddifadu'r myfyrwyr hynny o ddysgu am Gymru a'r Gymraeg.

'Ie Dros Gymru' oedd y slogan yn ystod ymgyrch y Refferendwm ar Ddatganoli ym 1979, ac mor wahanol oedd yr amgylchiadau i Refferendwm 1997. Yr oedd llawer o aelodau'r Blaid Lafur yn erbyn y syniad, a rhaid fyddai cael dros 40% o blaid cyn derbyn pleidlais 'Ie'. Cofiaf gynllunio clawr *Tafod y Ddraig* ar gyfer mis Mawrth a gosod dyfyniad Saunders Lewis arno yn ein rhybuddio fod yr iaith Gymraeg yn bwysicach na hunan-lywodraeth. Roedd geiriau Robat Gruffudd yn crynhoi teimladau llawer,

'Asembli fydd ei enw, on'd yw e'n enw da? Bydd ganddo rym dros bopeth – o bwdin reis i ffa.'

Prin y teimlem ei fod yn rhywbeth gwerth ei gael. Fodd bynnag, ni chredaf i neb rag-weld y grasfa a gawsom – 37,000 wedi pleidleisio o blaid, a 71,000 yn erbyn. Diau fod llawer yn cofio lle yr oeddent pan glywsant y canlyniad, drannoeth Gŵyl Ddewi. Yn Nhŷ Capel Mawr, Llanrug oeddwn i, cartref Ifan Roberts. Yn bersonol, y peth gwaethaf i mi oedd diflastod yr awyrgylch wedi'r canlyniad. Daeth ton o ddigalondid dros y Cymry. O fewn deufis, yr oedd Margaret Thatcher wedi ei hethol yn Brif Weinidog a daeth Keith Best yn aelod seneddol dros Ynys Môn er mawr sioc i lawer. Penodwyd gŵr di-Gymraeg yn Ysgrifennydd Gwladol, Nicholas Edwards. Unwaith yn unig y cofiaf ddod wyneb yn wyneb ag o, a phenderfynais fod yn styfnig a siarad Cymraeg ag o.

'I don't understand a word you're saying,' medda fo.

'Yn hollol, dyna'r broblem,' atebais.

Dethlais fy mhen-blwydd yn un-ar-hugain yn Ysgol Haf y Weinidogaeth Iacháu. Byddwn yn mynychu cyfarfodydd yn Waunfawr lle roedd Rhodri Prys Jones, Arfon Jones ac Ifan Roberts yn gwmnïaeth gynnes gyda thuedd at yr ochr garismataidd. Dyna sut y deuthum i gysylltiad â'r Weinidogaeth Iacháu a ffrindiau megis Doris Adlam, Heledd Lake ac eraill. Byddwn yn mynychu cyfarfodydd gweddi yn y coleg weithiau ac ambell gyfarfod efengylaidd, ond doedden nhw ddim yn griw radical a doedden nhw ddim yn deall pam roeddwn i'n ymhel â gwleidyddiaeth. Bu traddodiad radical cryf iawn ymysg Cristnogion Bangor gyda Bala-Bangor yn nythfa iddo, ond daeth y traddodiad hwnnw i ben. Drwy gysylltiad â Waunfawr y clywais gyntaf am David Watson, gweinidog oedd wedi dod â bywyd newydd i eglwys yn Efrog, a phan ddaeth ef i gynnal cyfarfodydd am wythnos yn Llandudno, euthum ar y bws bob nos i'w glywed. Cafodd tair ohonom, Doris, Heledd a mi, fynd am wythnos i Efrog a bu hwnnw'n brofiad gwerthfawr. Cofiaf David Watson yn dweud y dylai'r Eglwys gael awyrgylch mor groesawgar â thafarn lle teimlai pobl awydd i alw heibio am sgwrs a chwmnïaeth. Colled fawr ydoedd pan fu farw David Watson rai blynyddoedd wedyn.

Wedi dod i adnabod Doris a Heledd, bûm yn rhannu

tŷ gyda hwy a Delyth Oswy o Ddinbych yn ystod fy ail flwyddyn yn y coleg, tŷ ar y gornel yn Ffordd Farrar, a chawsom hwyl fawr. Wn i ddim ar be roeddwn i'n byw chwaith, prin y gallwn ferwi wy. Ffrindiau eraill oedd gen i yn yr un flwyddyn oedd Mair Harlech a Sali Wyn Harris o Glydach. Dewisais wneud Cymraeg, Cymdeithaseg a Drama yn y flwyddyn gyntaf, a chan 'mod i'n casáu gramadeg Cymraeg a Hen Gymraeg gymaint, penderfynais wneud gradd gyfun mewn Cymraeg a Chymdeithaseg. Yr oedd y cwrs Cymdeithaseg yn cydfynd â'm diddordeb gwleidyddol ac roedd y darlithydd Marcsaidd, Glyn Williams (neu 'Glyn Patagonia' gan mai R.Bryn Williams oedd ei dad), yn un da am hogi'r meddwl. Cofiaf un o'r darlithwyr ddechrau'r Wythdegau yn pwyso arnom i fynd ar gwrs i ddysgu trin cyfrifiaduron.

'Maen nhw'n dweud mai dyma fydd pethau'r dyfodol,' medda fo.

Yn anffodus, mi dybiais mai rhyw ffasiwn dros dro fyddai hwn, a bûm yn difaru sawl gwaith wedi hynny na fyddwn wedi ymddiddori mwy yn y dechnoleg newydd. Roedd hi'n ddiwedd y ganrif arnaf yn cael fy mherswadio i brynu cyfrifiadur.

Yr oeddwn wastad yn ceisio meddwl am ffyrdd o wneud y cwrs coleg yn un mwy difyr, ac yn methu deall pam na fyddai'r Adran Gymraeg yn cydweithio â'r Adran Gymdeithaseg i greu cwrs gwirioneddol ddifyr ar Gymru. Ond dydw i ddim yn credu fod llawer o gariad rhwng y ddwy adran. Un cwrs difyr y cefais fudd mawr ohono oedd cwrs rhyng-adrannol gan Bruce Griffiths ar Lenyddiaeth Fodern Ewrop, a chefais ganiatâd i wneud hwn fel rhan o'm cwrs gradd. Gweledigaeth Bruce Griffiths oedd rhoi cyfle inni astudio cyfieithiadau Cymraeg o wahanol nofelau Ewropeaidd dan ddarlithwyr oedd yn medru Rwsieg, Eidaleg a Ffrangeg. Gresyn nad oes mwy o fentro dros ffiniau pynciau fel hyn.

Fel pe na bai colli Refferendwm ac ennill Magi Thatcher yn ddigon o drallod i genedl fechan, daeth Trydydd Trawiad '79 – Dim Sianel Gymraeg. Ym mis Medi'r flwyddyn honno, yng Nghaer-grawnt, cyhoeddodd yr Ysgrifennydd Cartref, William Whitelaw, na fyddai'r bedwaredd sianel yng Nghymru yn cael ei neilltuo i raglenni Cymraeg wedi'r cwbl. Roedd y Llywodraeth wedi mynd yn ôl ar ei gair ac wedi mynd yn groes i'r addewid yn Araith y Frenhines. Roedd yn hyfdra o'r mwyaf, ac ymatebodd Cymdeithas yr Iaith yn eu ffordd draddodiadol – dwysáu y gweithredu. Yn ogystal â'i ddwysáu, penderfynwyd ceisio denu rhagor i gymryd rhan, ond nid oedd pawb yn croesawu'r gwahoddiad. Cofiaf i Siôn Aled a minnau fentro mynd i holi Derec Llwyd Morgan, darlithydd yn Adran Gymraeg Bangor ar y pryd, a fyddai'n fodlon gweithredu yn ymgyrch y Sianel. Cododd ei aeliau hynod.

'Pwy – fi?' gofynnodd, yn methu credu'r cais.
Collodd y darpar-brifathro ei gyfle. Yn y diwedd cydsyniodd Pennar Davies, Meredydd Evans a Ned Thomas i dorri i mewn i fast Pencarreg ac arweiniodd hyn at 'Achos y Tri'. Mae'n bur bosib mai dyma pryd y deuthum i adnabod Merêd yn bersonol – un o fy arwyr mwyaf. Roedd yn adnabod fy rhieni ers dyddiau coleg ac roedd fy mharch tuag ato'n fawr. Cawr o ddyn ydi Merêd. Fodd bynnag, dydi o ddim eisiau cael ei drin fel cawr. Mae o

mor gynnes a chariadus fel y gallaf yn hawdd synio amdano fel brawd. Mor aml mae pethau wedi edrych yn ddigalon a llwm mewn rali neu gyfarfod, yna gwelaf wên lydan Merêd, caf fy ngwasgu'n dynn, clywaf y cyfarchiad 'Sut wyt ti?' a gallaf deimlo heulwen gobaith yn tywynnu unwaith eto. Mae Phyllis ac yntau yn bâr arbennig iawn.

Rhygnodd yr ymgyrch ddarlledu yn ei blaen ac yr oedd teimladau yn wirioneddol isel. Mewn cyfarfod o Grŵp Darlledu y Gymdeithas yn gynnar ym 1980, ceisiodd Rhodri Williams fod yn realistig, a'i gwestiwn mawr oedd sut i dorri'r newydd i'r Cymry gobeithiol nad oedd Sianel Gymraeg am ddod wedi'r cwbl? Rhoddodd hyn gryn ysgytwad i mi. Drwy'r pedair blynedd y bûm yn gweithredu yn yr ymgyrch, roeddwn yn grediniol y byddem rhyw ddydd yn cyrraedd y nod. Yn awr, dyma swyddogion Cymdeithas yr Iaith yn bwrw amheuaeth ac yn dechrau simsanu. Rhannodd Helen Greenwood yr un digalondid wrth ddod o'r cyfarfod. Gallem oddef unrhyw beth ar wahân i aelodau'r Gymdeithas yn anobeithio.

Os oedd hi'n gyfnod tywyll ar y Gymdeithas, yr oedd gan eraill fwy o le i bryderu. Ym 1980, cafodd Ian McGregor, fel Cadeirydd Dur Prydain, wared ar 11,000 o swyddi yn y diwydiant dur. I gadw cwmni i Thatcher ar y llwyfan rhyngwladol, etholwyd Ronald Reagan yn Arlywydd yr Unol Daleithiau a saethwyd eicon y Chwedegau, John Lennon, yn farw.

Un na chollodd olwg ar y freuddwyd oedd Ffred, a ddaliodd ati i drefnu, ysgogi a ffonio. Y peth i'w wneud oedd trefnu yn lleol a chael cannoedd o bobl i wrthod talu'r drwydded deledu. Golygai hyn y byddai pobl yn debygol o wynebu achos llys a dirwy, ond roedd teimladau yn dechrau poethi bellach a phobl eisiau gwneud rhywbeth. Newidiodd penderfyniad un gŵr yr awyrgylch yn llwyr.

Roeddwn mewn man anarferol iawn pan glywais y newydd am ympryd Gwynfor Evans – mewn tŷ haf a oedd yn cael ei feddiannu gan aelodau'r Gymdeithas. Ers rhai misoedd, roedd yr ymgyrch losgi tai haf wedi cychwyn, a'r Gymdeithas yn gweld ei bod wedi esgeuluso gweithredu yn y maes. I ddangos fod dewis arall o weithredu yn lle llosgi a ffoi, dychwelodd y Gymdeithas at ei hen dacteg o feddiannu a derbyn cyfrifoldeb. Tra oeddem yn eistedd yn y tŷ hwnnw, dywedodd Ffred ei fod am gael gair â mi. Soniodd fod Gwynfor yn poeni'n ddychrynllyd am sefyllfa'r Sianel. Wedi meddwl yn ddwys, roedd wedi penderfynu ymprydio er mwyn dwyn pwysau. Byddai'n cychwyn ar yr ympryd ym mis Medi. Roedd pum mis i fynd tan hynny.

Cofiaf effaith y newyddion hwnnw arnaf. Wrth gwrs, cyfeiriai Ffred at Gwynfor fel 'tad Meinir' a sylweddolais fod perspectif teuluol i'r safiad yn eu hachos hwy. Meddyliais am Hedd Gwynfor, plentyn Ffred a Meinir, oedd newydd ei eni, a'r ffaith mai gan Gwynfor y clywais y newydd fod Meinir yn feichiog y tro hwnnw, pan welais ef yng nghyfarfod dathlu Lewis Valentine. Cofiais am y cinio Nadolig ar aelwyd Talar Wen, cartref Gwynfor a Rhiannon. Meddyliais am Rhiannon...

'Fedar o ddim mentro ei fywyd – dim ond er mwyn *sianel*,' dadleuais efo Ffred.

'Iddo fo, mae'n fater digon pwysig,' eglurodd Ffred.

'Ond wnaiff y Llywodraeth fyth ildio,' dadleuais.

Eglurodd Ffred nad oedd modd trafod y mater ar dir

rhesymeg. Nid dwyn pwysau ar y Llywodraeth oedd bwriad Gwynfor beth bynnag. Ei obaith oedd y byddai'n rhoi sialens i'r Cymry i weithredu o ddifrif. Arnom ni roedd y pwysau. Roedd Gwynfor wedi penderfynu ar ei lwybr ef. Rhaid oedd i ninnau ddewis ein llwybr ni. Cwestiwn olaf Ffred oedd a fyddwn yn dod i lawr i Lundain yr wythnos ganlynol i brotestio. Wrth gwrs y deuwn.

Hyd y gwelwn, nid oedd gennyf ddewis ond lluchio fy hun yn ôl i ganol y frwydr. Ni fyddai dim yn ormod i'w wneud i achub bywyd Gwynfor. Cynllun Ffred yn Llundain oedd cael merch wedi ei gwisgo mewn gwisg briodas i gerdded i'r Senedd a datgan i'r Llywodraeth ei bod wedi torri ei haddewid. Byddai gweithred felly yn fwy tebygol o ddal dychymyg y Wasg. Ar y noson yr oedd y myfyrwyr yn mynd i Lundain, roeddwn yn cymryd rhan mewn gwasanaeth yn Llanrug, a llwyddais i golli bws y myfyrwyr i Lundain. Chwarae teg i Mam, fe yrrodd yr holl ffordd i Aberystwyth y noson honno fel 'mod i'n gallu dal bws Aber. Dwi'n siŵr iddi ddifaru ganwaith iddi wneud hynny – welodd i mohonof wedi hynny am ddeufis.

Ni chymerodd neb sylw o'r Gymraes mewn gwisg briodas yn y Senedd. Chymerodd neb sylw ohonom ni'r myfyrwyr yn rhwystro'r ffordd y tu allan chwaith. Digalon iawn oedd pawb ohonom wrth ddod yn ôl at y bws – taith i Lundain yn wastraff, a dim sylw ar y newyddion. Wrth ddynesu at Sgwâr Trafalgar, cafodd Ffred syniad gwallgof,

'Un peth *fyddai*'n bosibl fydde gadael slogan ar golofn Nelson,' meddai. Rhwng cwsg ac effro, cytunais â'r syniad – fi a Sali Wyn o Glydach. Dyma gael gafael ar y paent a gweiddi ar Ffred wrth i'r bws fynd,

'Beth beintiwn ni?'

'Chewch chi ddim cyfle i wneud mwy na llythyren – bydd yr heddlu wedi neidio ar eich pennau,' gwaeddodd wrth i'r bws fynd o'r golwg.

Ar rai adegau, gall Ffred fod yn hynod o anghywir, ac roedd y tro hwn yn enghraifft o hynny. Dringodd Sali Wyn a mi i ben y grisiau enfawr a dechrau peintio'r slogan, 'Sianel Gymraeg yn Awr'. Nid oedd yr un heddwas ar gyfyl y lle.

'Beth am slogan Saesneg?' gofynnodd Sali Wyn, wrth weld y twristiaid yn dechrau clicio eu camerâu wrth dynnu ein lluniau. Aethom at yr ochr arall a dechrau sgwennu mewn llythrennau pedair troedfedd, 'Tory Betrayal' er nad oeddem yn siŵr o'r sillafiad. Ni ddaeth yr un plismon i'r golwg. Yn y diwedd, yr oedd slogan ar y pedair ochr, yr ymwelwyr Japaneaidd yn fflachio eu camerâu fel pethau gwirion, a Sali Wyn a minnau'n eistedd ar y grisiau yn meddwl am ba hyd y byddai'n rhaid inni aros yno. Ymhen hir a hwyr, daeth y glas a'n cymryd i'r ddalfa. Yn Swyddfa'r Heddlu Bow Street, roedd yr arolygydd yn wallgo.

'How dare you?' bloeddiodd yn fy wyneb. 'How would you like it if I came to *your* place and destroyed the most precious thing you've got?'

'You already have,' atebais.

'Shut up, you little bitch.'

Yr adeg honno y sylweddolais fod colofn Nelson yn golygu tipyn mwy i'r Saeson nag y mae i ni. Roedd perygl inni gael ein cosbi'n hallt. Wedi noson yn y celloedd, roeddem o flaen y fainc y bore wedyn a chefais yr anfantais o gael y 'Duty Solicitor', y cyfreithiwr oedd yn digwydd bod ar gael ar y pryd. Dyna'r amddiffyniad gwaethaf a gefais mewn llys barn erioed. Ceisiais ddadlau 'mod i ar fin sefyll arholiadau'r ail flwyddyn yn y coleg, ond yr unig ymateb a gefais oedd y dylwn fod wedi poeni am hynny ynghynt. Dirwy gafodd Sali Wyn, ond meddai'r Duty Solicitor,

'Looking at Thomas' record, all I can recommend is a prison sentence.' Gydag amddiffyniad felly, prin oedd angen erlynydd!

'Three months!' gwaeddodd Cadeirydd y Fainc, ac i ffwrdd â mi.

Yng ngharchar agored Drake Hall y bûm yn paratoi ar gyfer arholiadau'r ail flwyddyn. Oherwydd fy mod yn fyfyriwr, cefais dreulio bob pnawn yn yr *Education Room* yn astudio, ac roedd hyn yn gryn ryddhad. (Roedd yn dipyn o hwb i'm gyrfa academaidd hefyd!) Y fantais fwyaf oedd fy mod yn gallu cael cynifer o lyfrau ag y dymunwn. Gan mai dim ond carcharorion cwbl anllythrennog fyddai'n mynd i 'Education' fel rheol, roedd y ffaith 'mod i'n treulio bob pnawn yno yn rhoi'r argraff i'r carcharorion eraill fy mod yn arbennig o dwp! Dim ond cryfhau'r argraff hon wnâi fy Saesneg clogyrnaidd. Am wn i mai dyna'r peth gwaethaf am fod mewn carchar yn Lloegr, teimlwn yn gwbl dwp ac israddol oherwydd safon fy Saesneg a'm cefndir gwledig. Fi oedd y peth lleiaf 'cool' a hen-ffasiwn iddynt ddod ar ei thraws.

Roedd yn gas gen i garchar agored. Syniad yr awdurdodau o ryddid oedd peidio rhoi drysau ar yr ystafelloedd. Hen gabanau rhyfel oedd yr adeiladau a dwy yn rhannu pob stafell. Pan gefais fy hebrwng at fy ngwely, gwelais fod y muriau dros y ffordd i mi wedi eu gorchuddio â lluniau merched bronnoeth. Gyda'r nos, deuai merch arall i rannu gwely gyda'm cyd-letywraig. Diwylliant hoyw oedd y norm, ac er mwyn peidio ymddangos yn rhy wahanol, dywedais i (wedi cael cyngor) 'mod i'n 'involved with a girl outside' fel bod pobl yn parchu 'mhreifatrwydd! Plannu cabaij oedd ein gwaith ac roedd peth boddhad i'w gael o weithio yn yr awyr iach, ond roedd yn waith affwysol o ddiflas. Bob tro rydw i wedi bod yng ngharchar, y diflastod sydd wedi lladd fy ysbryd. Fel y dywedodd un ferch wrthyf,

'From eight 'til ten went quite quickly this morning,' a dim ond rhywun fu dan glo all lawn werthfawrogi ystyr hynny.

Anfantais arall bod mewn carchar agored oedd fod pawb yn dianc drwy'r amser, felly roedd rhaid cael *check* tua dwsin o weithiau mewn diwrnod, dim ond i gadw cownt ar bwy oedd wedi dianc. Y cyfan oedd rhaid i chwi ei wneud i ddianc oedd cerdded drwy'r giât, ac roedd hynny'n ormod o demtasiwn i lawer. Un o ychydig fanteision bod mewn carchar agored oedd eich bod yn cael mynd i eglwys y pentref i addoli, a dyna oedd uchafbwynt yr wythnos. Gan mai Wesla oeddwn, holais a gawn fynd i'r capel Methodistaidd yn y pentref, a chaniatawyd hynny. Wedi peth amser, yr oeddynt yn ymddiried ynof ddigon i adael i mi fynd heb warder, ac yr oedd cwpwl oedrannus o'r capel yn fodlon dod i'm nôl o'r carchar a'm danfon adre wedi'r gwasanaeth. Hyd y gwyddent hwy, gallwn fod wedi troseddu yn ddifrifol, felly golygai eu hymddiriedaeth ynof dipyn go lew. Wedi dod i'w hadnabod yn well, stopiodd y gŵr y car un nos Sul cyn cyrraedd y carchar. Wyddwn i ddim beth oedd am ddigwydd nes gwelais fflasg yn ymddangos,

'We've brought a flask along – thought you'd appreciate a cup of coffee.' I rywun oedd wedi byw ar de am ddeufis, a minnau'n casáu'r stwff, yr oedd hon yn wledd anghyffredin. Wna i byth anghofio'r weithred fach honno o garedigrwydd. Roedd rhywbeth pur ddoniol yn y modd yr oeddynt yn ofnus iawn yn rhannu'r coffi – diau mai dyna'r agosaf y daethant yn eu bywydau at dorri'r gyfraith.

Rhywbeth arall nad anghofiaf yw caredigrwydd teulu a ffrindiau yn anfon llythyrau ataf. Cefais gymaint o delegramau a llythyrau ar y cychwyn fel y dechreuodd y carcharorion eraill fy ngalw yn 'Queen Mum'. Er mwyn derbyn papurau newydd, rhaid oedd eu hanfon drwy siop bapur newydd. Yr hynaws Eric Jones, Siop Lyfrau Caernarfon, oedd fy nghyflenwr i. Un wythnos, penderfynodd Eric Jones dorri'r rheolau ac anfon nodyn gyda'r papurau newydd a chefais fy ngalw i'r brif swyddfa i'w gyfieithu.

'He wishes me the best and is behind me all the way,' cyfieithais y geiriau cefnogol orau gallwn.

'Funny sort of newsagent,' oedd unig sylw'r sgriw.

Fe'i cawn yn anodd iawn delio gydag ymweliadau gan y teulu. Tra oeddwn o fewn system y carchar, gallwn fod yn galed â mi fy hun a derbyn yr amodau fel ag yr oeddynt. Byddai ymweliadau teulu, yn llawn cariad a chonsyrn, yn torri'r plisgyn caled hwn, gan gyrraedd at feddalwch a gawn yn anodd iawn i'w guddio. Hunllef oedd ailgydio ym mywyd carchar wedi i ymweliad byr y teulu ddod i ben. Roeddent wedi codi cwr y llen gan f'atgoffa o bopeth a chwenychwn ac yr hiraethwn amdano. Fodd bynnag, fedrwn i ddim rhwystro ymweliadau'r teulu, roedd yr hanner awr yna bob pythefnos yn holl bwysig iddynt. Rhywbeth a wnâi'r ymweliadau yn waeth oedd y modd y gwrthodwyd popeth a ddeuai fy rhieni i mi. Byddent yn meddwl am bob mathau o bethau i'm cysuro – dim ond i gael eu gwrthod gan yr awdurdodau. Cacen yn cael ei gwahardd rhag ofn bod cyffuriau ynddi, radio VHF yn cael ei wrthod am y gallwn glywed negeseuon heddlu arni (y peth olaf fyddwn i eisiau gwrando arnynt!), llyfrau yn cael eu gwrthod am nad oeddynt yn gwbl newydd. Dim ond wedi cyrraedd y carchar y câi 'nhad wybod am y mân reolau hyn, a byddent yn codi fel madarch i'w rwystro. Bob tro y meddyliai ei fod wedi deall y system, câi ei faglu gan reol newydd.

Dim ond unwaith y deuthum ar draws merch oedd yn siarad Cymraeg yn y carchar. Ychydig frawddegau a ynganodd yn Gymraeg, ond i mi, nid oedd yn iaith addas i'w defnyddio mewn carchar. Iaith y tu allan ydoedd, iaith rhyddid, iaith teulu, iaith cariad, a ddaru mi ddim siarad Cymraeg gyda'r ferch honno wedyn. Efallai bod ei siarad yn codi gormod o hiraeth arnaf, wn i ddim.

Digon am Drake Hall. Er i mi apelio yn erbyn y ddedfryd, pan wrthodwyd yr apêl, yr oeddwn yn tynnu at ddiwedd fy nedfryd p'run bynnag. Cefais fy rhyddhau ar Orffennaf 8, 1980, drannoeth pen-blwydd Mam. Ddiwedd yr wythnos honno, carcharwyd Dyfan Roberts a Tudwal Jones-Humphreys, oedd mewn dipyn o oedran. Hynafgwr arall a garcharwyd oedd T.C. Jones a Silyn

Huws o Benrhyndeudraeth a Trefor Ll. Davies. Erbyn Awst, carcharwyd John Llywelyn (Warden Neuadd Gymraeg John Morris-Jones, Bangor, a mab J.O. Williams) a'r Parch John Owen, Bethesda – oll am beidio talu'r drwydded deledu.

Dydw i ddim yn cofio misoedd tebyg i'r rhai a ddilynodd. Yr oedd y newyddion am fwriad Gwynfor Evans i ymprydio bellach yn gyhoeddus, a'r Cymry wedi eu tanio. Nid anghofiaf byth y brotest ar safle Rio Tinto ar Ynys Môn lle bu Magi Thatcher mor ffôl â dod ar ymweliad yno. Amgylchynwyd ei char gan brotestwyr a dechreuodd pawb ddyrnu to'r car gan siantio 'Gwyn-for! Gwyn-for!' Dyna'r peth agosaf at 'mass-hysteria' a brofais mewn torf. Erbyn heddiw, chewch chi ddim mynd o fewn deg llath i gar y Prif Weinidog, heb sôn am ei amgylchynu. Cafodd fy mam ei gwasgu yn erbyn y ffenest gefn, a dyna'r agosaf y bu at Mrs. Thatcher. Lwc i Mrs. Thatcher fod gwydr rhyngddi a Mam!

Ddechrau Medi, gelwais gyfarfod yn tŷ ni i drafod beth i'w wneud i gefnogi Gwynfor Evans. Daeth pump ar hugain o bobl draw, a fedrwn i ddim cael cadeiriau iddynt i gyd! Trafodwyd pob math o gynlluniau – torri ar draws rasus yr Ascot, meddiannu a pheintio. Hawdd oedd credu fod y chwyldro ar ddigwydd! Yr oedd Gwynfor wedi cychwyn annerch cyfres o gyfarfodydd, ac ar y noson gyntaf, daeth dwy fil o bobl i wrando arno. Gwelodd y Llywodraeth berygl y sefyllfa. Erbyn y diwrnod canlynol, ar Fedi 17, cyhoeddodd Magi Thatcher y tro pedol enwog. Fe fyddai'r Bedwaredd Sianel yng Nghymru yn cael ei neilltuo i raglenni Cymraeg wedi'r cwbl. Yr oeddem wedi ennill! Yn bwysicach na dim, yr oedd bywyd Gwynfor Evans yn ddiogel. Cymerodd Gwynfor ddiwrnod cyn datgan ei fod am beidio ymprydio, a bu Cymru gyfan yn dal ei gwynt. Trodd y cyfarfodydd protest yn gyfarfodydd dathlu, a Gwynfor yn cael croeso tanbaid ym mhob man.

Roedd ymateb Cymdeithas yr Iaith i'r fuddugoliaeth yn rhyfedd. Wedi deuddeng mlynedd o ymgyrchu, byddai rhywun yn disgwyl rali enfawr fuddugoliaethus. Ond rhai cyndyn i ddathlu yw aelodau'r Gymdeithas, ac mae hyn yn gamgymeriad, mi gredaf. Roedd yn wir fod y Gymdeithas yn teimlo elfen o rwystredigaeth. Wedi ymgyrchu'n ddiflino ers blynyddoedd, pan ddaeth awr y dathlu, roedd y pwyslais ar Blaid Cymru, safiad Gwynfor Evans, ac ar y 'Tri Gŵr Doeth' – Cledwyn Hughes, yr Archesgob a Goronwy Daniel a aeth i weld y Llywodraeth i'w rhybuddio. Yn ail, yr oedd y Gymdeithas yn gyndyn i weld y cyfan fel 'buddugoliaeth' gan nad oedd ein holl ofynion ynglŷn â'r Sianel wedi eu gwireddu. Yn drydydd, roedd y Gymdeithas yn anfodlon gweld y Cymry yn dathlu dyfodiad y Sianel fel petai hynny yn ddiwedd y frwydr. A hwythau'n ddyddiau mor dywyll ar Gymru, yr oedd cymaint mwy o bethau i barhau i brotestio yn eu cylch. I ychwanegu at y chwerwder hwn yng nghanol y dathlu, roedd aelodau'r Gymdeithas yn dal i dalu'r pris. Carcharwyd Hywel Pennar am naw mis yn syth wedi i'r Llywodraeth ildio ar fater y Sianel. Carcharwyd Wayne Williams yntau ac Euros Owen.

Yn hytrach na throi rali arfaethedig ym Mangor ynglŷn â'r Sianel yn rali ddathlu, fe'i galwyd yn 'Rali'r Pum Pwynt'. Wedi cael un consesiwn gan y Llywodraeth, yr oedd angen pwyso am y gweddill – Tai, Gwaith,

Addysg a rhywbeth arall. Taniwyd pum roced i gynrychioli hyn, ond nid yw'n fawr o syndod na chafodd y syniad gefnogaeth.

Talodd Wayne Williams ddwywaith am ei drosedd o 'gynllwynio i beri difrod i fast teledu'. Wedi iddo gael ei garcharu am ei ran yn ymgyrch y Sianel, collodd ei swydd fel athro Cymraeg yn Ysgol Llanidloes. Dyfyniad enwog yr aelod seneddol Torïaidd, Delwyn Williams, oedd 'Giving Wayne Williams his job back as a teacher would be like giving Doctor Crippen his job back as a doctor'. Yn fuan wedi i mi ddod yn Gadeirydd y Gymdeithas, cynhaliwyd rali yn erbyn Cyngor Powys ym Machynlleth, y gornel bellaf o Bowys, ond cofiaf Dafydd Iwan yn dweud fod angen cynnal rali arall reit yng nghanol ffau'r llewod – yn Llanidloes. Dyna wnaed wedyn a chofiaf fod reit bryderus ynglŷn â faint ddeuai. Cofiaf sefyll wrth ddrws y neuadd a gweld stribed hir o gefnogwyr yn gorymdeithio – daeth dros fil o bobl i ddangos eu cefnogaeth i Wayne.

Lansiwyd S4C, Sianel Pedwar Cymru, ar Fawrth 1, 1982, a chofiaf fynd i dŷ cymydog i gael ei gweld, gan ein bod yn dal i fod yn deulu dideledu. Roedd yn brofiad rhyfedd gweld y geiriau 'Sianel Pedwar Cymru' ar y sgrîn. Am gymaint o amser, roedd y gair 'sianel' wedi bod ar faneri, ar bosteri, mewn paent ar waliau. Yn awr, dyma ei weld yn gyfreithlon, yn swyddogol, ar sgrîn. Gwireddu breuddwyd ydoedd. A ninnau wedi ennill un nod, roeddwn i'n llawer mwy ffyddiog ynglŷn ag ymgyrchoedd eraill. Ond er yr holl ymgyrchu, ni ddatblygodd S4C i fod yr hyn y buom yn breuddwydio amdano. Datblygodd yn sianel saff a fabwysiadodd yn ddiweddarach lawer o Saesneg. Efallai y cawn sianel deilwng pan ddechreuwn feddwl amdanom ein hunain fel pobl rydd ac nid fersiwn o bobl Lloegr sy'n digwydd siarad Cymraeg.

Am y flwyddyn olaf yn y Coleg, rhoddais fy nhrwyn ar y maen a gweithio'n galed. Doedd o'n ddim gen i i weithio rhwng naw a deg awr bob dydd. Euthum yn ôl i fyw gartref, wedi blwyddyn o rannu tŷ gyda thair arall, a thorri fy hun oddi wrth fywyd coleg. Torrais fy hun oddi wrth weithgarwch y Gymdeithas hefyd i'r graddau roedd hynny'n bosibl. Dim ond wedi pledio taer gan Ffred yr euthum am ddiwrnod i Ysgol Basg y Gymdeithas yng Nghlwyd. Fel arall, roeddwn i'n feudwy academaidd. Pan ymroddais i'r gwaith gant y cant, fe'i mwynheais. Y flwyddyn flaenorol, roeddwn i wedi ennill coron yr Eisteddfod Ryng-golegol eto. Yn ystod fy arholiadau gradd, clywais fy mod wedi ennill Medal Ryddiaith Eisteddfod yr Urdd gyda *Rwy'n Gweld yr Haul* (a Dafydd Elis Thomas yn feirniad) a chefais ddiwrnod o wyliau yn Eisteddfod Dyffryn Teifi. Ar wahân i ambell ymdrech fel hyn, prin iawn oedd fy nghynnyrch llenyddol. Llwyddais i ennill gradd dau un mewn Cymraeg a Chymdeithaseg. Gan fy mod wedi cael blas ar waith academaidd, gwnes gais i wneud gwaith ymchwil ar gyfer gradd bellach. Euthum i weld yr Athro Bedwyr Lewis Jones gyda chynllun ar gyfer traethawd ymchwil ar 'Swyddogaeth Wleidyddol yr Eisteddfod'. Yn anffodus, doedd yr Athro ddim yn hoffi'r syniad o gwbl (ac yntau yn un o brif swyddogion yr Eisteddfod). Ceisiodd fy mherswadio i wneud gwaith ymchwil ar hanes rhyw gylchgrawn nad oedd gen i iot o ddiddordeb ynddo. Bu rhaid i mi aros ugain mlynedd cyn cael gwneud fy ngradd bellach. Ac ym 1981 y daeth fy ngyrfa ym Mhrifysgol Cymru i ben.

Hen Fyd Hurt

Mae o'n dod i bawb debyg, ond wn i ddim a ydio'n dod fel cymaint o sioc. Braidd yn sydyn y sylweddolais fod yn rhaid i mi ennill fy nhamaid yn y tipyn byd 'ma. Y funud y gadewais y Brifysgol, daeth hynny o strwythur oedd gennyf i'm bywyd i ben yn ddisymwth pan ganfyddais fy hun ar y clwt. Efallai fod gan lawer o fyfyrwyr syniad gweddol glir am y math o yrfa y maent yn ei cheisio, ac yna maent yn dilyn y camau priodol i sicrhau'r yrfa honno. Pan ddaeth dyddiau Bangor i ben, roeddwn i'n gwbl ddi-glem ynglŷn â gweddill fy mywyd. Gweithredu dros Gymru fu'r unig 'yrfa' fu gen i, ac roeddwn i wedi llwyddo i wneud hynny tra'n byw ar bwrs y wlad. Bellach, rhaid oedd ystyried o ddifrif sut i ennill bywoliaeth.

Oni bai am y flwyddyn fer y bûm yn gyflogedig gan Gymdeithas yr Iaith, yr oedd unrhyw incwm wedi bod yn grant colegol, ac o fyw gartref, gallai rhywun fyw'n go dda ar grant myfyriwr. Petawn i wedi gadael coleg yn y Nawdegau, byddwn wedi gadael gyda baich trwm dyled ariannol. Rwy'n dragwyddol ddiolchgar i mi gael bod yn fyfyriwr yn ystod y cyfnod pan oedd addysg prifysgol ar gael am ddim. Amserlen ysgol a choleg oedd wedi rhoi patrwm ar fy nyddiau, ac roedd rhywun wedi dod i arfer â gofal athro neu ddarlithydd yn eich gwaith. Daeth y diddordeb hwnnw i ben yn ebrwydd wedi arholiadau gradd. Bellach nid oedd holl theorïau Gramsci a Luckas y dysgais amdanynt yn y coleg o unrhyw gymorth ymarferol, ddim mwy nag oedd yr hyn a ddysgais yn y cwrs Cymraeg. Mynegais lawer o'm rhwystredigaeth yn y cyfnod hwn yn y gyfrol *Hen Fyd Hurt* a enillodd Fedal Lenyddiaeth yr Urdd ym 1982.

Blwyddyn cofio Llywelyn ein Llyw Olaf oedd 1982 ac yn *Hen Fyd Hurt* rwy'n disgrifio sut mae'r prif gymeriad yn clywed llais Llywelyn yn ei hannog i ddal ati i frwydro ar ddechrau'r Wythegau. Erbyn y diwedd, mae'r cymeriad wedi colli ei phwyll. Ni ellir ei galw yn gyfrol obeithiol iawn, ond mae'n crynhoi teimladau person di-waith a'r ofn oedd i'w deimlo yr adeg honno ynglŷn â thaflegrau niwcliar. Un fu'n weithgar iawn gyda'r ymgyrch ddiarfogi niwcliar yn ein cylch ni oedd Gwenno Hywyn. Ddiwedd y Saithdegau, daeth John a Gwenno Hywyn a'u mab bach Rhys i fyw dros ffordd i ni. Ym 1984, ganwyd Nia yn chwaer i Rhys. Drws nesaf daeth Dafydd a Magi Jones i fyw a magu tri o blant a daeth Manon Rhys a Moi i fyw yn y tŷ ar waelod yr allt. Roedd Manon hithau yn weithgar gydag CND ac yn ffrind i Gwenno. Bûm yn cydweithio fwy nag unwaith gyda Gwenno ar wahanol brosiectau, un ohonynt oedd paratoi cyfres o lyfrau i ddysgwyr, Gwenno yn eu sgwennu a minnau'n tynnu lluniau. Ym 1990, canfu Gwenno ei bod yn dioddef o gancr a bu farw yn ystod Eisteddfod yr Urdd 1991, ac roedd ei hangladd ar y diwrnod yr oedd i fod i ddraddodi'r feirniadaeth ar y Fedal Lenyddiaeth, hithau'n ddim ond 42 mlwydd oed. Roedd yn golled i Gymru, ond yn golled aruthrol i Landwrog. Roedd yna asbri rhyfeddol yn perthyn i

Gwenno ac anodd yw dygymod â'r ffaith fod person oedd mor llawn bywyd wedi peidio â bod. John grisialodd hyn orau yn ei englyn sydd ar ei bedd,

Roedd cyfrol ei gorfoledd – yn tynnu
tua'i hanner llynedd:
yn lli'r afiaith, lle rhyfedd
i'w henw byw yw clawr bedd.

Roedd criw da o genedlaetholwyr yn Llandwrog erbyn dechrau'r Wythdegau yn weithgar gyda'r Blaid, ac yr oeddynt dipyn yn hŷn na mi a'm chwiorydd. Ond daeth criw newydd i rengoedd y Gymdeithas yng Ngwynedd tua'r un pryd. Bu Dylan Morgan yn angor i lawer o weithgarwch ym Môn gan chwarae rôl allweddol nid yn unig efo'r Gymdeithas ond gyda PAWB (Pobl Atal Wylfa B) ac yn fwy diweddar gyda 'Llais y Bobl'. Daeth Robyn Parri yn ôl i fyw i Fôn, Gwyn Edwards i Fethel a Selwyn Jones i Lanrug fel pennaeth Cymdeithas Tai Eryri. Un diwrnod, cefais alwad ffôn gan rywun oedd wedi symud i Riwlas. Roedd yn awyddus i ddechrau cell yn lleol gyda Chymdeithas yr Iaith. Ymhen blynyddoedd, daeth Cymru gyfan yn gyfarwydd â'i enw – Steve Eaves.

Yr unig yrfa yr oeddwn wedi ei hystyried yn weddol ddifrifol oedd bod yn weithwraig gymdeithasol gan fod gen i hanner gradd yn y pwnc. Rhoddodd y darlithydd Glyn Williams bin yn y freuddwyd honno gyda'i ymateb swta, 'I be ei di'n weithiwr cymdeithasol? Dim ond gwneud esgusodion dros y Wladwriaeth fasa ti.' Dyna fu diwedd y syniad hwnnw.

Yr unig 'swydd' a gefais, a honno'n un ddi-dâl oedd yr un o olygu *Tafod y Ddraig*. A 'nhaid wedi bod yn olygydd cylchgrawn y WEA, *Lleufer*, am ugain mlynedd (a hynny wedi iddo ymddeol), efallai fod golygu yn y gwaed. Yr hyn na ddeallais oedd fod disgwyl i olygydd y *Tafod* ysgrifennu'r cynnwys, ei deipio, ei gysodi – a'i gael i'r Wasg ar y dyddiad cywir! Meri Huws oedd y cadeirydd ar y pryd, y ferch gyntaf i lenwi'r swydd honno. I'ch atgoffa o 1982, dyna pryd yr oedd ffigurau diweithdra yn 2.5 miliwn, daeth Ken Livingstone yn arweinydd y GLC a phriododd y Tywysog Charles hogan swil o'r enw Diana. Bu terfysgoedd yn Toxteth, Llundain, Birmingham a Wolverhampton. Dywedodd Tebbit wrth bobl am fynd ar feic i chwilio am waith, a threchodd Dennis Healy Tony Benn am arweinyddiaeth y Blaid Lafur. Daeth Arthur Scargill yn llywydd yr NUM a chychwynnodd criw o ferched o Gaerdydd i sefydlu gwersyll heddwch ar Gomin Greenham. Penododd Cymdeithas yr Iaith Drefnydd Cenedlaethol – Walis George. Na, doedd dim prinder cynnwrf!

A minnau heb fod yn berchen beic na thrwydded yrru, fedrwn i ddim teithio 'mhell i chwilio am waith, hyd yn oed petawn i eisiau symud. Yn y diwedd, fe ddaeth i'm rhan – y baich a ddisgynnodd ar bob un (bron) o blant oes Thatcher – cynllun y Llywodraeth, y 'Manpower Service Scheme'. Term crand oedd hwn am lafur rhad a chynllwyn gan y Ceidwadwyr i leihau ffigurau'r di-waith. Un a wyddai sut i fanteisio i'r eithaf ar y cynllun hwn oedd Rheinallt Thomas yn y Ganolfan Addysg Grefyddol yn hen goleg y Santes Fair ym Mangor, a dyma ganfod fy hun rhywsut yn rhan o'r sefydliad hwnnw. Gwaith y ganolfan oedd darparu deunydd addysgol a gwerslyfrau i ysgolion ac ysgolion Sul. Er bod gen i radd yn y Gymraeg, doeddwn i ddim yn gymwys i ysgrifennu'r llyfrau gan nad oedd gen i dystysgrif dysgu. Ond er mai dim ond cymhwyster 'Lefel O' oedd gen i mewn Arlunio, roedd hynny'n ddigon da i fod yn 'Ddylunydd Graffig', a dyna oedd fy swydd – yr enw crand ar dynnu lluniau. Cofiaf Rheinallt Thomas yn fy martsio i lawr i'r Siop Gelf ym Mangor a dweud y cawn brynu unrhyw beth roeddwn i eisiau. Finnau'n methu meddwl am ddim roeddwn i eisiau ar wahân i bensel, '– a rwbiwr...' ychwanegais. Deuthum oddi yno efo desg bwrpasol a llond gwlad o geriach artist.

Rhyw chwe mis y bûm yn rhan o'r cynllun hwnnw gyda Morwenna a Cadi yn gyd-weithwyr. Darlunio llyfrau plant fyddwn i fwyaf a thynnu llawer o luniau o gyfnod y Beibl. Cofiaf ofyn i Rheinallt p'un oedd y term iawn i'w ddefnyddio am wlad Iesu Grist, Palesteina neu Israel – 'Dibynnu ar eich politics chi!' oedd ateb parod Rheinallt. Am wn i, dyna'r unig swydd 'naw tan bump' i mi ei chael erioed, efo pethau fel 'amser paned' ac 'amser cinio' pwrpasol. Roedd o'n gyfnod iawn tra parodd, roeddwn i'n mwynhau'r gwmnïaeth, ond dechreuodd y drefn ddyddiol fynd yn undonog. Cynigiais am ddwy swydd gyda'r Cyngor Llyfrau Cymraeg, ond ddaru nhw 'rioed fy licio, felly dringo'r allt serth i fyny at y Santes Fair a wnawn i ennill fy nhamaid.

Wedi holl gynnwrf brwydr y Sianel, yr oedd 1982 yn gyfnod tawel i Gymdeithas yr Iaith wrth i'r hoelion wyth droi ati i lunio Maniffesto newydd. Fûm i ddim yn rhan o'r broses honno – mae'n gas gen i faniffestos, cyfarfodydd cyffredinol, cynigion, cyfansoddiad a'r ochr honno i waith mudiad. Cadwai golygu'r *Tafod* fi'n ddigon prysur, ac wrth fodio drwy rifynnau'r flwyddyn honno daw sawl atgof yn ôl. Bûm yn eitha llym fy meirniadaeth o Rhodri Williams ac Aled Eirug pan gawsant swyddi gyda'r hen elyn, HTV. Yng Ngholeg Harlech, bu Gareth Llwyd Dafydd o'r Parc, (y bûm yn rhannu mast Crystal Palace ag o) ar ympryd unig yn erbyn awdurdodau'r coleg. Cynhaliwyd gwylnos tu allan i'r coleg, ac araith mam Dafydd, Sulwen Davies, un o'r rhai a sylfaenodd Ferched y Wawr, oedd un o'r areithiau grymusaf a glywais. Hon oedd y flwyddyn a benodwyd gan y Bwrdd Croeso yn eu doethineb fel 'Blwyddyn y Cestyll' a chynhaliodd Plaid Cymru rali ger Castell Dolbadarn lle siaradodd Dafydd Elis Thomas am y 'cestyll yn y meddwl'. Roedd o'n ffrind go agos i'r mudiad bryd hynny, a phan gyhoeddwyd Maniffesto Cymdeithas yr Iaith, fe'i disgrifiodd fel y ddogfen bwysicaf ers 'The Miner's Next Step'. Dwyf i erioed wedi bod yn un o 'ffans Dafydd Êl', mae o'n gr'adur rhy chwit chwat o'r hanner i mi, ond mi wnaeth o dro da â mi unwaith. Rhag ofn i'r stori ddod â gwên i'ch wyneb, fe'i hadroddaf.

Ffred Ffransis fu unwaith yn berchen dwy gath go nodedig ac fe'u hadwaenid fel 'Gwl' a 'Gong', o barchus goffadwriaeth i chwareuwraig dennis enwog. I mi y rhoddodd Ffred y cyfrifoldeb o warchod y creaduriaid blewog hyn tra oedd ef ar ei wyliau. Un dwthwn, aeth Gong ar goll. Bu dyfal chwilio amdani, ond yn ofer. Heb galon i dorri'r newydd i Ffred, mynych y tramwyais y caeau yn gweiddi ei henw yn daer ac yn daerach. Er i mi osod posteri o amgylch Llandwrog, ni welodd un dyn y gath. Chwe wythnos yn ddiweddarach, daeth galwad ffôn gan deulu Huw Jones (Sain). Yr oedd cath a weddai'n berffaith i'r disgrifiad wedi ymgartrefu ar eu haelwyd hwy. Wedi i mi fynd i'w gweld, Gong oedd hi, a mawr fu'r llawenhau. Yr unig her oedd yn weddill oedd ei dychwelyd i gartref ei meistr yn Llanfihangel-ar-arth.

Ar ei ddyfal grwydradau o amgylch Cymru yr oedd Cen Llwyd yn dosbarthu'r cylchgrawn i ferched, *Pais*, ac ar ei ofyn ef yr euthum. Yr oedd Cen wedi rhoi sawl lifft i mi, ond dyma'r tro cyntaf i'r un ohonom fod yng ngofal cath. Fe'i rhoddwyd mewn bocs ar y sedd gefn, ac i ffwrdd â ni. Ni ddaeth i feddwl yr un ohonom gau y cyfryw focs, a thua Garndolbenmaen yn Arfon, daeth Gong allan o'r bocs a chychwyn cerdded o amgylch y car yn hamddenol. Yn y diwedd, setlodd ar arffed Cen, ac yno'n ddisymwth yr ymwacaodd. Ni fu erioed y fath arogl. Daeth y daith i stop a dyma geisio llnau'r llanast gystal ag oedd modd. Wedi ailgychwyn, yr oedd y drewdod yn y car gymaint fel nad oedd gan Cen druan ond un dewis. Bu raid iddo dynnu ei drowsus a'i roi ym mŵt y car. Ac yntau heb ddim ond ei drôns amdano, arnaf i y disgynnodd yr orchwyl o ddosbarthu'r pecynnau *Pais* i'r siopau. Wrth gwrs, a'r Cymry yn rhai mor fusneslyd, roedd perchennog pob siop yn awyddus i wybod pam nad oedd Cen yn dosbarthu'r cylchgrawn, ac roedd gen i'r dasg ychwanegol o egluro'r embaras *pam* na allai Cen ddod o'r car. Deuai ambell un mwy direidus na'i gilydd draw at y car i wneud sbort am ben Cen. Yn y diwedd, profodd yr embaras yn ormod, ac euthum ar streic. Roedd yn rhaid i Cen ddod o hyd i drowsus.

Y fantais o fod yn genedlaetholwr fel arfer ydi fod yna rywun ym mhob cymuned yng Nghymru y gallwch fynd ar ei ofyn. Yn ardal Dolgellau, yr unig berson yr oeddem yn ei adnabod (neu'n gwybod amdano) oedd yr aelod seneddol lleol, Dafydd Elis Thomas. Rŵan, efallai fod Cen yn teimlo'n ddigon hy i wneud cais mor bersonol, ond doeddwn i ddim. Credaf mai un o'r pethau gwaethaf y bu rhaid i mi ei wneud erioed oedd curo ar ddrws Dafydd Elis Thomas A.S. y diwrnod hwnnw i ofyn am gymorth. I wneud pethau'n waeth, Tony Heath, gohebydd y *Guardian* agorodd y drws. Roedd Tony Heath yn gwybod pwy oeddwn, a diau ei fod yn disgwyl newydd syfrdanol am weithred ddramatig oedd yn haeddu tarfu ar aelod seneddol ganol dydd. Er mawr siom iddo, bu rhaid i mi egluro'r sefyllfa iddo yntau, yn fy Saesneg carbwl. Daeth Dafydd Êl i'r golwg, a chwarae teg iddo, rhoddodd fenthyg trowsus i mi. Mewn dilledyn darpar-arglwydd felly y gwnaeth Cen weddill y daith. Dychwelwyd y gath i Ffred. Yn anffodus, wedi'r holl ymdrech, diwedd trist sydd i'r stori. Rhai misoedd wedyn, aeth car dros Gong nes roedd yn gwbl fflat, a dyna fu diwedd ei bywyd. Rhyw bethau felly ddaw i'ch rhan pan ydych yn adnabod Ffred Ffransis.

Ond yn ôl at fy ngyrfa. Aeth si o gwmpas y wlad mai 1982 fyddai'r flwyddyn olaf i bobl oedd yn methu gwneud syms gael mynd yn athrawon. Wedi'r flwyddyn honno, byddai Lefel O Mathemateg yn hanfodol ar gyfer dilyn cwrs tystysgrif dysgu. Gyda fy CSE Gradd 3, dechreuais ystyried y mater, yn enwedig gan fod diffyg tystysgrif o'r fath wedi 'ngorfodi i fod yn artist yn hytrach nag awdur yn y Ganolfan Addysg Grefyddol. Er i mi geisio am grantiau eraill yn aflwyddiannus, roedd sicrwydd i bob pwrpas y caech grant i fod yn athrawes. A minnau'n tynnu at fy 25 oed, dyma ganfod fy hun drachefn yn fyfyrwraig, y tro hwn mewn coleg arall eto fyth, y Coleg Normal, Bangor.

Nid oeddwn wedi bod mewn ysgol gynradd ers i mi fod yn ddisgybl mewn un. Yn fy hen ysgol, Bontnewydd, y gwnes y bythefnos o gyfnod arsyllu, dan oruchwyliaeth fy athrawes gyntaf, Olwen Llywelyn. Wedi'r bedydd tân, gwnes fy mhrofiad dysgu yn Ysgol y Gelli, Caernarfon ac Ysgol Glancegin, Maesgeirchen, Bangor. Roedd y cyfuniad o gael cwmni plant a darparu deunydd dysgu, yn lluniau ac yn straeon, yn waith wrth fy modd. Dyna'r gwaith mwyaf blinedig i mi ei wneud erioed hefyd. Byddwn yn cychwyn prosiectau uchelgeisiol megis gwneud model o bentref gyda gwahanol ddeunyddiau – prosiect oedd i fod i gymryd tridiau, ac wedi hanner awr, byddai gen i ddau ddwsin o blant yn lud o'u corun i'w sawdl wedi gorffen y dasg, yn gofyn 'Be da chi isio inni wneud nesaf, Miss?'

Efallai 'mod i'n rhy uchelgeisiol, yn rhy frwdfrydig, yn gwbl amddifad o awdurdod, a phlant yn troi'n gwbl afreolus yn fy nghwmni, ond gallaf fentro dweud nad oeddynt yn cael eu diflasu yn fy ngwersi. 'E.T.' oedd y ffilm boblogaidd ar y pryd, a seiliais bum wythnos o waith dosbarth ar y creadur arallfydol hwn. Dysgwn syms drwy gyfrif 'Smarties'. Ac yng nghanol yr holl fwrlwm, credaf fod y plant yn dysgu rhywbeth. Yr anfantais mwyaf oedd gen i yn y Normal oedd fy nhiwtor – Nia Wyn Williams, a oedd yn argyhoeddedig na wnawn athrawes. Diau fod peth bai arnaf i gan nad oeddwn yn disgleirio yn ei phwnc – ymarfer corff. Buom yn absennol gymaint o weithiau o'i gwersi fel y bu rhaid i Elin Angharad a minnau sefyll arholiad ysgrifenedig yn y pwnc – a'n helpo! Ond drwy ryw ddirgel ffyrdd, llwyddais i gael y dystysgrif dysgu, er mai prin yw'r defnydd a wnes ohoni. I wneud yn siŵr na fyddwn yn segur y flwyddyn honno, fe'm penodwyd yn Gadeirydd Cymdeithas yr Iaith.

Mawr fu'r perswâd arnaf i ymgymryd â'r cyfrifoldeb hwn, a chymerais y gwaith am yr un rheswm â phob un arall a'i gwnaeth – doedd neb arall eisiau'r swydd. Nid oedd yn gyfnod hawdd i fod yn Gadeirydd gan iddi ddod yn ffasiwn tua 1982 i bobl ddweud fod Cymdeithas yr Iaith wedi chwythu ei phlwc. Gan fod brwydr y Sianel ar ben, ni welent swyddogaeth i'r mudiad bellach. O'i chymharu â'r ymgyrch losgi, ni châi ymgyrch dai y Gymdeithas unrhyw sylw. Fodd bynnag, yn dilyn cyhoeddi'r Maniffesto newydd, cafwyd anadl newydd i'r mudiad a rhoddwyd cychwyn ar ddwy ymgyrch newydd – ym maes statws ac ym maes addysg.

Yr ymgyrch addysg oedd yr un yn galw am 'Gorff Datblygu Addysg Gymraeg' a dadleuais ganwaith gyda Ffred ei fod yn deitl rhy glogyrnaidd ac na fyddai'n cydio yn nychymyg neb. Ateb Ffred oedd fod yn rhaid inni fod yn fanwl yn ein gofynion, rhaid oedd cael corff o bobl gyda'r arian a'r grym digonol i drefnu datblygiad addysg Gymraeg, yn hytrach na gadael iddo ddigwydd drwy hap a damwain. Hwn oedd y tro cyntaf i mi fod yn rhan o ymgyrch o'r dechreuad. Prin y cofiaf yr ymgyrch arwyddion, a deuthum yn rhan o'r ymgyrch ddarlledu ar ei chanol, a chyda diddordeb ymylol mewn darlledu. Ond gydag addysg, roeddwn yn llawer mwy ymrwym-edig; credwn mai dyma oedd un o'r materion pwysicaf i ymgyrchu drostynt. Am y flwyddyn gyntaf, ein gwaith oedd gwerthu'r syniad o Gorff Datblygu, ac ennill cefnogaeth iddo'n raddol. Aeth Ffred a Toni Schiavone ar ympryd gyhoeddus yn ystod Eisteddfod Llangefni ym 1983, ac o faes yr Eisteddfod, cawsom daith gerdded i'r Swyddfa Gymreig yng Nghaerdydd dros gyfnod o bythefnos. Yr oedd angen gwirioneddol am rywbeth i roi hwb i'r Cymry wedi Etholiad Cyffredinol a sicrhaodd gefnogaeth aruthrol i'r Ceidwadwyr yn Lloegr.

Walis George wnaeth lawer o'r trefniadau ar gyfer Taith Addysg 1983, ac yr oedd angen cryn drefnu. Ni wyddem pwy fyddai'n dod o un diwrnod i'r llall, ond er gwaethaf hyn, rhaid oedd trefnu eu bod yn cael eu bwydo, yn cael eu cludo adref, neu'n cael llety ar ddiwedd pob diwrnod. Roedd Rolant Dafis, Dylan Williams a Miranda Morton yn cerdded bob cam o'r daith. Y prif ddiben oedd casglu enwau ar ddeiseb, ac mewn pythefnos, llwyddwyd i gasglu 23,000 o enwau. Fe ddysgais lawer o'r profiad. Ar strydoedd y Cymoedd roedd y gefnogaeth yn wresog iawn,

'Welsh education? Of course I'll sign. Didn't have it myself see, but it might help others...'

Y cymeriad mwyaf ar y daith oedd Rhys Ifans, oedd yn un ar bymtheg oed ar y pryd ac yn llawn castiau. Yn ddiweddarach, daeth yn seren enwog ym myd y ffilmiau, ond roedd y diriedi a amlygwyd yn 'Notting Hill' a ffilmiau tebyg yn rhan naturiol o Rhys. Roedd gan Rhys ei ffordd ei hun o gasglu enwau ar ddeiseb,

'Roll up! Sign here for a free holiday in the Bahamas!'

Yn aml, fi fyddai'r unig un o gwmpas i geisio cadw rheolaeth ar gampau Rhys. Doedd ei ffrind, Huw Gwyn, ddim mymryn gwell. Pan gyrhaeddodd Rhys i ymuno ar y daith, roeddem yn Aberystwyth, ac aethom i'w groesawu oddi ar fws y Traws Cambria. Tra oedd y gyrwyr yn newid bysus, gwelodd Rhys ei gyfle a neidiodd i sedd y gyrrwr gan gyfarch gweddill y teithwyr gyda gwên smala.

'Reit, bobl, i lle fasach chi'n lecio mynd heddiw?'

Edrychai'r teithwyr yn betrusgar tu hwnt. Doedd neb wedi ceisio herwgipio'r Traws Cambria o'r blaen. Afraid dweud i yrrwr y bws wylltio'n gandryll. Bryd hynny y diflannais. Bachai Rhys ar bob cyfle i beri embaras i mi, bob tro yr aem i gaffi, âi i drafferth i egluro i'r sawl a weinai mai fi oedd ei fam – neu ei nain. Anodd iawn oedd ceisio cadw wyneb syth yn ei gwmni.

Y profiad gwaethaf oedd cyrraedd Ysgol Rhydfelen ar ddiwedd y daith. Cawsom ganiatâd i fynd yno i orffwys a daeth cyfeillion yr ysgol draw i roi cawl a chroeso inni. Anrhydedd ydoedd, meddent, i gael rhoi tipyn o gysur i aelodau glew Cymdeithas yr Iaith Gymraeg oedd wedi aberthu am bythefnos er mwyn achos addysg Gymraeg. Wrth i mi wrando ar y geiriau hyn yn ddwys, pwy ddaeth rownd y gongl ar *roller-skates* yn colbio rhywun yn ddi-drugaredd efo map mawr wedi ei rowlio, ond y mwyaf glew yn ein mysg – Rhys Ifans. Na, doedden ni ddim bob tro yn ymddwyn fel arwyr...

Bûm yn Gadeirydd Cymdeithas yr Iaith am ddwy flynedd, 1983 a 1984. Sut y teithiais ar hyd a lled Cymru heb gar, wn i ddim. Wel, ydw, gwn yn iawn, dibynnais ar gyfeillgarwch ffrindiau lu yn ogystal â gwasanaeth y Traws Cambria. Anaml iawn y byddwn gartref. Daeth aelwyd Tŷ'r Ysgol, Talgarreg, lle roedd Cen ac Enfys Llwyd wedi ymgartrefu, a chartref Ffred a Meinir yn

Llanfihangel-ar-arth yn ail gartrefi i mi. Yn Aberystwyth, soffa Helen Greenwood oedd fy noddfa a diolch iddi am fy mwydo gannoedd o weithiau.

Yn ogystal â'r ymgyrch addysg, rhoddwyd cychwyn ar ymgyrch newydd arall pan ddeuthum yn Gadeirydd – Deddf Iaith Newydd, sef deddfwriaeth well na'r hyn a gawsom ym 1967. O bryd i'w gilydd, caem y fraint aruchel o gyfarfod Wyn Roberts yn y Swyddfa Gymreig i gyflwyno'n gofynion iddo (cyn i'r Ceidwadwyr benderfynu nad oeddent am gyfarfod aelodau'r Gymdeithas wyneb yn wyneb). Pan aethom i weld Wyn Roberts gyntaf, dywedodd fod y Ceidwadwyr yn gwario mwy na'r un Llywodraeth arall ar y Gymraeg, ac os nad oeddem yn credu fod hynny'n ddigon, ein lle ni oedd profi hynny. Aethom oddi yno a mynd ati i baratoi y Llyfr Du ar Statws, oedd yn llawn enghreifftiau o sut oedd y Gymraeg yn cael ei thrin yn israddol. Diddorol nodi mai'r rhai a gynrychiolai'r Gymdeithas yn y cyfarfod hwnnw i alw am Ddeddf Iaith yn y Swyddfa Gymreig oedd Dafydd Elis Thomas, Meredydd Evans, Menna Elfyn a minnau. Yr ochr arall i'r bwrdd, yn cynrychioli'r Llywodraeth, yr oedd Bob Roberts a John Walter Jones. Cyflwynwyd ein gwaith i'r Swyddfa Gymreig, ac ymhen blwyddyn, roedden ni'n ôl gerbron Wyn Roberts. Siomedig oedd ei ymateb,

'Digon hawdd ydi profi'r angen,' medda fo, 'a gweiddi am ddeddf. Sut fath o ddeddf ydych chi eisiau ydi'r cwestiwn.'

Dylem ni fod wedi dweud ein barn wrtho yn y fan a'r lle, ond ddaru ni ddim. Yn hytrach, aethom oddi yno a ffurfio Gweithgor Deddf Iaith a gyfarfu yn y Drenewydd.

Meredydd Evans oedd yn cadeirio, ac roedd yn reit ddigalon am fod cyn lleied wedi dod at ei gilydd, er bod rheini'n cynnwys Dafydd Jenkins, Carl Clowes, Harri Pritchard Jones a Toni Schiavone. Yna, agorodd y drws a daeth yr Arglwydd Gwilym Prys Davies i mewn. O'r funud honno, cododd calon Merêd, a bu'r Gweithgor yn ddygn iawn yn llunio gofynion manwl y Ddeddf. Dydw i ddim yn credu fod yr un ohonom oedd yn yr ystafell y diwrnod hwnnw wedi dychmygu y byddai deng mlynedd yn mynd heibio cyn gweld Deddf Iaith ar y llyfrau statud ac y byddai'r ddeddf honno yn un mor wan.

Un o'r atgofion sydd gen i am yr ymgyrch Ddeddf Iaith yw dewis Ombwdsman Iaith – Arthur Edwards o'r Rhyl, un o'r gwŷr hynotaf i mi gwrdd â hwy. Un o'r troeon cyntaf i mi ei gyfarfod oedd yn Ysgol Haf y Weinidogaeth Iacháu ym 1979. Credwn ei fod yn eithriadol o hen bryd hynny, pan safodd ar ei draed a datgan ei fod yn priodi. Yr oedd yn Gristion gwiw ac yn genedlaetholwr tanbaid. Pan ddaethom ynghyd yn Llundain cyn peintio Colofn Nelson, pwy ymddangosodd ond Arthur Edwards. Yr oedd eisiau bod yng nghanol yr holl ferw. Pwy well i'w apwyntio yn 'Ombwdsman Iaith' felly na'r Bonwr Edwards? Cofiaf gael taith gydag ef i Gaerdydd i gyfarfod Wyn Roberts. Y gweddill ohonom yn bur ddiamynedd, ac yn dangos hynny. Roedd Arthur Edwards ar y llaw arall yn gwbl foneddigaidd, yn ysgwyd llaw â Wyn Roberts, ac yn ei gyfarch yn wresog. Pan oeddwn yng ngharchar, teithiodd Arthur Edwards yr holl ffordd i ymweld â mi. Agorodd y Beibl, a dyna lle roedd o wedi cuddio peth wmbredd o doriadau papur newydd i roi gwybod i mi am yr hyn oedd yn digwydd. 'Maen nhw'n meddwl mai gweinidog ydw i,' eglurodd, 'ac mi adawn ni iddyn nhw feddwl felly, os mynn yr Arglwydd.' Wedi i mi briodi, cefais neges i ddweud ein bod wedi gwneud hynny ar ddyddiad pen-blwydd Arthur. Galwais heibio i'w weld yn y Rhyl flwyddyn cyn iddo farw, ac yr oedd yr un direidi yn dal i befrio yn ei lygaid, a'i ffydd mor gadarn ag erioed. Bu farw yn 90 oed yn y flwyddyn 2001.

Yr un fu'r patrwm gyda'r ymgyrch Addysg â'r un am Ddeddf Iaith – llunio ein gofynion, dod â hwy i sylw'r cyhoedd am y flwyddyn neu ddwy gyntaf, – yna troi at weithredu uniongyrchol. O ran gweithredu torcyfraith, ni ddigwyddodd cymaint â hynny yn ystod y cyfnod y bûm yn Gadeirydd, ar wahân i feddiannu tai haf mewn adwaith i'r ymgyrch losgi. Un enghraifft o hynny oedd y tro y buom yn meddiannu tŷ haf yn Llidiardau ger y Bala ym 1983, tŷ a oedd yn eiddo i aelod seneddol o'r enw Anthony Steen. Dyna pryd y cwrddais am y tro cyntaf â dau fyfyriwr o Aberystwyth, Dafydd Morgan Lewis o'r Foel a Karl Davies o Abergele. Er bod Dafydd bum mlynedd yn hŷn na mi a Karl bum mlynedd yn iau, daeth y tri ohonom yn gyfeillion agos. Hefyd yn meddiannu roedd Ffred, Meinir a'u pedwar plentyn. Yn hytrach na bod Ffred a Meinir yn gorfod dewis pwy gâi weithredu (a phwy fyddai'n gwarchod), dyma nhw'n cychwyn ffasiwn newydd o deuluoedd cyfan yn gweithredu (ffasiwn na chydiodd o gwbl ymysg teuluoedd Cymraeg, rhaid dweud). Wedi'r profiad yn y tŷ hwnnw, deuthum i amau doethineb gweithredu efo plant. Daeth gofalwr y tŷ heibio, wedi colli arno'i hun yn llwyr. Roeddwn i'n gafael yn llaw Hedd, oedd tua tair oed ar y pryd, ac roedd y gofalwr yn dweud pethau mawr, yn bygwth malu'r drws yn ufflon a malu'r plentyn a minnau. Wedi gwallgofi yr oedd o, ond cefais gymaint o fraw ar y pryd fel na allwn symud.

Bu'r achos llys a ddilynodd y meddiannu hwnnw yn dipyn o ffiasco. Wythnos cyn yr achos, euthum ar wyliau i Iwerddon efo Helen Greenwood. Rhybuddiodd pawb ni i ddod yn ôl mewn pryd, gyda'r jôcs arferol am stormydd yn atal cychod ac ati. Nos Fercher, y noson cyn yr achos, aeth Helen a mi i ddal y llong. Gan fod digon o amser wrth gefn, cawsom pizza i swper yn Nulyn. Yn anffodus, wrth yrru i Dún Laoghaire, dyma golli ein ffordd, ac er gyrru'n wallgof drwy'r strydoedd, ni allem weld unrhyw arwydd i'r porthladd. Wedi cyrraedd yr harbwr yn y diwedd, dyna lle roedd y llong yn hwylio ymaith yn braf. Roeddwn i wedi ei cholli. Rhedais am fy mywyd a gweiddi,

'Stop the boat! STOP! I must catch it! I've got a court case!'

'Must be a hell of an important court case,' meddai'r Gwyddel gan fy mherswadio y byddwn mewn gwaeth trwbwl petawn yn neidio i'r môr mewn ymgais i ddal y llong.

Ond dyna fu bron i mi ei wneud, yr oedd y llong mor agos, a chymaint yn y fantol. Bu'n rhaid ffonio adref i ddweud yr hanes, a'r bore canlynol, fi oedd y cyntaf yn y ciw i ddal y llong i Gymru. Yn y cyfamser, yr oedd gweddill y diffinyddion i gyd yn eistedd yn amyneddgar yn Llys Ynadon y Bala yn aros, ac yn aros...

Cefais fis o garchar am beidio talu dirwyon ym 1984, y

tro hwnnw yng ngharchar Styal, ger Manceinion. Roedd ffurf wahanol eto i'r carchar hwn. Tai mawr brics coch oedd y carchar, gyda phob tŷ â mesur o annibyniaeth. Roedd y drefn hon yn gweithio'n iawn os oedd gennych garcharorion cyfrifol, ond yr hyn a nodweddai Styal oedd cyfundrefn oedd yn caniatáu bwlio ar lefel ddifrifol. Gan nad oedd arolygaeth gaeth, roedd modd i'r bwlio hwn barhau heb i neb ei reoli na'i stopio. Doedd dim modd gwneud dim byd yn ei gylch chwaith oherwydd ofn. Petawn i yn codi llais yn erbyn y duedd, byddwn innau hefyd yn darged i'r bwlis. Yn syth wedi i mi gael fy rhyddhau, ysgrifennais lythyr at gaplan y carchar yn mynegi fy mhryderon, ond wn i ddim a ddigwyddodd unrhyw beth yn sgîl hynny. Er fy mod wedi bod mewn nifer o garchardai gwahanol, rydw i eto i weld ffordd wâr o gaethiwo pobl, yn enwedig ffordd sy'n dysgu carcharorion i fod yn well dinasyddion. Dydw i bellach ddim yn credu fod y fath beth yn bosibl. Gwella amodau byw y bobl hyn sydd ei angen fel nad oes cymaint o demtasiwn i droseddu.

Gyda'r cyfnod ymarfer dysgu yn y Coleg Normal wedi dod i ben ers peth amser, roeddwn i'n dal ar y dôl ac yn ansicr pa waith a gawn ei wneud i ennill bywoliaeth. Hawdd rhamantu'r blynyddoedd cynnar hyn o ryddid a gweithredu, ond cofnod go wahanol sydd gen i yn fy nyddiadur,

'Dwi'n meddwl mai'r peth dychrynllyd am bob dim ydi 'mod i'n 25 oed a 'mod i'n dal i brotestio. A dwi 'di blino. Dwi jest isio byw. Dwi'n meddwl mai dyna pam dwi'n disgwyl cymaint am swydd Llanbed. I mi gael mynd oddi cartref i fyw a theimlo 'mod i'n byw bywyd annibynnol. Yn lle parhau i fyw yr un bywyd a 'dwi 'di neud erioed.'

Erbyn hynny, gwelwn bobl yr un oed â mi oedd wedi gadael coleg yn cael swyddi a'u tai a'u teuluoedd eu hunain tra oeddwn i'n dal yn yr un rhigol. Rhyw swydd yn ymwneud â llenyddiaeth Gymraeg oedd 'swydd Llanbed', ond ches i mohoni. Roeddwn i'n gwerthfawrogi fy rhyddid, ond o gael swydd, byddai fy nirwyon yn cael eu cymryd o'm cyflog, ac ni fyddai'n rhaid i mi fynd i garchar. Yn ogystal â hyn, petawn yn cael swydd, fyddwn i ddim mor affwysol o gyfleus i fod yn bresennol ymhob protest. Wrth gael fy holi ar y teledu, roedd pobl wedi dechrau gofyn i mi pam yr oeddwn yn *dal ati* i brotestio, fel bod hynny'n beth od. Yn hytrach na fi'n pwyso ar bobl i gymryd rhan, yr oedd pobl yn dechrau pwyso arnaf i i gyfiawnhau pam yr oeddwn yn dal i weithredu. Un peth oedd bod yn od tu mewn i garchar, peth llawer gwaeth oedd bod yn 'od' ymysg eich pobl eich hun.

Ceisiais am bob math o swyddi gyda'r Cyngor Llyfrau Cymraeg, ond methais â chael mynediad drwy borth cyfyng Castell Brychan. Pan ddaeth swydd Is-Olygydd *Y Faner* yn wag, ceisiais am honno, yn llawn syniadau, ond heb lwc. Parodd un digwyddiad i mi ddechrau meddwl eto am y syniad o fynd i nyrsio. Ym 1982, ganed plentyn i Cen ac Enfys Llwyd, mab o'r enw Owain Rhun, ac roeddent uwch ben eu digon. Roedd Cen ac eraill wedi cychwyn Cwmni Gwersfa i ddarparu deunydd addysgol i blant bach, ac roeddwn innau wedi cydweithio gyda hwn drwy wneud y gwaith celf ar gyfer cardiau llythrennau a chardiau rhif iddynt. Aeth tua phedwar mis heibio wedi geni Owain cyn i'w rieni sylwi nad oedd popeth yn iawn, ac yr oedd amheuaeth ar y cychwyn ei fod yn 'spastic'. Doeddwn i erioed wedi adnabod person gydag anabledd o'r blaen, ac ychydig a wyddwn ar y pryd gymaint y byddai bywyd Owain Rhun yn effeithio arnaf.

Ac Owain yn chwe mis oed, aeth i Ysbyty'r Heath yng Nghaerdydd a dyma ganfod fod y salwch oedd arno yn un difrifol. Golygai y byddai'n rhaid iddo gael therapi a sylw dwys iawn, a dyma ddechrau cynllun unigryw ym mhentref Talgarreg. I gynorthwyo Enfys i ofalu am Owain gartref, trefnwyd rota arbennig o bobl y pentref i ddod i Dŷ'r Ysgol i helpu. Byddai rhai yn helpu drwy chwarae a gofalu am Owain, neu drwy lanhau'r tŷ a nôl neges. Cofiaf feddwl y byddwn i yn ei chael yn anodd iawn mynd ar ofyn pobl i'r fath raddau, ond ateb Enfys oedd nad oedd yn mynd ar ofyn pobl er ei mwyn ei hun, ond 'er mwyn Owain'. 'Er mwyn Owain' fu arwyddair Cen ac Enfys am y blynyddoedd nesaf. Er na allai Owain ymateb mewn unrhyw fodd gyda sŵn neu wên, roedd Enfys yn ddiflino yn ei hymdrechion. Byddai yn mynd ag Owain am dro yn y car, yn chwarae ac yn siarad ag o yn y bath, yn ei helpu i ymarfer synhwyrau arbennig, megis chwarae yn y tywod. Ei dadl hi oedd na wyddai neb faint oedd Owain yn gallu ei synhwyro, er gwaetha'r ffaith na allai ddangos ymateb. Ei chenhadaeth felly oedd sicrhau ei fod yn cael yr ystod ehangaf posib o brofiadau. Rhyfeddwn at ei dyfalbarhad hi a Cen.

Drwy gydol eu gwaith diflino gydag Owain, a'u mynych ymweliadau â'r ysbyty, ddaru'r un o'r ddau ymddieithrio nac ymneilltuo. Daeth Cen ac Enfys yn allweddol i'r fenter o roi Gŵyl y Cnapan ar ei thraed, yn ogystal â bod yn driw iawn i Gymdeithas yr Iaith a'r Undodiaid. O ganlyniad, doedd pobl ddim yn torri cysylltiad â hwy, fel sy'n digwydd yn aml i rieni plant gydag anghenion arbennig. Un sefydliad a ddaeth yn bwysig ym mywyd teulu Tŷ'r Ysgol oedd 'Helen House' yn Rhydychen. Tŷ gofal oedd hwn i blant difrifol wael. Un waith, cefais y fraint o aros dros nos yn y cartref hwn. Mae nifer o gartrefi wedi dilyn yr un syniad bellach, ond ar y pryd, yr oedd hwn yn syniad cwbl wreiddiol. Gweledigaeth un lleian ydoedd a ddaeth yn gyfeillgar gyda merch wael o'r enw Helen, ac er mwyn helpu ei rhieni, deuai Helen i aros gyda hi am rai nosweithiau. Yn y diwedd, codwyd Helen House ar dir yr eglwys yn Rhydychen i ofalu am blant fel Helen a'u teuluoedd. Mae wedi llwyddo i greu awyrgylch cartrefol, cwbl wahanol i ysbyty. Dysgais beth wmbredd am nyrsio drwy brofiadau fel hyn. Yn y diwedd, penderfynais gael hyfforddiant proffesiynol.

Ysgrifennais at sawl awdurdod yng Nghymru a holi a fyddai modd i mi gychwyn gyrfa fel nyrs, yn enwedig nyrs plant. Cefais gyfweliad gan bedwar awdurdod gwahanol, ond ni fûm yn llwyddiannus. Roedd sawl un yn bur amheus o berson pump ar hugain oed heb unrhyw fath o gefndir nyrsio, a chyda gradd mewn Cymraeg a Chymdeithaseg. Awgryment yn garedig fod gen i syniad rhamantus o nyrsio a bod y mwyafrif o nyrsus yn dod atynt yn un ar bymtheg oed, gyda pherthynas yn y teulu yn nyrsio. Fodd bynnag, roedd gen i ormod o gymwysterau. Problem ychwanegol oedd fy naliadau gwleidyddol a gofynnwyd imi gan un awdurdod a fyddwn yn ymaelodi ag undeb. Y cyfweliad gwaethaf a gefais oedd yr un gydag Awdurdod Iechyd Gwynedd. Yno, gofynnwyd i mi a fyddwn yn trin claf o Sais a chlaf o Gymro gyda'r sylw cyfartal! Dylwn fod wedi cerdded o'r stafell gyfweld yn syth, ond daliwn i gredu fod gen i obaith. Dylwn egluro 'mod i braidd yn amlwg ar y pryd mewn ymgyrch i Gymeigio'r union awdurdod hwnnw. Yr oedd Carl Clowes a Menna Jones wedi cychwyn 'streic iaith' gan wrthod gweinyddu yn Saesneg rai dyddiau yr wythnos hyd nes y byddai'r awdurdod yn mabwysiadu polisi iaith. Bu honno'n ymgyrch galed iawn gyda'r awdurdod yn cwrdd tu ôl i ddrysau caeëdig ac yna'n galw'r heddlu os aem dros ben llestri. Bu Gwenith Hughes, Casi Tomos a minnau yng ngharchar am rai dyddiau o ganlyniad i'r ymgyrchu. Yn y diwedd, wythnos cyn i Ysbyty Gwynedd agor ei ddrysau, bu Gwenith a minnau yn ymprydio tu allan am bum diwrnod, a phasiwyd polisi iaith yn y diwedd, er iddynt fod yn gyndyn iawn i'w weithredu. Gadawodd Carl Clowes a Menna Jones yr awdurdod, ac erys problemau gyda phenodi swyddogion Cymraeg eu hiaith. O ystyried hyn i gyd, falle nad yw'n syndod na chefais fy nghyflogi gan yr awdurdod.

Credaf i mi fod ar fy ngholled o beidio â chael y profiad o nyrsio, ond wna i fyth anghofio y modd y cyfoethogodd Owain Rhun fy mywyd. Parodd i mi sylweddoli cymaint o ystyriaeth sydd angen ei roi i ofynion pobl mewn cadair olwyn neu bobl sy'n cael trafferthion cyffelyb. Yn ystod ei fywyd byr, dysgodd Owain wirioneddau mawr i mi. Ar Fehefin 4, 1986, cyn dathlu ei ben-blwydd yn bedair oed, bu farw Owain Rhun. Bu gwasanaeth angladd cofiadwy yng nghapel

Talgarreg. Cofiaf bresenoldeb plant Ffred yno, a'u penbleth hwy ynglŷn â'm dagrau; pam oeddwn i'n drist os oedd Owain yn y nefoedd. O enau plant bychain...

Dyma un o'r englynion a gyfansoddodd Donald Evans er cof am Owain,

> Owain Rhun, pa gur anodd? – Owain Rhun
>   Pa raib a'i hanffurfiodd?
> Owain Rhun, pwy a'i lluniodd?
> Owain Rhun, pa wyrth a'i rhodd?

Drwy gysylltiad â theulu Tŷ'r Ysgol, y Cnapan a digwyddiadau eraill, deuthum i adnabod y darn hwn o Gymru – y 'smotyn cyfeillgar' yn hytrach na'r 'smotyn du' – yn bur dda. Talgarreg oedd pentref genedigol Jên Dafis hefyd a ddaeth yn ysgrifenyddes i'r Gymdeithas am rai blynyddoedd ac a ddaeth yn ffrind agos.

Gyrfa arall a geisiais oedd un dramor. Wn i ddim sut y byddai cr'adures mor hiraethus â mi wedi delio â byw ymhell o Gymru, ond ni wnaeth hynny fy rhwystro rhag rhoi cynnig arni. Roeddwn wedi darllen cryn dipyn o waith Tony Campolo, Cristion radical o'r Unol Daleithiau, a ddaeth ymhen blynyddoedd yn un o ymgynghorwyr yr Arlywydd Clinton. Daliwn i deimlo yn chwithig ymysg Cristnogion nad oedd ganddynt affliw o ddiddordeb mewn gwleidyddiaeth. Fel y dywedodd Tutu unwaith, 'I'm puzzled which Bible people read when they say politics and religion don't mix'. Ar y llaw arall, roeddwn i wedi cael llond bol ers talwm ar Sosialwyr oedd yn gwneud sbort o ddaliadau ysbrydol person. Roedd Tony Campolo yn dod â'r ddeubeth hyn at ei gilydd. Soniai am ei brofiadau yn

Haiti a'r Weriniaeth Dominican ac am y tlodi dychrynllyd oedd yno. Cyfeiriai at Grist fel y chwyldroadwr mwyaf a welodd y byd. Meddai Campolo,

'Chafodd Crist mo'i groeshoelio am fod yn ddyn clên. Dod yn aelod o'r Clwb Rotari lleol mae pobl glên. Fe groeshoeliwyd Crist am iddo ddod i lawr i'r ddaear a meiddio herio'r Drefn fel ag y mae, ac am fynnu troi y Drefn honno wyneb i waered.'

Ysgrifennais lythyr at Tony Campolo yn mynegi fy ngwerthfawrogiad o'i waith a gofyn iddo sut y gallwn i wneud fy rhan. Cefais ffurflen gais yn ôl ganddo i wneud gwaith tramor, a'r ddau gwestiwn cyntaf ar y ffurflen oedd, 'Fyddech chi'n gallu byw heb gyflenwad cyson o ddŵr?' a 'Fyddech chi'n gallu byw heb doiledau?' Ddaru mi erioed lenwi'r ffurflen, mae arna i ofn. O ganlyniad, aeth deng mlynedd heibio cyn i mi gael cyfle i ymweld â gwlad yn y Trydydd Byd. Cefais gyfarfod Campolo unwaith – mewn gwersyll Efengylaidd 'Spring Harvest' ym Mhwllheli.

Tynnwyd fy sylw at swydd ddysgu oedd yn cael ei chynnig heb fod yn rhy bell o'm cartref, ond doeddwn i ddim yn teimlo fel bod yn athrawes naw tan dri ar y pryd, ac roeddwn yn chwilio am waith difyrrach. Yn ffodus, cefais gynnig gwaith gan yr Adran Gymdeithaseg ym Mangor am rai misoedd. Roedd yr adran yn cyd-weithio â'r Adran Ieithyddiaeth yn y Brifysgol i wneud ymchwil i iaith y Cymry Cymraeg. Gyda dyfodiad S4C, yr oedd yr adran eisiau canfod faint o ddylanwad a gâi'r Sianel newydd ar batrymau ieithyddol teuluoedd. Câi ymchwil debyg ei gwneud mewn ardal ddi-Gymraeg yn y de, a'm gwaith i oedd gwneud yr un dasg ym Mhen Llŷn. Ymhen deng mlynedd, roeddent yn gobeithio ailadrodd yr arbrawf i weld faint o wahaniaeth a ddigwyddodd. Fy nhasg gyntaf yn Aberdaron oedd canfod wyth teulu lleol gyda thair cenhedlaeth yn byw yn y cylch, cyflwyno holiadur iddynt, a chofnodi eu lleisiau ar dâp. Roedd y fath gynllun gwallgof yn apelio ataf. Roedd yn gyfle gwych hefyd i ymddiddori mewn pobl (neu fusnesa!) ac ymgyfarwyddo ag ardal.

Dyma gael trwydded felly i fynd i ardal oedd wrth fodd fy nghalon ac ymgyfarwyddo â'i phobl. Gohiriwyd y cynllun am wythnos gan y bu raid i mi gael triniaeth yn yr ysbyty ar gyfer 'sinus'. Pur ddi-drefn oedd y cynllun, ac roedd gen i'r hyfdra i gerdded drwy ddrws yr ysgol leol a gofyn i'r prifathro am gymorth. Rhoddodd restr i mi o wyth o blant oedd â'r ddwy genhedlaeth flaenorol yn byw yn y cylch. Yna trodd ataf a gofyn sut oeddwn i'n mynd i gyrraedd y cartrefi anghysbell a minnau'n ddi-gar.

'Bws?' meddwn yn optimistaidd.

'I Rhiw ac Anelog?' gofynnodd fel petawn wedi colli arnaf fy hun. Yn garedig iawn, cynigiodd gysylltu â'r teuluoedd a gofyn i'r rhai hŷn ddod i neuadd yr ysgol iddynt gael eu holi gan yr hogan ryfedd yma. Cydsyniodd pawb a gwnes y cyfweliadau. Ar ddiwedd y diwrnod cyntaf, sylweddolais fod y peiriant recordio wedi mynd ar streic ar ôl cinio. Roeddwn wedi colli'r tri chyfweliad olaf, a byddai'n rhaid eu gwneud eto.

Rhag creu rhagor o drafferth i bawb, penderfynais ganfod dwy olwyn, os nad pedair, i'm cludo o gwmpas, a phrynais Honda bach 50CC oren, a ddisgrifiwyd gan rywun fel 'injan wnïo'. Am dipyn, bûm yn glynu at lwybr y bysus heb sylweddoli fod gen i'r rhyddid i fynd ar hyd unrhyw lôn roeddwn i eisiau efo motor beic! Yr oeddwn yn lletya gyda Mrs Jones y Post ym Motwnnog. Y bore cyntaf wedi cael y beic, rhoddais y peiriant recordio ar y cefn ac i ffwrdd â mi. Pan glywais andros o glec, arhosais ac edrych yn ôl, a dyna lle roedd y peiriant yn gorwedd ar ganol y lôn. Rhaid oedd gwneud y daith faith i Fangor i drwsio'r aflwydd. Oni bai am y peiriant recordio hwnnw, byddwn wedi mwynhau'r cyfnod llawer mwy! Ond roedd y cyfnod a dreuliais yn Aberdaron yn un cyfoethog iawn. Braidd yn wirion oedd rhai o'r cwestiynau gosodedig, er enghraifft yr un oedd yn gofyn, 'A ydych yn hoffi siarad Cymraeg?'

Cawn yr ateb haeddiannol,

'Be ddiawch ydach chi'n ddisgwyl i mi ei siarad yn Aberdaron ond Cymraeg?'

Yn hollol.

Fel cadeirydd mudiad torcyfraith ar y pryd, roedd fy wyneb yn eitha cyfarwydd i rai, a doedd hyn ddim yn fantais weithiau i wneud cyfweliadau diduedd. Rhywbeth tebyg i hyn fyddai'r sgwrs,

'Hogan yr Iaith ydach chi, te?'

'Ia. Ydach chi'n gwylio S4C?'

'Wel ydw siŵr, eisiau cefnogi pob dim Cymraeg, toes?'

'Pa raglenni ydych yn eu gwylio?'

'Duwadd, deudwch 'mod i'n edrach ar bob dim. Fydd o'n swnio'n well.'

'Na, – mae hwn yn Swyddogol.'

Bryd hynny, byddai'r llygaid yn culhau.

'Be ydach chi'n ei wneud go iawn?'

'Ymchwil i Brifysgol Bangor'

'Gewch chi ddweud wrtha i. Fydd neb ddim callach...'

'Sawl set deledu sydd ganddo chi?'

'...Petha rhyfedd ydi'r tanau 'ma te? – da chi'n meddwl y ffendith y plismyn pwy sydd wrthi?'

'Sgen i ddim syniad pwy sydd wrthi.'

'Wel nagoes siŵr Dduw, ond pwy ydach chi'n *feddwl* sydd wrthi?'

Ac mi fyddai'r cyfweliad ambell waith yn graddol ddadfeilio fel hyn. Deuthum ar draws cyfeillgarwch rhyfeddol mewn sawl cartref, ac roedd hi'n ddifyr gweld cymuned glos fel rhywun o'r tu allan. Weithiau, deuwn ar draws rhywrai a wyddai achau fy nheulu megis teulu Tomosiaid Meillionnydd. Yn Aberdaron yr oedd Hannah Rees, fy hen, hen, hen, hen nain a bu 'nhaid (ochr fy mam) yn brifathro Ysgol Pwllheli.

Un o'r cwestiynau oedd yn gas gen i eu gofyn oedd beth oedd y bobl yn ei feddwl o'u Cymraeg eu hunain. Roedd hwn yn rhyw fodd o fesur hyder y bobl yn eu Cymraeg. Edrychai pobl Aberdaron yn ddigon rhyfedd arnaf wrth i mi osod y cwestiwn hwn iddynt. Yna, byddent yn mynd ymlaen i siarad am rywbeth oedd o fwy o ddiddordeb iddynt. Pryder am ffermydd yn cael eu prynu a'u troi yn unedau mawr, pobl ddieithr yn symud yno i fyw, newid mewn patrwm cymdeithas, ac yna byddent yn troi ataf a gofyn a oedd gen i ateb i'r cwestiynau dyrys hyn. Ysgwyd fy mhen a wnawn gan deimlo'n ddiffygiol. Fedrwn i ddim troi atynt a dweud mai dim ond 'job o waith' oeddwn i'n ei gwneud. Roeddwn i'n perthyn i fudiad oedd yn mynnu fod pobl yn wynebu'r cwestiynau hyn ac yn ceisio cynnig atebion.

Ond pan wynebwyd fi â'r cwestiwn, 'Pa ddyfodol sydd i bobl fel ni ym Mhen Llŷn?' wyddwn i ddim beth i'w ddweud. Roedd o'n brofiad digon tebyg i fod yn feddyg yn mynd o gwmpas i geisio gwella cleifion heb fod gen i unrhyw foddion o gwbl.

Dyma pryd y deuthum yn ffrindiau efo pobl megis Tudwal Jones-Humphreys a chefais rannu aelwyd efo Gruffudd Parry a chael holl hanes Bryncroes. Cefais ymweld â chartref Tudwal a chyfarfod ei chwaer a byddai bob amser yn llawn hanesion diddorol. Dwi'n credu mai chwaer Tudwal ddywedodd am Lundain unwaith,

'Ei weld o'n lle pell iawn o bob man fydda i.'

A dyna i chi farn rhywun o Gilan am brifddinas Prydain Fawr. Yn aml, amser cinio, byddwn yn mynd at y môr efo 'mrechdanau a darllen llyfr neu fwynhau'r olygfa. Mae enwau'r tai yn dal i ddwyn hud y cyfnod hwnnw'n ôl i mi – Llanllawen, Bryn Poeth, Caerau, Bodwyddog, Tryfan, Bryn Goronwy, Penrhyn Mawr a Chae'r Eos. Roedd yna wynebau na fyddai rhywun yn eu hanghofio hefyd. Y bachgen 'fenga i mi ei holi oedd Siôn, chwech oed, a oedd yn gymeriad a hanner. Doedd o ddim yn swil o gwbl, siaradai Gymraeg cyhyrog a chefais fy swyno'n llwyr ganddo. Ei daid oedd Robert Williams, Llangwnnadl. Bron i bymtheng mlynedd yn ddiwedd-arach, clywais ar y newyddion fod damwain ffordd erchyll wedi bod yn Nhrefor a bod dau bysgotwr lleol wedi eu lladd. Siôn Jones, Tryfan, Y Rhiw, oedd un ohonynt – y Siôn hwnnw y gwirionais arno yn Ysgol Crud y Werin, Aberdaron. Diolch am y cyfle i'w adnabod.

Griffith Henry Williams,
Bethesda, fy hen daid.

Ei ferched – Grace (fy nain)
a Gladys (Bodo).

R. E. Hughes, gŵr Grace,
fy nhaid ar ochr fy mam.

David Thomas, Taid Bangor –
a minnau yn ei freichiau.

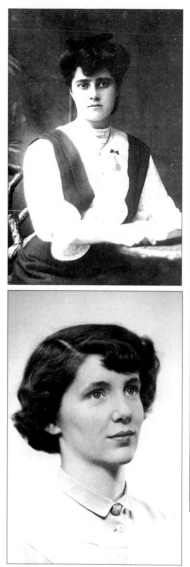

Bet, fy nain ar ochr fy nhad.

Dad.

Ar y siglen, Bron Wylfa, efo Llio a Taid (R.E.).

Mam.

Bron Wylfa.

Tylwyth Teg, 1964.

Yn dair oed.

Y saith ohonom.

Angharad, Manon a Fflur.

Eisteddfod Bangor, 1971, yn cael llofnod T. H. Parry-Williams.

Yr ysbrydoliaeth i Rwdlan – Ffion Haf, fy chwaer fenga.

'The Frolumpus of a Walkey Ney', 1974 – y llun a wneuthum cyn bod sôn am ogof Tan Domen.

*1976 – y cylchgrawn cyntaf a olygais
(a'i sgwennu, a'i deipio, a'i gysodi!).*

Ifanwy.

Y tapestri a wnïais i John Jenkins yn y carchar.

Teresa
a'r llythyr a gefais ganddi yn trefnu
fy ngweithred gyntaf.

Teulu Tŷ'r Ysgol – Cen, Enfys ac Owain.

1985 – Meddiannu swyddfeydd y Llywodraeth, Llandrillo.

Dafydd Morgan Lewis.

Steddfod 1984, pan oeddwn yn
Gadeirydd y Gymdeithas.

1987, Dyddiau Solway,
Fi, Branwen, Sian, Keith ac
Alun Llwyd.

Efo Sian, ac Elfed Lewys tu ôl iddi. Rali Deddf Iaith, Caerdydd, 1989.

Peter Walker, Ysgrifennydd Gwladol, yn anwybyddu ein gofynion.

Llun: Marian Delyth

Wedi i bethau fynd yn drech na mi…   *Yn Efrog Newydd efo Karl.*

Elwyn Jones yn ei elfen.

John Redwood, Ysgrifennydd Gwladol arall, Pen-y-groes, 1994. (Ffion sydd wrth fy ochr).

Rhoi cloc ymddeol i William Hague Ysgrifennydd Gwladol arall!, 1997.

Y Gymru Newydd – Wyn Roberts a minnau, Steddfod Llangefni 1999.

Joli bois – fy rhieni ar eu gwyliau, a'm hoff lun ohonynt.

1993 – Lydia, Nia, Lea ar fy nglin, Dafydd a Lois – plant fy chwiorydd.

Bodo (Gladys, chwaer Nain) yn 90 oed, gyda Manon, chwaer Mam. Arni hi y seiliwyd Bigw yn Si Hei Lwli.

Steddfod Bala 1997.

Ar y balconi yn Bluefields, Nicaragua – lle cyfarfu Ben a minnau am y tro cyntaf yn 1994.

Ben a minnau ar ddydd ein priodas.

Ni'n pump – Fflur, Llio, Angharad, Manon a Ffion.

Betws – efo Helen Greenwood a Jên Dafis.

Arwr mawr i mi, Eric Jones, Siop Lyfrau Cymraeg, Caernarfon.

2000 – Gradd M.Phil.

Rwdlan

Mae mwy nag un plentyn wedi gofyn i mi o ble daeth y syniad am Rwdlan. Ers pan oeddwn yn fach, roeddwn wedi mwynhau tynnu lluniau. Pe na bai'r pwysau ar rywun i ddilyn gyrfa academaidd, byddwn wedi mwynhau cael hyfforddiant iawn mewn arlunio. Yn wir, hyd yn oed wedi graddio, gwnes fy ngorau i gael peth hyfforddiant.

Cyn i mi geisio bod yn nyrs, roedd y syniad o ddarlunio llyfrau plant wedi apelio ataf, ond er mawr siom i mi nid oedd hyfforddiant arlunio i'w gael yn unman yng Ngwynedd ar wahân i'r cwrs sylfaenol yn y Coleg Technegol, yn sylfaen i dair blynedd o astudio pellach. Ceisiais am le mewn coleg arlunio ym Mryste, ond ni fûm yn llwyddiannus. Yr unig le arall y ceisiais am le ynddo oedd Coleg Celf Caerfyrddin. Cefais fy nerbyn i'r ail flwyddyn yno, ond yr oedd anawsterau cael grant. Nid oedd Cyngor Gwynedd yn fodlon talu i rywun gael hyfforddiant tu allan i'r sir, a'r unig amod y byddai Cyngor Dyfed yn rhoi grant oedd fod y person wedi byw yn Nyfed am o leiaf ddwy flynedd. Rhoddais wybod iddynt 'mod i wedi preswylio yn Aberystwyth am ddwy flynedd ddiwedd y Saithdegau, ond roedd hynny'n rhy bell yn ôl!

Fodd bynnag, pan glywais fod dosbarthiadau arlunio i'r di-waith yn cael eu cynnal yng Nghaernarfon, dyma roi cynnig ar hynny. Am un diwrnod yr wythnos, byddem yn cyfarfod yng Nghanolfan Noddfa ar stad Sgubor Goch ac yn cael ein dysgu sut i drin paent olew a dyfrlliw a pheintio ffrwythau a 'still life' a ballu. Pur anobeithiol ydw i efo paent (ar wahân i baent mewn chwistrellwr), a doedd fawr o siâp ar weddill y dosbarth chwaith. Am ddisgrifiad manylach o'r dosbarth hwnnw, gellwch ei ddarllen yn y gyfrol, *Hen Fyd Hurt*. Yn yr ysgrif honno, disgrifiais wahanol aelodau o'r dosbarth. Rhyw ddeuddeng mlynedd wedyn, wedi i mi gael tŷ i mi fy hun, sylwais fod rhywbeth cyfarwydd ynglŷn â'r dyn drws nesaf. Fe'i holais, a oedd yn aelod o ddosbarth arlunio digon od oedd yn cyfarfod yn Noddfa ddechrau'r Wythdegau. Ac yn wir i chi, Ernie Unwin ydoedd.

Un wythnos yn y dosbarth, dywedodd yr athrawes wrthym am ddod â chyfrwng o'n dewis ein hunain yr wythnos ganlynol. Deuthum â phaced o binnau ffelt a phensel, a thynnu llun gwrach – gwrach efo andros o drwyn mawr, het gam a gwên annwyl. Plesiwyd yr athrawes gyda'r ymdrech hon, a dywedodd wrthyf am geisio llunio stori gan ddefnyddio'r cymeriad. Dyna sut y ganwyd Rala Rwdins – ia, Cofi i'r carn ydi hi! Lluniais ogof yn gartref iddi a'i galw yn Ogof Tan Domen – am fod Dafydd Iwan wedi mynychu Ysgol Tŷ Tan Domen yn blentyn. Rhoddais i'r wrach gath ddu o'r enw Mursen a pheri i'r ddwy hedfan ar ysgub. Ei gwaith oedd gofalu am y goedwig yng Ngwlad y Rwla a phenderfynu sut dywydd fyddai hi. Roedd ganddi reolaeth dros godiad yr haul a'r lleuad. Pan awgrymodd yr athrawes i mi greu cymeriad arall yn gwmni i Rala Rwdins, lluniais wrach fechan efo wyneb direidus y gallai plant uniaethu â hi.

Fe'i bedyddiwyd yn Rwdlan. Mewn gwirionedd, mae'n seiliedig ar fy chwaer 'fenga, Ffion Haf, ac mae'r un fflach o ddireidi yn perthyn i'r ddwy. Mae llawer o fy mam yn Rala Rwdins hefyd.

Yr haf hwnnw ym 1982, creais Ceridwen, y wrach sy'n hoffi llyfrau, ac y mae yna elfen o Taid Bangor yn hon. Enw ogof Ceridwen yw Tu Hwnt ar ôl fferm tu allan i Ben-y-groes o'r enw 'Tu Hwnt i'r Mynydd' lle roedd Jên Hefina, merch yr oeddwn yn yr un dosbarth â hi yn yr ysgol, yn byw. Byddai stydi Taid wedi ei gorchuddio â llyfrau o'r llawr i'r nenfwd, ac yn y stydi honno y byddai yn bwyta wedi iddo heneiddio. Wrth i Rwdlan edrych ar Ceridwen yn bwyta llyfrau, efallai mai golygfa o'm plentyndod yn nhŷ Taid Bangor ddaeth i mi. Er mwyn cael bachgen neu ddau yn y stori, rhoddais fod i'r Dewin Dwl a'r Dewin Doeth ac maent hwy yn byw yn Ty'n Twll. Mae ffermdy arall yng nghyffiniau Bwlchderwin o'r enw Tŷ'r Dewin. Wedi penderfynu nad oedd pawb yn hapus yng Ngwlad y Rwla, dyma greu y Llipryn Llwyd, cymeriad trist sydd yn byw ar y gors ger Llyn Llymru. Os ewch uwch ben Clynnog Fawr, fe ddowch at dirwedd sydd yn union fel Gwlad y Rwla. Daeth yr enw 'Llipryn Llwyd' o lawlyfr dirwest o'r bedwaredd ganrif ar bymtheg a ddisgrifiai feddwyn,

'Daeth adref yn llipryn tenau llwyd, ei boced yn wag heb obaith a heb gysur yn y byd.'

Rhoddais hances oren a gwyrdd iddo am fod tipyn o anian y Gwyddel yn perthyn iddo. Diau i'w gyndeidiau ffoi o Iwerddon adeg y Newyn i gael noddfa yng nghorsydd Cymru...

A minnau'n olygydd *Tafod y Ddraig* ar y pryd, anfonais y storïau hyn at Robat Gruffudd y Lolfa i holi ei farn amdanynt. Fy ngobaith, petai modd eu troi yn llyfrau, oedd y byddai artist proffesiynol yn gwneud y gwaith celf. Dywedodd Robat wrthyf am roi cynnig ar wneud y gwaith celf fy hun, a dyna ddigwyddodd. Fi wnaeth y lluniau ac Elwyn Ioan oedd yn gyfrifol am y gwaith lliw. Elwyn Ioan oedd fy arwr mawr ym myd y cartwnau a braint i mi oedd iddo gytuno i wneud y gwaith celf i lyfrau Rwdlan. Mae llawer o lwyddiant y gyfres yn ddyledus iddo ef, gan iddo ei gwneud mor lliwgar. Roedd Robat yn awyddus i mi lunio cyfres, gan y byddai hynny'n gwerthu'n well. Penderfynwyd o'r cychwyn mai cyfres o lyfrau stori i blant fyddai hi, yn hytrach na llyfrau dysgu darllen. Roeddwn i'n hoff iawn o gyfres fechan *Mr. Men* a phenderfynais ar lyfrau bach sgwâr lliwgar fel ffurf i gyfres Rwdlan.

Cyhoeddwyd y ddau lyfr cyntaf, *Rala Rwdins* a *Ceridwen* gyda'i gilydd ar gyfer Nadolig 1983. Daeth y copïau cyfarch drwy'r post, a does dim modd cyfleu'r wefr mae rhywun yn ei deimlo o ddal ei lyfr cyntaf mewn print yn ei law. Syllais arnynt am amser maith, gan eu byseddu â phleser plentyn. Roeddwn i wedi gwirioni.

Roedd cryn amser wedi mynd ers y cyfnod pan oeddwn yn gwneud llyfrau i'r 'ysgol bach' oedd gan fy chwiorydd gyda'u doliau a'r tedis. Llyfrau bychan bychan maint eich bawd oedd y rheini, a difyr i mi oedd canfod i'r chwiorydd Brontës wneud llyfrau cyffelyb pan oeddent hwy yn blant. Mi fyddaf yn dangos fy llyfrau bach i blant wrth fynd o amgylch ysgolion i brofi iddynt nad oes neb yn rhy ifanc i gychwyn gwneud llyfrau.

Tra'n ysgrifennu'r storïau, roeddwn wedi rhoi copi amrwd i blant Cadi oedd yn gweithio gyda mi yn y Ganolfan Addysg Grefyddol, gan fod Heddus, Osian a Meilyr yn blant bach iawn ar y pryd. Daethant yn amlwg wedyn fel aelodau'r band, Beganîfs, o Waunfawr, a nhw oedd y rhai cyntaf i roi sêl eu bendith ar Rala Rwdins. Y golygydd ar y pryd yn y Lolfa oedd Eleri Hughes a bu hithau'n darllen y straeon i'w phlant hi. Flynyddoedd yn ddiweddarach, daeth ei mab, Owain Huw, yn weithgar yn rhengoedd Cymdeithas yr Iaith. Byddwn yn adrodd y storïau i ba blant bynnag y byddwn yn eu cwmni. Ar fy niwrnod cyntaf yn Ysgol Bontnewydd ar fy ymarfer dysgu, gadawodd yr athrawes fi ar fy mhen fy hun am dipyn gan ddweud wrthyf am adrodd stori i'r plant. Agorais lyfr a chael fy nychryn pan godais fy llygaid i edrych ar y plant. Roedd pob un yn rhythu arnaf a gallai rhywun synhwyro'r disgwyl. Roeddent yn barod i gael eu swyno. Gallwn fod wedi eu denu i unrhyw fan. Dyna pryd y sylweddolais y grym sydd gan storïwr.

Ddwywaith y flwyddyn wedyn, tan ddiwedd yr Wythdegau, ymddangosodd llyfr o Wlad y Rwla, ac yn 2001, ailgydiais yn y gyfres. Cwynodd ambell un fod creu storïau am wrachod yn beth drwg i blant bach. Fy ymateb i oedd nad het bigfain ac ysgub oedd yn gwneud cymeriad yn 'ddrwg', ond ei natur. Dyna pryd yr ymddangosodd Strempan, – cymeriad drwg go iawn, heb het bigfain, ond un a brofodd yn fwy poblogaidd na neb! Mae ganddi gi ffyrnig o'r enw Cena Cnoi ac mae'n byw yn Castell Cnotiog ar ben coeden. Pan ofynnodd Cwmni Sain am ganiatâd i recordio'r straeon, dewiswyd Mari Gwilym i wneud y gwaith llefaru. Diawledigrwydd Mari roddodd lais tebyg i Magi Thatcher i Strempan. Yr un diawledigrwydd ynof fi roddodd wisg lliw Jac yr Undeb iddi! Ymhen blynyddoedd, pan ddaeth Magi Thatcher oddi ar ei gorsedd, meddyliais mai dyna ddiwedd y cysylltiad rhwng Gwlad y Rwla a Rhif 10 Stryd Downing. Ond y munud yr ymddangosodd John Major o flaen y drws hwnnw, 'Llipryn Llwyd!' gwaeddodd rhywun, a gwelodd pobl y tebygrwydd yn syth!

Blwyddyn wedi i'r llyfrau cyntaf ymddangos, gofynnodd Cynllun Sbondonics i mi wneud taith o amgylch ysgolion dan y cynllun 'Awdur ar Daith' gyda John Dilwyn yn gyrru'r fan – y gŵr y bûm yn cyd-weithio ag o wedi gadael yr ysgol yn Swyddfa'r Archifydd yng Nghaernarfon ac un y deuthum i gysylltiad ag o eto wedi symud i fyw ym Mhen-y-groes. Gan fod llygaid cannoedd o blant yn rhythu arnaf yn fy ngwneud yn swil, dyma wneud pypedau o gymeriadau Gwlad y Rwla a'u defnyddio i dynnu sylw'r plant. Fe'u lluniais o boteli sebon golchi llestri – un o'r ychydig bethau defnyddiol a ddysgais tra yn y Coleg Normal! Mae'r pypedau hyn yn dal gennyf ac yn cael eu cludo o amgylch y wlad mewn hen gês, er bod ambell un wedi colli ei llaw wrth i gannoedd o blant ei hysgwyd. Mae gen i reswm da i gofio mai ym 1985 oedd y daith gyntaf honno. Wedi cysgu y noson gyntaf yn y gwesty, codais i gael brecwast, a phan ddeuthum i'r gegin, roedd llond y stafell o heddlu – tua dau gant ohonynt! Y syniad cyntaf ddaeth i mi oedd 'Beth ar wyneb daear ydw i wedi'i wneud i haeddu'r fath erledigaeth?' ond yn ffodus, doedd ganddyn nhw ddim diddordeb ynof. Ymddangosodd John Dilwyn yn fuan i'm sicrhau mai plismyn ar ddyletswydd ar linell biced oeddent. Roedd Streic Fawr y Glowyr yn ei hanterth.

Tua chanol yr Wythdegau, bûm yn llwyddiannus yn ceisio am ysgoloriaeth gan Gyngor y Celfyddydau oedd yn chwilio am awdur preswyl i weithio mewn ysgolion. Roedd yr arian yn gymorth mewn cyfyngder, gan fod y Llywodraeth wedi stopio'r taliadau dôl – 'because we believe you are receiving royalties from a book called *Strempan*'. Roeddwn i'n derbyn deg y cant o werthiant pob llyfr, ond prin fod hynny'n ddigon i gadw corff ac enaid ynghyd. Fodd bynnag, wedi i'r Adran Nawdd Cymdeithasol glywed am Strempan, ni ddaeth rhagor o arian o'u coffrau hwy. Gyda'r Ysgoloriaeth Awdur Preswyl, roedd HTV yn talu hanner yr arian er mwyn cael rhaglen deledu o'r cynllun. Yn ogystal â siarad â phlant, roedd yn rhaid derbyn y byddai camerâu teledu yn bresennol drwy'r broses!

Hwnnw oedd y tro cyntaf i mi weithio gyda phlant am dymor hir – mewn dwy ysgol – Bontnewydd ac Ysgol Glan Cegin, Maesgeirchen. Creu storïau ar y cyd oedd y syniad a daeth tua hanner dwsin o lyfrau o'r cynllun (nid rhai a gyhoeddwyd, ond rhai o waith llaw y plant). Byddai'r plant yn creu y stori a byddwn i yn ei chofnodi, yn gwneud y lluniau ambell waith ac yn rhoi copi o'r llyfr i bob plentyn. Roedd yn gyfle da i fod ym myd plant. Gyda'r rhai hŷn, byddent yn cael cyfle i gofnodi'r stori yn ogystal â'i chreu. Ond mae fy mhwyslais bob tro ar *greu* stori a chymeriadau. Tasg go wahanol yw ei chofnodi. Un stori a ddaeth o'r cynllun oedd *Lladron Llanllechid* – stori a honnai mai dim ond lladron oedd yn byw yn Llanllechid, a rhaid oedd dyfalu sut oedd un lleidr yn dal lleidr arall.

Tua'r un amser â'r ysgoloriaeth, cefais y cyfle i weithio gyda Theatr Mewn Addysg am y tro cyntaf, gyda Chwmni'r Frân Wen yn Harlech. Dysgais gryn dipyn am y broses o 'ddysgu drwy ddrama' gan Eirwen Hopkin, a'r ddrama gyntaf a ysgrifennais i blant oedd *Bwrlwm Byw* gyda Carys Huw, Llio Silyn, Gwen Lasarus a Mair Tomos Ifans yn y cast. Bod o blaned arall oedd Bwrlwm Byw a thasg y plant oedd ei ddysgu i siarad. Y syniad oedd gwneud i blant ddeall sut brofiad ydoedd i blant o gefndir gwahanol, megis mewnfudwyr, geisio cael eu cymhathu mewn cymuned newydd. Un o'r pethau braf am waith fel hyn oedd fy mod yn cael cyfle i wneud rhywbeth hollol wahanol i waith Cymdeithas yr Iaith, ac i mi, roedd hynny fel chwa o awyr iach.

Yn syth wedi'r cyfnod hwn, roedd yn rhaid i mi wneud can awr o waith cymunedol, sef y gosb lem a gawsom gan y Barnwr Huw Daniel am beri difrod i adeiladau'r llywodraeth. Gwnes bob math o bethau i gyflawni'r can awr yna – cyfieithu, mynd o gwmpas gyda phrydau pryd-ar-glud, gwerthu esgidiau mewn stondin ail-law ar y maes yng Nghaernarfon a difyrru plant Sgubor Goch fel rhan o ryw gynllun haf. Na, fedrwn i ddim cwyno fod bywyd yn undonog!

Os mai'r 'Manpower Service' oedd y geiriau hudol ddechrau'r Wythdegau, roedd y Ceidwadwyr wedi dyfeisio un gwahanol erbyn canol y ddegawd. Er mwyn lleihau nifer y di-waith, cynigiwyd yr 'Enterprise Allowance Scheme'. Dim ond i chi gynnig rhyw syniad, yr oedd Llywodraeth Thatcher yn fodlon talu deugain punt yr wythnos i chi i gefnogi eich 'busnes'. Yr unig amod oedd eich bod yn mynychu yr hyn a elwid yn 'Awareness Day', ac euthum i Fangor am ddiwrnod i gael hyfforddiant uniaith Saesneg ar efengyl Thatcheriaeth ar sut i ddod yn berson busnes. Am flwyddyn, bûm yn byw ar y cynllun hwnnw, ac yn parhau gyda'r gwaith roeddwn i yn ei wneud p'run bynnag – sgwennu ac ymgyrchu. Dyna oedd fy 'musnes'.

Yr wyf yn cyfaddef fy mod yn ffodus yn gallu bod yn hunan-gynhaliol yn y modd hwn. I lawer, nid yw'r fath ddewis yn bosibl. Mae sawl un wedi dweud wrthyf y carent hwythau gael gwared o faen melin swydd-amser-llawn a lluchio cyfrifoldeb i'r pedwar gwynt gan fod yn rhydd o ddyletswyddau. Nid yw mor syml â hynny chwaith. O weithio i chi eich hun, does mo'r fath beth â phensiwn, taliadau bonws, tâl gwyliau a thâl salwch. Rydych yn cael eich talu am yr union oriau a weithiwch a dim mwy. Os ydych yn sâl, does dim arian yn dod i mewn. Fedrwch chi ddim mynd ar streic. Mae 'na amseroedd llwm ac adegau pan ddaw'r llong i mewn. Wnes i 'rioed benderfyniad mawr i fod yn hunan-gyflogedig, dim ond rhyw lithro i'r trefniant yn niffyg dim arall, a dyna lle rydw i wedi bod. Mae'r rhyddid bellach yn anhepgorol i mi, ac mae'r amrywiaeth gwaith yn cadw'r dychymyg yn hyblyg.

Does 'na fawr o fanteision mewn swydd fel hon, ond ambell waith mae cyfle yn dod i'ch rhan. Daeth un o'r rheini ym 1987 pan gefais wahoddiad gan Finlay Macleod i fynd i gynhadledd ar Ynysoedd Heledd ar lyfrau plant. Yr oedd Finlay eisoes wedi cyfieithu llyfrau Rwdlan i'r Gaeleg, a bwriad y gynhadledd oedd tynnu ynghyd bobl o wledydd gwahanol i drafod cyhoeddi i blant mewn ieithoedd llai eu defnydd. Bu'r gynhadledd ei hun yn brofiad, a phan ofynnais i Finlay a gawn aros yn hwy ar Ynys Lewis, fe'm gwahoddodd i rannu ei aelwyd ef am ychydig ddyddiau gyda'i wraig a'i ddwy ferch fach. Gaeleg oedd unig iaith y plant, a chefais ryw fath o syniad sut mae pobl o'r tu allan i Gymru yn gweld Cymry Cymraeg. Pan fyddai ymwelwyr yn galw, Gaeleg oedd iaith y sgwrs ac ni fyddai neb yn troi i'r Saesneg er fy mwyn i. Bu'n agoriad llygad i weld bywyd bob dydd ar yr ynysoedd. Câi y Saboth ei barchu yn ddeddfol, ac yr oedd llawer o bethau yn f'atgoffa o fywyd yng Nghymru ugain mlynedd ynghynt. Wedi i Finlay gyfieithu Rwdlan i'r Gaeleg, cawsant eu cyfieithu rai blynyddoedd wedyn i'r Llydaweg. Ddiwedd y Nawdegau, cafwyd cyfieithiad Gwyddeleg o'r storïau. Anrhydedd i mi ym 1986 oedd derbyn Gwobr Tir Na n'Og am *Y Llipryn Llwyd*. Ddiwedd y Nawdegau hefyd, cefais gyfle i adrodd stori i blant drwy gyfieithydd – yn Fienna o bob man. Roeddwn yno fel rhan o ymweliad gan grŵp o awduron Celtaidd, a chyda chymorth Sabine Heinz o Berlin sydd wedi dysgu Cymraeg, adroddais stori i blant Awstraidd – y fi'n ei hadrodd yn Gymraeg, a Sabine yn cyfieithu yn syth i'r Almaeneg. Stori yn defnyddio cymeriadau Gwlad y Rwla ydoedd, ond yn lle bod yn eu cynefin, yr oedd Rwdlan a'r Dewin Dwl yn mynd am daith o amgylch Fienna ac yn gweld gogoniannau'r ddinas ryfeddol honno. Bu'n sesiwn lwyddiannus iawn.

Tra'n ysgrifennu storïau Rwdlan, mi fyddwn yn dal i geisio am swyddi 'go iawn', ac un o'r rheini ym 1988 oedd swydd y carwn i fod wedi ei chael yn arw – swydd gyda'r Mudiad Meithrin i hybu datblygiad y mudiad a chadw mewn cysylltiad â datblygiadau yn Ewrop. Ches i mo'r swydd, ond mi fyddai wedi bod yn waith difyr, dwi'n sicr. Daeth gwaredigaeth bryd hynny o gyfeiriad Cwmni Crwban (Arad Goch yn ddiweddarach) pan gefais gais i ysgrifennu drama ar gyfer y cwmni. Euthum i lawr i Aberystwyth i drafod syniadau a chefais chwe wythnos i wneud y gwaith. Yr oeddwn wedi cael peth profiad o ddrama – dilyn cwrs blwyddyn gynta yn y ddrama ym Mangor dan William Lewis, ac wedi ysgrifennu un neu ddwy o ddramâu bach, ond dyma'r tro cyntaf i waith o'm heiddo gael ei berfformio yn gyhoeddus. *Fel Paent yn Sychu* oedd enw'r ddrama a theimladau cymysg sydd gen i amdani. Cymerais y teitl o un o ganeuon Dave Datblygu,

'Mae byw yng Nghymru
...fel gwylio paent yn sychu...'

Thema'r ddrama oedd y gagendor rhwng dwy genhedlaeth yng Nghymru – y rhieni naïf a fu'n rhan o chwyldro iaith y Chwedegau, a'u mab sy'n ceisio gwneud synnwyr o Gymru'r Wythdegau. Roedd ysgrifennu'r ddrama yn waith anodd, ond ddim mor anodd ag eistedd drwy'r cynhyrchiad. Wrth ysgrifennu llyfr, nid yw awdur yn gweld ymateb ei ddarllenwyr yn syth – mae'r gyfathrach rhwng awdur a darllenydd yn un llawer mwy preifat. Mae bod yn rhan o gynulleidfa yn gwylio eich gwaith eich hun yn cael ei berfformio yn brofiad poenus. Oni bai fod y darn, y frawddeg, y cymal, y jôc, yn cydio'n syth, yr ydych wedi methu, ac wedi colli cyfle'r eiliad honno, does na'r un ail-gyfle. Rhaid i bopeth yr ydych am ei fynegi gael argraff yn syth bin. Nid y geiriau yn unig sy'n cyfrif, ond yr amseriad, yr actio ac yn fwy na dim, yr awyrgylch a gaiff ei greu. Ddaru mi ddim mwynhau'r profiad.

Rhaid nad oedd pethau cynddrwg ag a feddyliais, achos cefais fy ngwadd yn ôl gan Jeremy Turner i Gwmni'r Arad Goch i ysgrifennu drama i blant gan ddefnyddio cymeriadau Gwlad y Rwla. Y tro hwn, roeddwn i'n llawer mwy cartrefol gyda'r dasg, a'r canlyniad oedd *Sioe Rwtsh Ratsh Rala Rwdins*, sioe a ailberfformiwyd ddeng mlynedd yn ddiweddarach. Cafwyd ymateb da i'r sioe a phum mlynedd wedyn, deuthum yn ôl i wneud sioe arall, *Cerdyn Post o Wlad y Rwla*. Rhaid oedd rhoi dimensiwn arall i'r cymeriadau, a dyfalu sut oedd Rala Rwdins a'r cymeriadau eraill yn symud ac yn siarad. Datblygodd Mair Tomos Ifans lawer ar gymeriad Rala Rwdins, ac yn fuan ymddangosodd *Ralalala* – llyfr o ganeuon Gwlad y Rwla a Mair wedi eu cyfansoddi. Drwy brosiectau fel hyn, rydw i wedi cadw cysylltiad â Mair dros y blynyddoedd, ac yn ddiolchgar iddi am y cyfraniad y mae wedi ei wneud i Wlad y Rwla.

Roedd y Lolfa dragwyddol yn gofyn i mi ysgrifennu rhagor o lyfrau yng Nghyfres Rwdlan, ond roeddwn i eisiau rhoi cynnig ar rywbeth newydd. Oni bai fod rhywun yn rhoi cynnig ar syniadau newydd, mae perygl i'r dychymyg fynd yn ddiog a rhoi'r gorau i gynhyrchu syniadau newydd. Ddechrau'r Nawdegau, gwnes gais am Ysgoloriaeth i fod yn Awdur Preswyl ym Mharc Glynllifon, rhyw filltir i lawr y lôn o'm cartref. Yr oedd datblygiadau diddorol wedi bod yn y parc gyda thirlunwyr yn creu nifer o safleoedd gwreiddiol. Un o'r llefydd hudol yw 'Pant y Gair', lle i blant gael stori, a gerllaw mae cofeb i Gwenno Hywyn. Atyniadau eraill yw theatr awyr agored i ddathlu gwaith John Gwilym Jones a Saunders Lewis, a 'Gwerin y Graith', cofeb i Kate Roberts a T. Rowland Hughes. Yma, i ganol y berw hwn o syniadau ar y pryd, y cefais i'r fraint o ddod – i ganol-bwyntio am dri mis ar greu llyfr gwreiddiol i blant.

Cefais gwt bach i weithio ynddo, a dyma'r tro cyntaf i mi gael lle penodol i weithio. Roeddwn wrth fy modd yn cael y profiad o 'fynd i'r gwaith' a 'dod adref', ac er ei fod yn lle tawel, meudwyaidd, roeddwn uwch ben fy nigon. Cefais gefnogaeth gref gan y diweddar Dyfrig Jones a weithiai mor frwdfrydig yng Nglynllifon a chan Delyth Prys (Beasley gynt) a oedd yn gyfrifol am y cynllun. Un o'r syniadau a gawsom oedd Noson Mali Meipen gan wahodd y plant i'r parc, cael actores i actio Ceridwen a chael twca 'falau a bwyd. Bu'n llwyddiant mawr, a'r unig ddiffyg oedd fod y lle fel bol buwch, a doedd un feipen a channwyll ddim yn ddigon i roi golau i'r cannoedd o blant ddaeth ar y noson! Ers hynny, rwyf wedi gwneud un neu ddau o bethau eraill ym Mharc Glynllifon. Un waith, creais y cymeriad Doctor Dwnimbe, ysgrifennu sgript ar ei gyfer a daeth Llion Williams i roi cnawd ac esgyrn iddo. Dyna un o'r myrdd o gymeriadau sydd yn fy mhen yn aros am stori.

Y cynnyrch a ddeilliodd o'r cyfnod yng Nglynllifon oedd y llyfr, *Sothach a Sglyfath*. Daeth hedyn y stori i mi pan oeddwn ar fy mhen fy hun ym Mron Wylfa ryw noson tua'r Nadolig. Dychmygais beth ddigwyddai pe deuai crafanc fawr drwy'r ffenest, fel yn y Mabinogi, a'm cipio ymaith i ryw wlad ddychrynllyd. Pan oeddwn ar wyliau gyda Hedd Gwynfor, mab Ffred a Meinir, ac yntau'n naw oed, gwnes y camgymeriad o adrodd y stori iddo. Bu'n crefu arnaf wedyn i gael gwybod diwedd y stori. Sniffyn oedd enw'r bachgen bach a gipiwyd ymaith, a Sothach a Sglyfath oedd enw'r ddau greadur erchyll sy'n ei ddwyn. Rhyw fath o stori arswyd tafod-yn-y-boch ydyw, lle mae ysbryd ofnus o'r enw Brensiach a sgerbwd gyda'i esgyrn sy'n dod yn rhydd, Hergwd Sgerbwd. Cafodd y stori ei dramateiddio gan Theatr Gorllewin Morgannwg yn ddiweddarach. Fe'i cyflwynais i Stwmp 'am ddianc o Gyrn Wigau', gan mai dyna pryd y rhyddhawyd Stwmp o garchar. Fo oedd un o'r rhai a gipiwyd gan yr heddlu adeg miri Siôn Aubrey, ac a gadwyd yn HMP Walton am flwyddyn cyn cael ei ryddhau yn ddieuog.

Pan gychwynnodd y cylchgrawn *Golwg*, cefais gais gan Dylan Iorwerth i ysgrifennu stori i blant fyddai hefyd yn apelio at oedolion, a *Storïau Pell i Ffwrdd* oedd y canlyniad. Roeddynt yn storïau braidd yn od am grwydryn o'r enw Pur O'Galon ac am anturiaethau hwnnw wrth iddo ymweld â gwahanol wledydd ffantasïol. Wyddwn i ddim mwy na'r darllenwyr beth oedd am ddigwydd yr wythnos ganlynol. Rwyf wedi creu straeon yn aml ar gyfer cylchgronau plant. Bu 'Hana Banana' yn gymeriad ar dudalennau *Antur*, sipsi o'r enw Mari Mwclis yn un o gylchgronau'r Urdd, a bûm yn cyfrannu tudalen Rwdlan i gomic *Wcw* am flynyddoedd.

Am y rheswm eu bod yn cynnig gwaith i mi, deuthum i gysylltiad eto â byd y ddrama. Ym 1991, cefais gynnig i fod yn Awdur Preswyl i gwmni *Hwyl a Fflag* am gyfnod o flwyddyn – y cyfnod hwyaf i mi gael fy nghyflogi gan un cwmni. Mewn blwyddyn, roeddent eisiau i mi ysgrifennu tair drama – i wahanol gwmnïau. Mwynheais yr amser yn gweithio gyda Wyn Williams fel cyfarwyddwr yn *Hwyl a Fflag*, cyn i Gyngor y Celfyddydau weld yn dda i ddirwyn gwaith y cwmni i ben – yr unig gwmni a oedd yn canolbwyntio ar hybu ysgrifennu gwreiddiol ar gyfer y theatr. Ysgrifennais ddrama i oedolion, *Tanddaearol*; drama i blant – yn seiliedig ar un o chwedlau Hans Christian Anderson – *Dyn Mawr, Dyn Bach, y Wraig a'r Ffermwr*; a drama Theatr Mewn Addysg i Gwmni'r Frân Wen unwaith eto – *Diffinia*, yn seiliedig ar y sefyllfa yng Ngwlad y Basg. Roedd y ddrama *Tanddaearol* yn ymwneud â thestunau oesol megis y tir a chwestiwn etifeddiaeth pan gaiff tir ei drosglwyddo o'r naill genhedlaeth i'r llall. Gan fod un o brif gymeriadau'r ddrama yn blentyn a erthylwyd, nid oedd y ddrama heb ei beirniaid – a phicedodd rhywun un o'r perfformiadau! Unwaith eto, ddaru mi ddim mwynhau eistedd drwy berfformiad o'm gwaith fy hun.

I atalnodi'r cyfnodau o ysgrifennu gartref, caf y cyfle i ymweld ag ysgolion a chaf gyfnodau ambell waith fel awdur preswyl. Cefais gyfnod felly yn Ne Meirionnydd ym 1993 a bu hwnnw'n gyfnod prysur o weithio rhwng wyth gwahanol ysgol gyda grwpiau bychan o tua hanner dwsin o blant. Fel rheol, roeddwn yn gweithio ar ryw ffurf o lyfr gyda hwy, ond golygai hyn fod gen i wyth gwahanol brosiect ar y gweill! Cefais le braf i letya ynddo, tŷ uwch ben y môr o'r enw 'Rola' yn Llwyngwril, a bu'n gyfle i mi ddod i adnabod ardal go ddieithr i mi. Byddwn yn ymweld ag ysgolion mor amrywiol â Llwyngwril, Abergynolwyn a Thywyn. Roedd cyfartaledd uchel o'r plant yn ddysgwyr, ac roedd yn glod i bolisi iaith Gwynedd fod safon eu Cymraeg gystal. Cefais innau'r cyfle i grwydro'r ardal ac ymweld â llefydd megis Castell y Bere, Llyn Barfog a gweld y garreg yn Eglwys Tywyn lle mae'r cofnod ysgrifenedig hynaf o'r iaith Gymraeg. Ni allaf ddwyn y cyfnod yn yr ardal hon i gof heb gofio am Huw Gwyn. Ychydig wythnosau wedi cychwyn ar y cynllun, roeddwn yn Llundain mewn protest gan Gymdeithas yr Iaith yn galw am Ddeddf Iaith. Tra'n ffonio Swyddfa'r Gymdeithas o Lundain, clywsom am ddamwain Huw Gwyn. Roedd Huw yn gweithio i'r Gymdeithas yng Ngwynedd ar y pryd, a gwyddem fod rhywbeth pur ddifrifol wedi digwydd gan fod rhai o hoelion wyth y Gymdeithas wedi methu dod i lawr i Lundain am eu bod gyda Huw. Dywedodd rhywun ei fod yn gallu symud bawd ei droed, a dechreuais ofni fod y ddamwain yn un ddifrifol iawn. Pan ddaethom adref, dyma ddeall fod Huw yn yr Adran Gofal Dwys yn Ysbyty Gwynedd ac yn lwcus ei fod yn fyw.

Yn ystod y cyfnod hwnnw ym Meirionnydd, byddwn yn teithio yn ôl a blaen i'r ysbyty, a phawb yn bryderus am Huw. Yn lle cadw eu gofid iddynt eu hunain, penderfynodd rhieni Huw gadw drws agored yn yr ysbyty, lle câi cyfeillion ymweld ag ef yn yr Adran Gofal Dwys. Un o'r profiadau odiaf a gefais oedd ceisio siarad â Huw, yr Huw hwyliog, smala, ac yntau yn gwbl lonydd ar wastad ei gefn yn llawn peipiau ac offer ysbyty. Ymhen misoedd, daeth Huw yn well, diolch i'r drefn, er iddi fod yn broses faith. Ond oherwydd natur cyfeillion Huw, bu'r cyfnod hwnnw o ymweld â'r ysbyty yn gyfnod o gael nerth o ysbryd ffrindiau. Bob tro y gwelaf y rhes o gennin Pedr wrth ddod i mewn i dref Tywyn, am Huw y meddyliaf. Byddai'r rhes yma o gennin yn codi fy nghalon wrth i mi ddechrau diwrnod arall, a'm pryder am Huw yn ingol.

Yn ystod y blynyddoedd, rwyf wedi ymweld â phob math o fannau gwahanol yng Nghymru. Ambell waith yng Nghlwyd fel rhan o'r Wythnos Lyfrau, dro arall ym Mhenfro, yn y Canolbarth, neu ar ambell daith ysbrydoledig o amgylch ysgolion Cymraeg Morgannwg a Gwent dan nawdd yr Urdd, a Helen Greenwood yn trefnu. Gwnes daith i'r Urdd o amgylch Ynys Môn hefyd dan y teitl 'Rwdlan Rownd Môn', (cyn i firi cynghorwyr Môn brofi fod ambell un yn gallu rwdlan yn llawer gwell na mi!) Mae'r math hwn o waith yn rhoi rhyw syniad i mi o sefyllfa'r iaith mewn gwahanol rannau o'r wlad, ac yn rhoi cyfle i mi gadw mewn cysylltiad â'r hyn sy'n digwydd mewn ysgolion. Er gwaethaf brwdfrydedd athrawon, rwyf wedi gweld eu hysbryd yn gostwng yn ystod y blynyddoedd wedi'r Cwricwlwm Cenedlaethol. Yr wyf wedi dod i edmygu ymroddiad athrawon yn aruthrol, ac eto, lleihau mae eu statws mewn cymdeithas, a lleihau mae'r gefnogaeth iddynt. Yn ffodus, llwyddais i basio fy mhrawf gyrru (yr ail waith) cyn bod yn ddeg ar hugain oed, a dyna beth oedd tro ar fyd. Ffarweliais â'r Honda bach ac ers cael car, rwyf wedi bod yn gwneud cyfartaledd o ryw ugain mil o filltiroedd y flwyddyn. Mae'r car yn gymorth mawr i gnonyn mor aflonydd! Yn wir, roeddwn i'n mwynhau gyrru cymaint fel ag i mi geisio (eto fyth) am swydd gyda'r Cyngor Llyfrau Cymraeg i yrru fan o amgylch Gwent. Meddyliais y byddai yn cyfuno fy niddordeb mewn llyfrau a theithio

145

ac y cawn gyfle i ddod i adnabod Gwent yn well. Ches i ddim hyd yn oed gyfweliad gan y Cyngor a chredaf mai dyna'r tro olaf i mi geisio cael swydd ganddynt. Mae'r geiniog yn disgyn i'r rhai mwyaf styfnig yn y pen draw.

Tra'n ymweld ag ysgolion gyda chymeriadau Rwdlan, roedd sawl un yn dweud wrthyf y dylai'r cymeriadau fod ar y teledu, a minnau'n ceisio egluro nad mater i mi oedd hynny, ond mater i S4C. Teimlai rhai y dylwn gael gwaith gan y Sianel am y rheswm 'mod i wedi ymgyrchu drosti, ond eglurais fwy nag unwaith nad felly oedd y drefn yn gweithio. Petai hynny'n wir, dylai Ffred Ffransis fod yn rheoli'r Awdurdod! Bob blwyddyn, byddai rhyw gwmni teledu neu'i gilydd yn gofyn am ganiatâd i gyflwyno cais am gyfres i S4C, ond ni ddeuai dim o'r ceisiadau hyn. Fodd bynnag, ganol y Nawdegau, bu Cwmni Elidir yn llwyddiannus gyda'u cais. Cafwyd cytundeb am gyfres o ugain rhaglen yn gyntaf, yna daeth dwy gyfres arall. Yr oeddwn i yn awyddus i weld animeiddio llawn, ond roedd hynny yn rhy gostus. Yn y diwedd, y trefniant oedd cael actorion go iawn a chefndir graffeg, a weithiodd yn iawn yn fy nhyb i. Yr unig un o'r cast llwyfan a oroesodd i'r gyfres deledu oedd Rhys Bleddyn, oedd yn actio'r Llipryn Llwyd. Bu'n brofiad cynhyrfus addasu'r storïau ar gyfer teledu, a chynhyrchu rhagor o ddeunydd gwreiddiol. Rhaid oedd canfod mwy o fanylion am gymeriadau Gwlad y Rwla – sut stafell oedd yng nghartref pob un, beth oedd y berthynas rhwng y cymeriadau, sut oeddynt yn symud yn yr awyr ac ati. Cafodd Graham Pritchard (Mynediad am Ddim gynt) a Rhys Dyrfal sawl her, ond ni fu'r un yn drech na hwynt. Wedi'r teledu, addaswyd y storïau ar gyfer cyfres radio.

Wedi'r llyfrau stori, daeth syniadau eraill – *Llyfr Llanast* a *Llyfr Smonach* fel llyfrau lliwio, jig-sô, bathodynnau, cardiau cyfarch ac ati. Gan mai i blant bach mae'r llyfrau, mae gan rywun gynulleidfa newydd bob tua phedair blynedd! Cafwyd y syniad o wneud llyfr coginio a'i alw yn *Stwnsh Rwdlan*, a dilynodd *Parti Cwmwl*. Gan mai ymwelydd prin iawn oeddwn i yn y gegin, roedd cyhoeddi llyfr coginio yn dipyn o hyfdra ar fy rhan. Bu raid i mi gael cymorth Branwen Niclas gyda'r rysaits. Syniad Branwen oedd lawnsio'r llyfr yn Ysgol Llanllechid, a daeth Strempan yno i ddifetha popeth. Yn dilyn cyhoeddi'r llyfr cyntaf, bu Branwen a minnau'n mynd o amgylch ysgolion i ddysgu plant bach sut i wneud cacen sbwnj. Rŵan, dyna i chi un peth na ddaru mi ei rag-weld o gwbl pan luniais y wrach fach a'r het bigfain nôl ym 1982...

Am ugain mlynedd, mae Rwdlan wedi bod yn gyfrwng bara menyn i mi. Wrth ymweld â channoedd o ysgolion, mae'n syndod mor rhyfeddol o debyg yw adwaith plant. Byddaf yn siarad am tua thri chwarter awr â hwy, ac yn ceisio cadw eu diddordeb drwy ddangos gwaith gwreiddiol, adrodd storïau, dangos pypedau, a'r un peth sy'n cadw eu sylw yn ddi-ffael yw gwneud cartwnau ar y bwrdd du! Rwy'n ceisio cyfleu i'r plant fod ysgrifennu llyfr o fewn gallu unrhyw un – yr hyn sydd ei angen yw brwdfrydedd a syniadau. Caf ymateb brwd iawn gan y mwyafrif o blant, a llond trol o gwestiynau. Er na fûm yn athrawes 'go iawn' felly, mae hwn yn fodd o fod yng nghwmni plant, heb orfod poeni am na disgyblaeth, cwricwlwm na symiau! Yn aml, mewn sesiwn gyda mi, mae'r plant yn mynd i hwyliau, ond mae'n well gen i blant brwd yn llawn syniadau na rhes o rai disgybledig sydd ofn agor eu cegau. Agor cist eu dychymyg yw fy swyddogaeth i, a gadael y gwaith caib a rhaw o ddysgu ysgrifennu a chofnodi i'r athrawon. Rhyfeddod parhaol i mi yw'r modd y mae athrawon yn gallu addasu'r deunydd yn llyfrau Rwdlan i gyflwyno unrhyw destun dan haul i blant, a'u dysgu am bob math o bethau.

'Y Gymdeithas'

'Cymdeithas o bobl yw Cymdeithas yr Iaith' meddai Ffred unwaith, ac mae hynny'n wir iawn. Drwy rengoedd y Gymdeithas, rwyf wedi dod i adnabod peth wmbredd o bobl ac maen nhw wedi bod yn gymeriadau diddorol hyd yn oed os ydynt braidd yn od. Mae'n debyg fod hynny i'w ddisgwyl mewn mudiad torcyfraith. Dydi'r math yma o weithgarwch ddim yn 'normal' yng ngolwg y byd, ac mae'r mudiad yn denu cymeriadau brith sy'n gwrthod ffitio yn daclus i ffiniau penodedig. Mae'n debyg mai dyna geisiais ei ddarlunio ar ddalennau *Wele'n Gwawrio*.

Mae yna drosiant uchel o aelodau yng Nghymdeithas yr Iaith gyda rhai yn aros gyda'r mudiad drwy gyfnod coleg yn unig, ac eraill yn ei hystyried yn frwydr am oes. Gall cyfeillgarwch ddatblygu mewn cyfnod byr, tra'n treulio amser mewn cell, tra'n llunio ymgyrch, tra'n rhannu'r un profiadau a'r un weledigaeth. Oherwydd ei fod yn fudiad cymharol fach, mae'r teimlad hwn o undod yn bwysig, ac mae'r clymau sy'n ein cadw at ein gilydd yn rhai tynn iawn. Efo criw o gymeriadau mor gryf a styfnig, ceir rhai cwerylon lliwgar iawn!

Efallai ei fod yn beth rhyfedd i'w ddweud, ond mae diffyg arian yn dod â ni yn nes at ein gilydd yn aml. Gwn am sawl mudiad sy'n talu i'w haelodau aros dros nos mewn gwestai a thalu costau petrol hael. Ni all

Cymdeithas yr Iaith fforddio hyn. Os ydych yn teithio o un man i'r llall, rydych yn rhannu car; os ydych yn aros dros nos, rydych yn aros yng nghartrefi eraill. Yn y modd hwn, dowch i adnabod teuluoedd y naill a'r llall, ac yn aml dowch yn rhan o'u criw hwy o gyfeillion. Deuthum i adnabod sawl aelod drwy sgwrsio â hwy ar daith go hir. Ffurfiwyd y rhan fwyaf o'm hathroniaeth wleidyddol drwy ddadlau â Ffred ar siwrneiau hir yn y fan!

Wedi i mi fod yn Gadeirydd am ddwy flynedd, daeth Karl Davies i gymryd yr awenau ym 1984 – llanc o Abergele oedd wedi bod yn fyfyriwr yn Aberystwyth. Roedd Karl yn rhan o gynhaeaf ymgyrchoedd Clwyd. Yn ystod dechrau'r Wythdegau, canolbwyntiodd Ffred ei egnïon ar Ranbarth Clwyd, lle a fu'n gryn ddiffeithwch o ran gweithgaredd cyn hynny. Wedi cael Ysgol Basg yno ym 1981, rhoddodd hyn gychwyn ar ymgyrch 'Siarter Clwyd' a oedd â chyfres o ofynion i Gyngor Sir digon gwrth-Gymreig.

Bob blwyddyn byddai Rali Siarter Clwyd yn cael ei threfnu, achlysuron a ddaeth yn nodedig oherwydd gor-frwdfrydedd yr heddlu! Cofiaf un rali yn Llanelwy pan oedd criw o aelodau'r Gymdeithas yn tynnu arwydd, a'r heddlu yn benderfynol o'u rhwystro. Rhywsut, cafodd fy nghoes ei dal rhwng yr arwydd a'r llawr, a mwya yn y byd yr oedd y protestwyr yn gwthio, mwya o boen a deimlwn i yn fy nghoes dde wrth i'r arwydd gael ei wthio arnaf. Yn y diwedd, deallodd un neu ddau mai gweiddi mewn artaith yr oeddwn, yn hytrach na brwdfrydedd, ac achubwyd fy nghoes rhag cael ei sleisio yn ddwy. Ie, atgofion felly sydd gen i o ralïau Clwyd.

Bu Karl yn gweithio am un haf i'r Gymdeithas yng Nghlwyd a daeth nifer o bobl y rhanbarth yn weithgar – Dafydd a Nia Chilton, Bryn Tomos a Marian, Beryl Llangernyw, Toni Schiavone a Dawn, Huw Gwyn, Rhys Ifans heb anghofio'r bythol wyrdd Arthur Edwards a chriw y Rhyl – Lilian a Goronwy Fellows, ac o'r Rhos – Ieu Rhos a ymddangosai ym mhob man. Mae gan Karl ei theori ei hun am bobl Clwyd. Gall cenedlaetholwyr Gwynedd fod yn ddigon hunan-gyfiawn a hunan-bwysig wrth frwydro dros eu hiaith gan fod digon ohonynt. Nid felly yn achos trueiniaid Clwyd. Rhaid bod rhywbeth yn goll ynoch i gychwyn ymgyrchu dros yr iaith mewn rhannau o Glwyd, ac o ganlyniad dydi llawer ohonynt ddim yn cymryd eu hunain ormod o ddifri. Maent yn gwybod eu bod ar y 'front-line' ac yn gyfarwydd ag ymgyrchu diflino yn wyneb gwrthwynebiad chwyrn ar brydiau. Pobl lew iawn ydi'r rhain.

Daeth Toni Schiavone i olynu Karl fel cadeirydd y mudiad ym 1985, a rhoddodd ei stamp ei hun ar y swydd. Gyda'i dreigladau unigryw, gallai danio torf gyda'i areithiau. Nodwedd amlwg Toni oedd ei frwdfrydedd heintus. Waeth pa bwnc y mae'n ei drafod, gall eich argyhoeddi mewn dim. Yng nghanol yr Wythdegau, fe ddatblygodd Cymdeithas yr Iaith, a hynny'n rhannol oherwydd Streic y Glowyr. Cofiaf Ffred yn tanlinellu pwysigrwydd hyn yn un o gyfarfodydd Senedd y Gymdeithas. Nododd fod y streic yn un hanesyddol gan nad streic dros godiad cyflog ydoedd, ond streic dros holl ddyfodol cymunedau glofaol Cymru. Nid oedd o bwys nad oedd y Gymraeg fel iaith yn gryf iawn yn rhai o'r ardaloedd hyn; brwydr dros gymunedau Cymru oedd brwydr Cymdeithas yr Iaith ac, o ganlyniad, dylai'r Gymdeithas wneud popeth oedd o fewn ei gallu i gefnogi'r glowyr.

Cefnogaeth symbolaidd oedd cefnogaeth fwyaf Cymdeithas yr Iaith yn ystod blwyddyn y streic. Bu rhai aelodau yn cefnogi llinell biced pan oedd hynny'n bosibl, a bu llawer un yn brysur yn casglu bwyd o dŷ i dŷ. Ond byddem hefyd yn bresennol mewn ralïau, ac yn Eisteddfod Llanbed ym 1984, lluchiwyd glo a llaeth i uned y Swyddfa Gymreig ar y maes i ddangos y cysylltiad rhwng brwydr y glowyr a brwydr y ffermwyr yn erbyn y cwotâu llaeth. Gobaith Ffred y pryd hynny oedd y câi ffrynt radicalaidd o fudiadau ei ffurfio yng Nghymru yn erbyn y Torïaid. Cafwyd un cyfarfod yng Nghaerdydd, ond ni ddaeth unrhyw beth ohono. Dyna pryd y clywais Kim Howells yn siarad a chefais fy swyno'n llwyr ganddo. Meddyliais ar y pryd fod yna ddyfodol disglair o flaen y fath ddyn. Doeddwn i fawr o feddwl faint o gyfaddawdu a wnâi er mwyn sicrhau'r dyfodol disglair hwnnw.

Er na chafwyd ffrynt radicalaidd ar lefel genedlaethol, fe ddaru ni yng Ngwynedd gydweithio gyda chriw o Sosialwyr gan feddiannu meddygfa Wyn Roberts A.S. a mynnu cael gair ag o. Dyma'r unig gyfarfyddiad i mi ei gael efo fo'n eistedd yn ei gadair, a minnau'n eistedd ar ei ddesg yn edrych i lawr arno. Dyna pryd y sylweddolais hefyd creadur mor dwp y gallai fod. A chymryd nad oedd wedi cael amser i baratoi ar ein cyfer, dylai fod ganddo reitiach sylwadau na'r hyn a ddywedodd,

'Does dim eisiau poeni gymaint am y Gymraeg, wyddoch chi,' medda fo'n hamddenol. 'Rydw i'n teithio o amgylch Cymru, a dwi'n synnu cyn gymaint o enwau Cymraeg sy'n dal i fod ar ffermydd...'

A'n gwaredo. Fedrwn i ddim credu 'mod i'n gwrando ar Is-Ysgrifennydd Gwladol Cymru yn ystod un o gyfnodau mwyaf argyfyngus y genedl.

Pan arestiwyd ni gan yr heddlu ac ymddangos ger bron mainc Bangor, gwysiwyd Wyn Roberts i ddod i'r llys iddo gael bod yn dyst. Ei dystiolaeth yn ein herbyn oedd fod criw wedi rhuthro i mewn i'w feddygfa ac wedi ei rwystro rhag gwneud ei waith, a doedd yr un ohonynt yn löwr. Penderfynwyd ei herio ar y mater hwn ac egluro sut y gwyddai nad glowyr oeddynt, a'i ateb oedd,

'Doedden nhw ddim yn *edrych* fel glowyr.'

Chwarddodd pawb yn yr oriel gyhoeddus. Ond prin oedd y chwerthin yn y cyfnod hwnnw ac roeddent yn ddyddiau enbyd. Ar Chwefror 25, aeth bron i 4,000 o lowyr yn ôl i'w gwaith. Ar Fawrth 3, 1985, daeth Streic y Glowyr i ben. Ni fu hanes Cymru yr un fath wedi hynny, a doedd dim modd maddau i Margaret Thatcher am ei pholisi ynglŷn â'r pyllau glo.

Ehangodd gorwelion Cymdeithas yr Iaith. Nid Cymru a'r Gymraeg oedd ei hunig ddiddordeb bellach; daeth yn llawer mwy ymwybodol o ymgyrchoedd eraill. Yng Nghyfarfod Cyffredinol 1985, Hanif Bahanjee o'r Mudiad Gwrth-Apartheid oedd y siaradwr gwadd. Yr oedd y boicot yn erbyn nwyddau o Dde'r Affrig yn ei anterth a phob Hydref, byddai llond bws mini ohonom o'r Gogledd yn mynd i'r Rali Gwrth-Apartheid yng Nghaerdydd. Yr oedd llawer o'n haelodau yn uniaethu gyda'r frwydr yn Cuba neu Nicaragua a bryd hynny y cychwynnodd y cysylltiad gydag Iwerddon. Yn ddiweddarach, buom yn amlwg yn ralïau enfawr CND. Cafwyd ysgol undydd rhwng Cymdeithas yr Iaith a'r mudiad heddwch, a'r ddau fudiad yn rhannu profiadau â'i gilydd. Dim ond lleiafrif oedd yn cwestiynu doethineb Cymdeithas yr Iaith yn ehangu yn y modd hwn. Credai'r lleiafrif hwnnw mai dim ond ar y Gymraeg y dylai Cymdeithas yr Iaith ganolbwyntio. Ond amhosib oedd inni gadw ein hunain mewn cocŵn o'r fath gan anwybyddu brwydrau mewn rhannau eraill o'r byd. Yr oedd y mudiad yn dal i dyfu ac aeddfedu, ac yr oedd yn graddol sylweddoli fod ganddo stôr o brofiad o ran gweithredu uniongyrchol y gallai mudiadau eraill ddysgu oddi wrtho. Yn bersonol, yr oedd y cyfan yn addysg wleidyddol i mi. Os oedd y Gymdeithas yn bleidiol i achos, yna yr oedd hynny yn arweiniad i mi ac yn agoriad llygad yn aml.

Wedi i'm tymor fel cadeirydd ddod i ben ym 1984, yr oedd Ffred yn bryderus y byddwn yn colli cysylltiad â'r mudiad. Cofiaf un daith hir yn y fan a Ffred yn fy rhybuddio y byddai pethau yn o wahanol wedi i mi ildio'r awenau i rywun arall. Tra oedd rhywun yng nghanol pethau, gyda'r Wasg yn holi yn ddyddiol a phwysau arnaf yn gyson, roedd pethau'n gallu bod yn gynhyrfus iawn. Dywedodd Ffred wrthyf am gymryd swydd ar y Senedd gyda phwrpas pendant fel y gallwn ganolbwyntio ar y gwaith hwnnw a pheidio colli cysylltiad. Rydw i'n falch (dwi'n meddwl!) o'r cyngor hwnnw. Cymerais gyfrifoldeb fel Swyddog Addysg Wleidyddol, a oedd yn swydd newydd ar y Senedd. Trefnais ddwy neu dair Penwythnos Addysg Wleidyddol, un ohonynt yn Nant Gwrtheyrn, ac roedd yn gyfle i aelodau ddod i adnabod ei gilydd am fwy na diwrnod yn ogystal â rhoi inni'r cyfle i ganolbwyntio ar un pwnc penodol.

Wedi hynny, bûm yn Gadeirydd y Grŵp Addysg am ddwy flynedd. Wedi'r blynyddoedd cychwynnol o gyflwyno ein gofynion a sicrhau cyhoeddusrwydd i'r rheini, yr oedd yn bryd cychwyn ymgyrch dorcyfraith. Yng nghanol yr Wythdegau, nid oedd hynny yn hawdd. Aeth pum mlynedd ers yr ymgyrchu uniongyrchol diwethaf dros y Sianel, ac yr oedd cenhedlaeth o fyfyrwyr yn y coleg heb unrhyw brofiad o herio'r gyfraith. Y gwaith anoddaf oedd trefnu'r weithred gyntaf. O drefnu gweithred ddifrifol a fyddai'n arwain at garcharu, byddai aelodau yn barotach wedyn i weithredu i gefnogi'r rhai a garcharwyd – dyna oedd rhesymeg Ffred p'run bynnag! Y tri cyntaf a weithredodd yn yr ymgyrch dros Gorff Datblygu Addysg Gymraeg ym 1984 oedd Dafydd Morgan Lewis, Lleucu Morgan a Meinir Ffransis. Ysgrifennais lyfryn yn cofnodi hanes y weithred, a'r ymgyrchu a'i rhagflaenodd, dan y teitl *Yr Ergyd Gyntaf*. Torri i mewn i Bencadlys y Ceidwadwyr yng Nghaerdydd wnaeth y tri gan beri difrod sylweddol. Cawsant ddedfryd o flwyddyn o garchar a naw mis o hwnnw wedi ei ohirio, er na charcharwyd Lleucu. Am dair wythnos cyn yr achos llys hwnnw, bu rhai ohonom yn gwersylla mewn carafán ar dir y Cyd-Bwyllgor Addysg yng Nghaerdydd. Bu gweithredu hefyd yn erbyn swyddfeydd yr Adran Addysg ym Mangor, a daeth 'Corff Datblygu Addysg Gymraeg' yn slogan (rywfaint) yn haws i'w siantio. Cofiaf wneud poster gyda ffigwr fel ditectif yn edrych drwy ei chwyddwydr ar y geiriau 'Ble

Mae'r Corff?' mewn llythrennau lliw gwaed – ymdrech bitw i boblogeiddio'r syniad! Mewn ymateb i garchariad Dafydd a Meinir, cafwyd 40 o fyfyrwyr Aberystwyth a'r Normal i dorri i mewn i adeiladau'r Llywodraeth yn Llandrillo ac, mewn achos a barodd am bedwar diwrnod, rhoddodd y Barnwr Huw Daniel £200 o ddirwy i bob protestiwr a chan awr o waith cymunedol i ddwy ohonom.

Ganol yr Wythdegau, bu cryn newid yn staff Cymdeithas yr Iaith. Rhoddodd Walis y gorau i'w swydd fel Trefnydd Cenedlaethol a chafwyd dwy swydd yn ei le – Steffan Webb yn Drefnydd y De a Siân Howys yn Drefnydd y Gogledd. Daeth Helen Greenwood yn Swyddog Gweinyddol, un o'r rhai mwyaf ymroddgar fu yn Swyddfa'r Gymdeithas. Bellach mae'n rhoi yr un ymroddiad i'r Urdd a'r Mudiad Meithrin yng Ngwent a Steffan yn llywio Menter Iaith Taf-Elái. Cymar Helen, Lyndon Jones, fu'n Drysorydd y Gymdeithas am ddegawd a mwy wedi iddo ddysgu'r Gymraeg – gwaith unig iawn yng Nglynebwy.

Yn un o Eisteddfodau'r cyfnod hwn y deuthum yn gyfarwydd â llanc ysgol digon blêr yr olwg. Yr oeddwn wedi cael y syniad o drefnu Arwerthiant i godi arian i Gymdeithas yr Iaith. Yr oedd y syniad wedi codi llawer o arian i Blaid Cymru yn Llandwrog, sef cael pob math o lawysgrifau neu bethau a fu'n eiddo i bobl amlwg, ac yna cynnal arwerthiant ar Sadwrn olaf yr Eisteddfod. Daeth yn ddigwyddiad blynyddol am dros ddegawd a chododd filoedd o bunnau i goffrau'r Gymdeithas. Fodd bynnag, daeth yr hogyn ysgol hwn ataf a dweud fod ei daid wedi addo llyfr i'r Arwerthiant. Yr unig anffawd oedd ei fod wedi gadael y llyfr gartref. Fe'i hystyriwn yn dipyn o rwdlyn, a dywedais,

'Hitia befo. – Pwy ydi dy daid di p'run bynnag?'

'Lewis Valentine.'

Bu bron i mi ei daro yn y fan a'r lle am ei esgeulustod! Ia, hwnnw oedd fy nghyfarfyddiad cyntaf â Huw Gwyn. O'r teulu hwnnw, Huw sy'n ymdebygu fwyaf i'w daid, yn gymysgedd o ysbryd gwallgof a thynerwch annwyl.

Rwyf eisoes wedi adrodd hanes damwain Huw. Am ryw reswm, mae sawl un o aelodau'r Gymdeithas wedi cael damweiniau go ddifrifol. Cafodd Dafydd Morgan Lewis ei daro gan gar tra oedd yn croesi'r ffordd yn Abertawe, ac yntau'n gweithio i'r Gymdeithas. Bu ar ei gefn yn yr ysbyty am fisoedd, a Helen Prosser a'i gŵr, Danny, yn cadw cwmni iddo. Ar un adeg, roedd pryder y byddai'n rhaid i Dafydd golli ei goes. Cofiaf fynd i'w weld yn yr ysbyty, ac yntau'n rhyfeddol o siriol. Bod yn ddiolchgar ei fod yn fyw oedd Dafydd, yn hytrach na chwyno am ddiflastod yr ysbyty. Mae hynny'n gwbl nod-weddiadol o Dafydd. Yn hanes Cymdeithas yr Iaith Gymraeg bydd yn cael ei gofio, nid yn unig fel yr un sydd wedi gweithio am y cyfnod hwyaf i'r mudiad, ond fel un o'r aelodau mwyaf ymroddedig. Cenedlaetholwr tanbaid ydyw sy'n teimlo i'r byw. Mae myrdd o storïau yn cael eu hadrodd am Dafydd, ac mae wedi dod yn chwedl yn ystod ei oes ei hun. Mae o'n un o weithwyr caletaf y frwydr genedlaethol ac yn un o'r Cymry mwyaf diwylliedig rwy'n eu hadnabod. Uwchlaw popeth, mae ganddo'r ddawn i gadw'n siriol yn wyneb anobaith. Efallai mai'r rheswm am hynny yw ei fod wedi cael digon o ymarfer! Er enghraifft, fo ydi'r unig un y gwn i amdano sydd wedi profi awyren F1-11 yn taro ei dŷ, yn y Foel, Y Trallwng – ac wedi byw i ddweud yr hanes. Drwy gydol y Nawdegau, y mae Dafydd wedi cael sawl F1-11 haniaethol yn ei daro o gyfeiriad y Sefydliad, ond mae wedi goroesi'r cyfan.

Un arall a gafodd ddamwain ddrwg oedd Karl. Ychydig cyn Nadolig 1996, fe'i trawyd gan dacsi yng Nghaerdydd, a bu yntau mewn uned gofal dwys. Wedi pryder dychrynllyd ynglŷn â'i gyflwr, daeth yntau yn ôl fel ag yr oedd. Bob tro y mae damwain o'r fath yn digwydd, mae rhywun yn dal ei wynt ac yna'n dragwyddol ddiolchgar am wyrth fechan.

Cofiaf un ddamwain car yn deillio yn uniongyrchol o brotest. Digwyddodd hynny yng Nghaerdydd ym 1985 lle yr aeth pethau braidd yn chwerw. Wrth i Steffan Webb ruthro at gar Wyn Roberts, gwrthododd y gyrrwr stopio. Lluchiwyd Steffan i'r awyr, ac o ganlyniad, torrodd ei fraich a'i goes. Mynnodd Steffan ddwyn achos yn erbyn y gyrrwr, ond doedd hynny ddim yn beth hawdd. Cymerodd saith mlynedd o ddadlau cyfreithiol. Euthum i lawr i'r Uchel Lys yn Llundain ym 1992 i weld beth fyddai canlyniad y Llys Apêl. Profwyd fod y gyrrwr yn euog, ac o'r diwedd, cafodd Steffan ei iawndal haeddiannol.

O ystyried natur y protestio, gyda sefyllian o amgylch ceir a cheisio eu hatal, mae'n syndod na chafwyd mwy o ddamweiniau fel un Steffan. Un waith yn unig y cefais i fy hun fy mrifo'n ddrwg. Eisteddfod Caerdydd oedd yr achlysur, ym 1978, a minnau'n protestio yn erbyn diffyg Cymraeg British Rêl, pan oedd y gwasanaeth hwnnw yn dal mewn bod (a'r slogan erchyll gennym, 'Cymraeg ar y

Cledrau!'). Cymerwyd Wayne Williams i fan yr heddlu a rhuthrodd Wynfford James a minnau at ddrysau'r fan. Lluchiodd un heddwas fi i'r llawr a thorrwyd fy nhrwyn o ganlyniad. Treuliais ddiwrnod olaf yr Eisteddfod yn Ysbyty'r Waun yng Nhaerdydd yn cael ei sythu!

O sôn am Wyn Roberts, mae'n rhyfedd mor aml yr arferai ein llwybrau groesi. Byddai'r Ysgrifenyddion Gwladol yn newid, ond byddai Wyn Roberts yn aros fel Craig yr Oesoedd. Gan mai ef oedd yn gyfrifol am addysg a'r Gymraeg o fewn y Swyddfa Gymreig, fo yn aml oedd y cocyn hitio. Cychwynnodd y Swyddfa Gymreig ar bolisi newydd o geisio ein hynysu drwy wrthod ein cyfarfod. Ein tacteg felly oedd protestio yn erbyn Wyn Roberts, lle bynnag y byddai'n ymddangos. Un diwrnod, roedd yn annerch y Cyd-Bwyllgor Addysg yng Nghaernarfon a chafwyd protest fawr yn ei erbyn. Aeth pethau'n boeth iawn yn Stryd y Jêl wrth inni rwystro'r drafnidiaeth ac wrth i'r heddlu geisio ein symud. Dyna pryd yr arestiwyd dau o rai castiog – Huw Gwyn ac Ifor Glyn, Blaenau Ffestiniog. Pan ymddangosodd Ifor Glyn o flaen mainc Caernarfon yn ddiweddarach am darfu ar yr heddwch, edrychai yn smart iawn mewn siwt a thei, (yn gwbl wahanol iddo fo'i hun) a mawr oedd y pryfocio. Pan gerddodd allan yn ŵr dieuog, Ifor Glyn oedd yn gwenu. Mynnodd Huw Gwyn gael benthyg y tei wedyn, os oedd ganddo bwerau mor gryf â hynny! A dyna'r unig dro i mi weld yr un o'r ddau mewn tei. Mae Ifor Glyn yn byw ymhell i ffwrdd yn Ne Cymru 'nawr a fydda i byth yn ei weld. Fodd bynnag, dydi o ddim wedi callio dim, a bob tro y clywaf ganddo, mae o'n dal yr un fath – a'r un mor hurt. Mae Wyn Roberts a minnau bellach yn ffrindiau hefyd. Ar faes Eisteddfod Llangefni ym 1999, daeth ataf a'm llongyfarch ar fy mhriodas. Cefais gymaint o sioc fel y gofynnais i rywun dynnu llun o'r ddau ohonom i gofnodi'r achlysur. Mae'n rhaid mai dim ond ei swydd oedd yn peri ein bod yn dod i wrthdrawiad mor aml. Dwi'n gallu gwneud yn iawn efo Toris sydd wedi ymddeol!

Credaf i mi ddod i gysylltiad â phob un o'r Ysgrifenyddion Gwladol, fel arfer mewn ffrae danbaid neu brotest, – John Morris, Nicholas Edwards, Peter Walker, David Hunt, William Hague, John Redwood, Alun Michael, Rhodri Morgan. Mae'r mwyafrif ohonynt wedi bod yn anwybodus o Gymru ac yn ddirmygus o'r Gymraeg. John Redwood oedd y gwaethaf ohonynt. Fe fentrodd y corcyn bach i Ben-y-groes ac ymweld ag ysgol Bro Lleu, ac aethom at yr ysgol a chau'r giatiau gyda chadwyn. Yr unig ffordd i'r hen Redwood ddod allan o'r ysgol oedd rhoi naid dros y wal! Aethom i'w etholaeth yn Wokingham i ddweud nad oedd neb yng Nghymru ei eisiau ac ateb ei etholwyr oedd nad oedd neb yn fanno ei eisiau ychwaith! Fy unig gyfarfyddiad gyda William Hague oedd achlysur ym Mangor pan gyflwynais gloc larwm iddo. Bob tro y byddaf yn cyfarfod y dynion hyn, caf sgyrsiau gwallgof.

Hague: What is this?
Tomos: A retirement clock.
Hague: I've no intention of retiring.
Tomos: No-one in Wales wants you here.
Hague: That's a matter of opinion. I have no plans to leave
       Wales.

O fewn chwe mis, yr oedd Llafur wedi ennill yr Etholiad, yr hen Hague wedi mynd, a Ron Davies yn Ysgrifennydd Gwladol. Ef yw'r unig Ysgrifennydd nad wyf wedi protestio yn ei erbyn. Ym mis Awst 1997, rhennais lwyfan ag o yng Nghyfarfod Cymdeithas yr Iaith yn yr Eisteddfod. Ni allai'r Wasg gredu ei fod wedi gwneud peth mor wallgof â chytuno i siarad efo'r eithafwyr. Ddeufis yn ddiweddarach, gwnaeth rywbeth llawer mwy gwallgof, a daeth ei gyfnod fel Ysgrifennydd Gwladol i ben.

Yn gynnar yn y Mileniwm newydd, cefais gyfarfod Alun Michael. Ymweld â Senedd-dy Owain Glyndŵr yr oedd a chyflwynais Ail Lythyr Pennal iddo, yn mynnu Deddf Iaith. Byr a chwta oedd ei sylwadau, ac o fewn dim, yr oedd yntau wedi colli ei swydd. Pethau digon brau ydi Ysgrifenyddion Gwladol.

Rhaid i mi gofio crybwyll Elwyn Jones hefyd, un o'r ychydig Geidwadwyr ar wahân i Wyn Roberts oedd yn Gymro Cymraeg. Mae'r atgasedd oedd rhyngom gynt wedi pylu'n arw ond, yn yr Wythdegau, yr oedd ei ymosodiadau ffyrnig ar Gymdeithas yr Iaith yn gwbl chwerthinllyd. Ifor Glyn mi gredaf a'i bedyddiodd fel 'Y Tori Tew'. Yr unig ffordd o ddisgrifio ein perthynas ag o yw 'perthynas Tom a Jerry'. Fel Ceidwadwr, Elwyn Jones oedd Tom, ac roedd ganddo holl rym y Llywodraeth, yr heddlu, a'i ffrind mynwesol, Magi Thatcher, tu cefn iddo. Fodd bynnag, fel Jerry, ni fyddai'r Gymdeithas yn blino ei bryfocio byth a hefyd. Un diwrnod, penderfyn-wyd meddiannu ei swyddfa. Roedd y drws ar agor, i mewn â ni, ond yn anffodus, yr oedd Elwyn Jones yn bresennol. Yn hytrach na gadael y fan yn urddasol, fe wnaeth beth hynod o wirion a cheisio ein rhwystro yn gorfforol (ar ben ei hun bach) ar dop y grisiau. Fi oedd yr un ar y blaen, ac yr oeddwn yr un mor styfnig ag o, a dyna sut y collais fy urddas yn llwyr drwy ganfod fy mhen yn sownd rhwng ei goesau! Fo gafodd y gorau arnom ni bryd hynny, ond doedden ni ddim am anghofio hynny. O fewn dim o dro, daeth dydd dial wrth inni dorri i mewn i'w swyddfa liw nos a chreu difrod. Ffoniais yr heddlu i ddweud ein bod 'yn swyddfa Elwyn Jones', ond ni ddaeth yr heddlu. Yn y bore, wedi treulio noson anghyfforddus dan lun o Magi Thatcher, ffoniais yr heddlu eto.

'Ydach chi'n *deall* fod Cymdeithas yr Iaith wedi meddiannu swyddfa Elwyn Jones?' gofynnais.

'Ydan, ond wyddon ni ddim lle mae ei swyddfa fo,' atebodd y plismon.

'Mae hi reit tu ôl i'ch swyddfa chi.'

'Pwy sy'n siarad?'

'Dydw i ddim yn deud.'

'Iawn, Angharad, fyddwn ni draw rŵan.'

Ia, rhyw berthynas gartwnaidd oedd gennym gyda'r heddlu hefyd. Anghofia i byth yr achos llys a ddilynodd. Trefnodd Elwyn Jones gynhadledd i'r Wasg i ddangos iddynt y difrod a achoswyd. Roedd hi'n arddangosfa bathetig – yr Iwnion Jac frau yn ddarnau a llun y Cwîn efo paent arno. Doedd o ddim yn teilyngu achos cynllwyn na dim o'r fath. Llwyddodd Branwen Niclas i gael mynediad i'r gynhadledd fel 'Golygydd *Tafod y Ddraig*' a gwylltiodd Elwyn Jones gymaint fel y trodd yn lliw piws rhyfedd.

'OUT!' gwaeddodd, 'OUT – y tacla bach!!'

Oedd, roedd presenoldeb rhywun mor lliwgar ag Elwyn Jones yn ysgafnhau'r ymgyrchu. Un o'r nodweddion mwyaf anffodus fedrwch chi ei gael fel Tori yw Cymreictod. Yn gynnar ym 1998 cefais alwad ffôn, gan neb llai nag Elwyn Jones. Eisiau cynnig ei gefnogaeth yr oedd i ymgyrch Cymdeithas yr Iaith i Gymreigio'r Cynulliad. Diolchais iddo am ei bryder, ac ychwanegodd,

'Rhag ofn i chi feddwl, nid *hoax* ydi'r *phone call* yma.'

Ia, pa fodd y cwympodd y cedyrn... Un Nadolig, yr oedd y ddau ohonom wedi bod ar raglen radio ym Mryn Meirion yn taflu sen y naill at y llall. Pan ddaethom allan, yr oedd yn bwrw eira, ac Elwyn Jones efo un o'i gasgliad enwog o ambaréls. Cynigiodd ei rhannu â mi, a fedrwn i ddim peidio â gwenu wrth weld yr olygfa – fi ac Elwyn Jones dan ambarél yn yr eira. Mae'r siŵr ei bod yn olygfa ramantus...

A Meinir wedi bod yn y carchar y flwyddyn flaenorol, tro Ffred ydoedd i weithredu ym 1986 (diolch byth, roedd y syniad o weithredu fel teulu wedi mynd). Am iddo dorri rhyddhad amodol, carcharwyd Ffred am naw mis. Fel yn yr ymgyrch ddarlledu, gweithredodd Ffred i'r eithaf yn yr ymgyrch dros addysg Gymraeg. Dangosodd ei ddifrifoldeb pan oedd ysgol y pentref, Llanfihangel-ar-arth, mewn perygl o gau. Cychwynnodd Ffred ympryd amhenodol, ac roeddwn yn poeni'n ddychrynllyd yn ei gylch. Ar ddiwrnod penderfyniad Cyngor Dyfed, aeth holl blant yr ysgol i sefyll o flaen adeilad y Cyngor yng Nghaerfyrddin. Pleidleisiodd y cynghorwyr o blaid cadw'r ysgol ar agor ac mae'n dal ar agor a chafodd plant ieuengaf Ffred a Meinir ei mynychu.

Roedd carchariad naw mis Ffred yn ystod cyfnod allweddol gan fod Meinir yn disgwyl eu pumed plentyn ar y pryd. Yr oedd Ffred yn benderfynol o fynd i garchar gan y credai y byddai hyn yn symbylu rhagor o weithredu. Fel arweinydd y Grŵp Addysg, teimlwn bwysau'r carchariad hwnnw. Roeddwn i newydd gael fy rhyddhau wedi wythnos fer o garchar, ac roedd bod dan glo yn llai o straen na cheisio rhedeg ymgyrch ar y tu allan i gefnogi Ffred tra oedd o i mewn. Yn ystod wythnos gyntaf carchariad Ffred, aeth Siân Howys a minnau i lawr i Gaerdydd a pheintio 'Corff Datblygu Addysg Gymraeg' ar wal adeilad y Cyd-Bwyllgor Addysg. Pob wythnos wedi hynny rhwng Medi a'r Nadolig, dyma drefnu fod dau aelod yn teithio i Gaerdydd i wneud yr un weithred. Yn y diwedd, rhoddodd y Cyd-Bwyllgor y gorau i geisio glanhau'r wal.

Rhyddhawyd Ffred o garchar ar Chwefror 27, 1987, dair wythnos wedi genedigaeth ei bumed plentyn, Gwenno Teifi. Yn syth wedi cael ei ryddhau, roeddem wedi trefnu taith drwy Gymru i Ffred annerch gwahanol gynulleidfaoedd. Yr oedd wedi darllen a myfyrio llawer yn y carchar, ac yn y cyfarfodydd cyhoeddus hyn, cafwyd ffrwyth ei fyfyrio. Daeth i'r casgliad fod gan Gristnogaeth le canolog yn ei ymgyrchu. Dyma ddyfyniad o'i eiddo,

'Tu mewn i Gymdeithas yr Iaith, gallwn ni fagu aelodau a fydd wedi'u hadeiladu i fyny gyda'r strategaeth gywir, gyda pholisïau call, hyd yn oed gyda dulliau di-drais cywir, a hyd yn oed gydag ymdeimlad o hunan-ddisgyblaeth ac o gyfrifoldeb at eu cymuned. Ond pan ddaw llifogydd gwawd eu cyd-Gymry, a gwyntoedd croes canlyniadau'r Gyfraith (heblaw am ddeniadau swydd a chyfrifoldeb teulu), wedyn mae perygl naill ai y syrthiant mewn "dirfawr gwymp" neu o leiaf ddirywio'n gyflym.'

Soniodd nad oedd modd inni wrthsefyll y pwysau hwn oni bai ein bod wedi sylfaenu'n gobaith ar Y Graig. Byddai wedi gwneud pregethwr ardderchog! Cyhoeddwyd ei fyfyrdodau yn y carchar yn y llyfryn *Wastad ar y Tu Fas*. Ysgogodd Ffred fi i ddechrau darllen gweithiau Tomos o Acwin.

Yr un flwyddyn ag y daeth Ffred o garchar, cyfaddawdais a thalu dirwy o £250 am y tro cyntaf yn fy mywyd yn hytrach na mynd i garchar. Fy niben wrth fynd i garchar bob tro oedd tynnu sylw at yr achos. Teimlwn yn wirioneddol fod angen aelodau newydd i fynd i garchar yn hytrach na bod pobl yn meddwl mai 'yr hen do' fel Ffred a minnau oedd wastad yn mynd i mewn. Doeddwn i ddim am fynd drwy holl strach carchar dim ond i bobl feddwl 'Mae honna'n ôl i mewn unwaith eto'. Yr hyn oedd yn digwydd mewn gwirionedd oedd fod y ffasiwn yn newid. Aeth llawer llai o aelodau i'r carchar yn ystod y Nawdegau mewn cymhariaeth â'r ddau ddegawd blaenorol. Newidiodd natur protestio yn gyfan gwbl wedi teyrnasiad Thatcher.

Pan gychwynnodd Siân Howys weithio'n llawn-amser i Gymdeithas yr Iaith fel Trefnydd y Gogledd y deuthum i'w hadnabod yn iawn. Am gyfnod roeddem gyda'n gilydd yn y coleg, ond er bod Siân yn awyddus i ddod yn weithredol, nid oedd neb wedi ei thynnu i mewn. Daeth yn weithgar yn ystod ei blwyddyn olaf yn y coleg, drwy weithredu yn yr ymgyrch i Gymreigio Awdurdod Iechyd Gwynedd. Wedi iddi gwblhau ei thraethawd ymchwil M.A. ar waith Niclas y Glais y daeth i weithio i'r Gymdeithas, ac agorwyd swyddfa ranbarth gyntaf y Gymdeithas yng Nghaernarfon. I mi, yr oedd cael swyddfa a threfnydd amser-llawn yng Nghaernarfon fel breuddwyd yn dod yn wir, ac addunedais i wneud popeth a allwn i'w helpu. Byddwn yn gwmni i Siân wrth iddi deithio o amgylch y Gogledd, ac yn ystod y teithiau hynny y deuthum i'w hadnabod a dod yn ffrindiau. Ar sawl mater, yr oedd Siân yn fy ystyried yn hynod geidwadol, yn enwedig ar bynciau megis hawliau merched, a'i chenhadaeth oedd ceisio fy moderneiddio – a'm radicaleiddio!

Cryfder arbennig Siân oedd meithrin doniau newydd yn rhengoedd y Gymdeithas. Tra oedd Siân yn Drefnydd, daeth nifer o arweinwyr ac aelodau diweddarach y Gymdeithas yn weithgar. Bu'n ddiflino yn annog 'Y Ffeds' (Ffederasiynau Ysgolion) i gyfarfod. Bryd hynny yr oedd Nan Wyn, Beca Brown, Gwyn Derfel, Branwen Niclas, Alun Llwyd, Sioned Elin, Siân Hydref ac Aled Davies yn fyfyrwyr ysgol. Bu Siân yn y swydd am dair blynedd a phan âi'r aelodau hyn i'r coleg, byddai ei gofal drostynt yn parhau a byddai'n cadw cysylltiad â hwy. Nid swydd 'naw tan bump' oedd bod yn Drefnydd i Siân. Byddai'n dod yn rhan o fywydau pobl ac yn cael argraff ddofn arnynt. Hi sicrhaodd fod Branwen Niclas o Ysgol Tryfan, Bangor, yn dod i gysylltiad ag Alun Llwyd o Ysgol Morgan Llwyd pan ddaeth y ddau yn fyfyrwyr i Goleg Aberystwyth ym 1987.

Daeth cartref Siân yn 'Solway', Siliwen, ym Mangor yn rhyw hafan fach i nifer ohonom. I'r tŷ braf hwnnw gyda golygfa dros y Fenai y deuem i ymgynnull. Deuai Alun a Branwen i fyny'n gyson o Aber. Wedi rali neu brotest, cyfarfod neu weithred, yn ôl i 'Solway' y deuem – am bryd o fwyd neu barti – a byddai'r nosweithiau yn para tan yr oriau mân. Yng ngolau cannwyll ac i sŵn caneuon 'Mynediad am Ddim', byddem yn trafod popeth – tynged Cymru, gweddill y byd, y frwydr yn Nicaragua, heddwch, De Affrica, ein gobeithion, ein hofnau, gweddill ein bywydau – y cwbl. Doedd o'n ddim gennym ddianc i'r traeth yn Llanddwyn yng ngolau'r lloer, neu fynd am drip hir yn y car. Dwi'n credu mai'r trip gwirionaf a wnaethom oedd cychwyn yn ddiamcan o Fangor, gyrru drwy'r nos a chanfod ein hunain yn Abergwaun! Roedd Alun a Branwen yn profi rhyddid a gweledigaeth y Gymdeithas am y tro cyntaf, a châi Siân a minnau adnewyddiad ysbryd yn eu sgîl.

Roedd o'n gyfnod cynhyrfus i'r Gymdeithas, a thrwy'r byd. Ym 1988, cychwynnodd y cynyrfiadau a fyddai'n siglo Ewrop cyn bo hir. Arestiwyd yr Archesgob Tutu a theimlem fod rhywbeth mawr ar droed. Gyda'r Gymdeithas hithau yr oedd pethau'n newid. Yr oedd yr ymgyrch dros Gymreigio'r system addysg wedi arwain yn naturiol at yr ymgyrch i fynnu addysg berthnasol. Roedd y twf mewn aelodau ifanc wedi arwain at alwad am raglenni i bobl ifanc ar y radio. Tua 1989 oedd hi, y noson cyn i swyddfeydd newydd y BBC ym Mangor gael eu hagor, pan beintiwyd slogan ar yr adeilad. Y diwrnod wedyn, bu raid i mi gyflwyno llythyr i Marmaduke Hussey, pennaeth y gwasanaeth ym Mhrydain, a wyddwn i ddim p'run oedd o hyd yn oed. Wyddai yntau yn amlwg ddim byd am y Gymraeg ac anghenion pobl ifanc. Y slogan yn y dyddiau cyn-Jonsi hynny oedd 'Mae Nain yn gwrando ar Radio Cymru', sy'n eironig braidd o gofio'r newidiadau mawr ddigwyddodd i'r gwasanaeth yn ystod canol y Nawdegau. Ond nid newid i ddenu'r ifanc wnaeth penaethiaid y BBC, ond newid i geisio poblogeiddio'r gwasanaeth drwy ei ysgafnhau i'r fath raddau nes y daeth sylwedd yn rhywbeth prin iawn.

Erbyn diwedd y flwyddyn honno, yr oedd Dyfed Wyn Edwards a minnau'n arwain ymgyrch newydd 'Nid Yw Cymru ar Werth'. Roedd tai yn cael eu gwerthu am brisiau arswydus o uchel, daeth ton newydd o fewnlifiad i Gymru ac un o'n sloganau oedd 'Rhown Stop ar Werthu Cymru'. Wedi bod cyhyd gyda'r ymgyrch addysg, roedd yn dda gen i roi cychwyn ar ymgyrch wahanol. Yr oedd yr ymgyrch losgi wedi parhau am flynyddoedd a'r unig beth a wnâi'r Gymdeithas oedd dweud mai arwydd o broblem ddyfnach oedd y llosgi yn hytrach nag ateb i'r broblem. Eto, gwarchod y cymunedau Cymraeg oedd y gwaith yr oedd pobl eisiau gweld Cymdeithas yr Iaith yn ei wneud. Nid oedd ganddynt unrhyw wrthwynebiad i'n gweld yn pwyso am gorff i ddatblygu addysg Gymraeg a galw am ddeddf iaith arall, ond hufen ar y gacen oedd hynny. Roedd y gacen ei hun, sef y cymunedau Cymraeg eu hiaith, yn prysur droi'n friwsion o flaen ein llygaid.

Yn ogystal ag Alun a Branwen, roedd criw brwdfrydig iawn yn Aberystwyth ar y pryd – Rocet, Owain Llew a Dylan Phillips i enwi dim ond rhai. Cafwyd ambell rali gofiadwy yn ystod y cyfnod hwn – gyda'r ymgyrch 'Nid yw Cymru ar Werth' gan amlaf. Byddem yn casglu arwyddion 'For Sale' ac yn dod â hwy i gyd i'r un man lle cynhelid rali – fel rheol o flaen swyddfa arwerthwr. Cofiaf rali Llanrwst ym 1989 fel un arbennig o ffyrnig. Dyna'r unig dro i mi gael fy arestio cyn cyrraedd rali hyd yn oed. Dyna fu tacteg yr heddlu y tro hwnnw – arestio pobl wrth iddynt ddod i mewn i Lanrwst, a'u rhoi mewn faniau heddlu anferth, y rhai hynny a elwir yn 'sweat boxes'. Ni wyddai neb beth oedd yn digwydd. Pan ddaeth ein hachos ger bron mainc Llanrwst, cawsom ein rhyddhau heb ddirwy. Bryd hynny, roedd y gwahaniaeth rhwng Heddlu Gogledd Cymru a heddluoedd eraill yn bur drawiadol. Roedd Heddlu Dyfed-Powys yn llawer mwy goddefgar.

Ni chymerodd fawr o amser i mi ganfod y gallai'r ymgyrch 'Nid yw Cymru ar Werth' fod yr un mor gymhleth â'r ymgyrch addysg. Roeddem yn cyfarfod â chynghorau ac yn gofyn iddynt wario mwy o arian ar y stoc dai leol i ateb y galw lleol am dai. Ateb y cynghorau oedd y byddent wrth eu bodd yn gwneud hynny, ond roedd Llywodraeth Thatcher nid yn unig yn eu rhwystro rhag codi tai newydd, ond yn mynnu eu bod yn gwerthu'r tai cyngor oedd ganddynt! Dyma weld sut oedd egwyddorion Ceidwadol yn treiddio i gymunedau Cymru ac yn effeithio yn uniongyrchol arnom. Yr oedd yn sefyllfa wirioneddol ddigalon.

Gwelodd y Gymdeithas fod yn rhaid iddi eistedd i lawr a meddwl beth fyddai ei hymateb i hyn. Gwnaethom restr o'r hyn y carem ei weld yn cael ei basio mewn deddf, ac enw'r ddeddf honno fyddai 'Deddf Eiddo'. Yn y man, diddymwyd yr ymgyrch 'Nid Yw Cymru ar Werth' er mwyn galw am Ddeddf Eiddo.

Camgymeriad oedd hyn yn fy marn i. Anodd oedd cael pobl i uniaethu gyda'r term 'Deddf Eiddo' tra oedd 'Nid yw Cymru ar Werth' yn un o'n sloganau mwyaf poblogaidd. Gwell fyddai petaem wedi cadw'r olaf ar gyfer ralïau a baneri, a chadw Deddf Eiddo fel term oedd yn crisialu ein gofynion wrth ymweld â swyddogion cynllunio a'r Llywodraeth. Adferwyd y slogan 'Nid yw Cymru ar Werth' mewn rali yng Nghaernarfon yn 2001 wedi i gadeirydd Pwyllgor Tai Gwynedd gael ei gyhuddo o fod y 'hiliol' am iddo gyfeirio at y nifer uchel o dai y sir oedd yn cael eu gwerthu i bobl o'r tu allan. Araf iawn ydi pethau yn newid…

Tua diwedd yr Wythdegau, bûm yng ngharchar eto am gyfnod byr, a rhaid cyfaddef mai hwn oedd fy ngharchariad difyrraf. Yn lle cael fy nghau gydag un arall mewn cell, rhoddwyd fi yn un o'r 'dormitories' yn Risley. Roeddwn yn casáu y diffyg preifatrwydd wrth rannu ystafell gydag ugain o garcharorion eraill, a phawb yn cysgu ar fynciau. Nid oedd y drefn wedi newid yr un iot mewn deuddeng mlynedd pan euthum yno am y tro cyntaf. Caech eich cloi i mewn am bedwar o'r gloch y prynhawn tan saith y bore wedyn. Yr unig fantais yn y 'dorm' oedd fod toiledau yno yn hytrach na'r 'pot' oedd yn y celloedd. Yn ystod y carchariad hwn cefais fy nyrchafu yn *redband,* sef yr enw a roddid i garcharorion gyda mwy o gyfrifoldebau. Fy swydd aruchel oedd glanhau toiledau'r sgriws. Fe gofiaf y cyfarwyddiadau manwl a gefais gan y wraig ddu oedd yn trosglwyddo ei chyfrifoldeb i mi,

'You make sure that you get it really clean, both sides,

– inside and out. Really clean, I say, or there'll be beeeeg trouble...'

Tra yn y 'dormitory' hwnnw, deuthum yn ffrindiau gyda gwraig o'r enw Cecilia, gwraig ganol oed oedd yn wahanol i bawb arall. Yr oedd rhywbeth ynglŷn ag osgo hon oedd yn ei gosod ar wahân i'r gweddill ohonom, ac yr oedd gwell graen ar ei dillad. Wrth siarad â hi, yr oedd yn amlwg o'i hacen ei bod wedi cael magwraeth bur freintiedig, eithriad mewn carchar lle mae 99.9% o garcharorion yn dod o gefndir dosbarth gweithiol. Ni fanylodd Cecilia ar ei throsedd, ond roedd yn mynnu y câi'r byd wybod am y camwri a ddioddefodd wedi iddi gael ei rhyddhau. Wedi dod o Risley, gofynnais i Karl a allai ganfod rhywbeth o hanes y wraig ryfedd hon. Gwnaeth yntau dipyn o ymchwil ac anfonodd doriadau o'r Wasg ataf yn rhoi hanes ei hachos. Yr oedd yn wir ei bod o dras foneddigaidd, ond y cyhuddiad yn ei herbyn oedd ei bod wedi lladd ei gŵr cyntaf, wedi twyllo hen fodryb iddi – a hynny ar raddfa ddifrifol iawn. Doeddwn i fawr o feddwl hyn pan oeddwn yn sgwrsio â hi yn y carchar! A bod yn deg â hi, wn i ddim faint o wir oedd yn y stori bapur newydd. Fe'i cefais hi yn wraig hynod foneddigaidd, a chefais lythyr ganddi wedi i mi ddod allan o garchar yn dymuno 'all the best with the Welsh language'. Yn wir, hi yw'r person rhyfeddaf i mi gwrdd â hi o fewn muriau carchar.

Ar drothwy'r Nawdegau, anodd oedd sylweddoli cyflymder y newid mewn materion rhyngwladol. Rhyddhawyd Pedwar Guildford yn Lloegr, rhyddhawyd Walter Sisulu yn Ne Affrica, a rai misoedd yn gynharach, yr oedd yr Arlywydd Botha wedi ymddiswyddo fel arweinydd ei blaid. Ym mis Chwefror 1989, roedd Vaclav Havel yn y carchar, ond erbyn diwedd y flwyddyn, fo oedd arlywydd Siecoslofacia. Ym mis Awst y flwyddyn honno, symudwyd y taflegrau cyntaf o Greenham. Cychwynnodd protestiadau yn erbyn Treth y Pen yn yr Alban. Ymddiswyddodd Honecker yn Nwyrain yr Almaen ym mis Hydref, ac ar Dachwedd 5ed, digwyddodd yr amhosibl – dymchwelwyd Wal Berlin. Yng Nghymru hefyd yr oedd pethau yn newid. Dywedwyd na fyddai Atomfa Wylfa B yn cael ei chodi, er mawr galondid i PAWB. Roeddem yn dal ein gwynt – beth fyddai gan y Nawdegau i'w gynnig?

Newid cyntaf y Nawdegau ym Mron Wylfa oedd inni gael set deledu ar yr aelwyd. A 'nhad wedi ymddeol bellach o'i waith yn MANWEB, cytunodd Mam yn gyndyn y câi teledu ddod i'r tŷ, ond y byddai'n rhaid ei roi mewn ystafell wahanol i'r ystafell fyw. Yno y mae, ac anaml y bydd Mam yn ei wylio. Dau eithriad i hyn ddechrau'r Nawdegau oedd achlysur rhyddhau Nelson Mandela o'r carchar a charcharu Bryn Fôn ac eraill wrth i'r heddlu wneud stomp llwyr o geisio dal y llosgwyr tai haf. Cafodd rhyddhau Mandela argraff ddofn arnaf. Parodd i mi sylweddoli o'r newydd ei bod yn bosibl newid pethau, hyd yn oed wedi i rywun fod dan glo am dros chwarter canrif.

Bu Dafydd Frayling yn gweithio yn Swyddfa'r Gymdeithas yng Nghaernarfon am gyfnod, ac wedi iddo ef roi'r gorau iddi, rhoddais innau gynnig am y swydd. Fe'i cefais, ond ni fu'n gyfnod hapus.

Bûm yn y Swyddfa yng Nghaernarfon yn teimlo'n ddigon unig, ac yn ei chael yn anodd i wneud fawr o ddim. Byddwn yn teipio llythyrau i gynghorau ac yn gwahodd pobl i gyfarfod cell, ond cawn fy siomi drwy'r amser gyda'r ymateb. Ar ben hyn, teimlwn yn euog na allwn drefnu rhanbarth gweithgar. Sylweddolais yn o fuan nad oeddwn y math o berson i weithio ar fy mhen fy hun mewn swyddfa. Euthum yn bur isel fy ysbryd, a dylwn fod wedi rhannu'r pryder â rhywun, ond nid un felly ydw i. Yn ystod y cyfnod hwn bu farw chwaer Nain, y cymeriad a fu'n sail i 'Bigw' yn *Si Hei Lwli*. Roeddwn wedi ofni'r alwad ffôn honno ers blynyddoedd, a fi ddigwyddodd ateb y ffôn yn gynnar y bore arbennig hwnnw i dderbyn yr alwad o'r cartref fod Bodo wedi marw yn 93 oed. Disgrifiais effaith yr alwad honno arnaf yn *Si Hei Lwli*. Roedd gen i berthynas arbennig â hi, a'r bore hwnnw, torrwyd y cysylltiad olaf â'r genhedlaeth honno. Roedden ni i gyd fymryn yn nes at y dibyn.

Ym mis Mehefin, wedi llai na phedwar mis yn y swydd ac yn teimlo iselder difrifol, ymddiswyddais o'r gwaith a theimlo rhyddhad anhygoel. Penderfynais na fyddwn i byth eto yn cael fy nghyflogi gan y Gymdeithas – cyfraniad gwirfoddol fyddai fy nghyfraniad i. Doeddwn i byth eto eisiau'r baich o deimlo fy mod yn gwastraffu arian prin y mudiad os na fyddwn wrthi'n ddyfal bob awr o'r dydd a bod fy ngwaith yn dwyn ffrwyth. Chwarae teg i Ffred, synhwyrodd fy niflastod a chyn pen yr wythnos, rown i efo Cwmni Cadwyn yng Ngŵyl Glastonbury, a bu cwmnïaeth eraill yn fodd o godi 'nghalon. Ganwyd mab i fy chwaer, Fflur, hefyd, Dafydd Wyn, a daeth goleuni yn ôl i'r ffurfafen.

Dysgais yn ystod y cyfnod hwnnw nad ˙oeddwn yn berson swyddfa. Un o'r pethau gwaethaf am fod yn gaeth mewn swydd a swyddfa oedd nad oeddwn yn rhydd i sgwennu. Tan hynny, roeddwn wedi cymryd y sgwennu fel rhywbeth rhan amser, a thra oeddwn yn ddi-waith. Er nad oeddwn yn sgwennu'n gyson, gwyddwn fod gen i'r rhyddid i sgwennu unrhyw bryd y dymunwn. Gyda swydd gyflogedig, diflannodd y rhyddid hwnnw. Bellach rwyf yn parchu'r rhyddid hwn yn fwy na dim ac yn ei warchod. Wedi dechrau'r Nawdegau, ddaru mi ddim dal i holi beth fyddai fy ngyrfa. Derbyniais mai awdur oeddwn, a bod honno'n swydd 'iawn', ac yn gystal cyfraniad ag unrhyw waith arall i gymdeithas. Unwaith y deuthum i delerau â'r ffaith honno, roeddwn i'n llawer mwy bodlon. Biti iddi gymryd cymaint o amser i mi sylweddoli hynny.

Bro Breuddwydion

Mae gen i lun ar wal fy stydi uwch ben y ddesg, golygfa dawel o bentref gwledig Gwyddelig. Rydw i am ddianc i'r wlad honno yn awr a chanfod sut y deuthum mor hoff ohoni. Mae'r cyfan yn cychwyn, coeliwch neu beidio, efo crys rygbi coch. Soniais eisoes am Arwerthiant Blynyddol Cymdeithas yr Iaith yn y Steddfod. Y diwrnod cyn yr Arwerthiant cyntaf, pwy ddaeth heibio pabell y Gymdeithas ar y Maes ond Ray Gravell. Roedd am gyflwyno'r crys a wisgai pan chwaraeodd dros Gymru i'r Gymdeithas. 'Diolch yn fawr,' meddwn i, a rhoi'r crys mewn bocs ymysg y rhoddion eraill a dderbyniwyd, heb sylweddoli mai'r crys hwnnw fyddai'n codi'r pris uchaf yn yr Arwerthiant, a mwy nag unrhyw lawysgrif a gawsom. Ysgrifennais lythyr at Ray Gravell yn mynegi ein diolchgarwch, ac am ryw reswm, roedd o wrth ei fodd yn derbyn y llythyr. Ffoniodd i ddiolch, a daeth draw i weld Bron Wylfa a'r teulu. Dydw i ddim yn meddwl fod neb wedi cyfarfod Ray heb ryfeddu at gynhesrwydd ei gymeriad a'i frwdfrydedd bachgennaidd. Dydw innau ddim yn meddwl i Ray yn ei dro gyfarfod neb oedd yn gwybod llai am rygbi na mi! Cawsom gwrdd unwaith neu ddwy wedyn am bryd o fwyd, a sylwais ei fod yn diodde'n go gryf o'r chwiw Gwyddelig. Mynnodd fy mod yn mynd gydag o i gyngerdd yr Wolfetones yng Nghaernarfon. Mewn dim, roedd y chwiw wedi cydio ynof innau. Bûm yn gwrando'n ddyfal ar fiwsig Gwyddelig, ac yn y diwedd, prynais docyn diwrnod a mynd draw i weld Iwerddon drosof fy hun.

Unwaith y bûm yn y wlad o'r blaen, rhyw bedair blynedd ynghynt ar wyliau teuluol – blwyddyn fy arholiadau gradd – a chofiaf y cwmwl du oedd yn hofran uwch fy mhen yn ystod cyfnod yr adolygu. Honno hefyd oedd y flwyddyn y bu farw'r aelod seneddol gweriniaethol dros Fermanagh a De Tyrone, Bobby Sands ac eraill. Ni allwn gredu y byddai hyd yn oed Margaret Thatcher yn caniatáu i'r bechgyn hyn farw. Dyna pryd y sylweddolais mor beryglus fu bygythiad Gwynfor i ymprydio flwyddyn ynghynt. Ar Fai 5, 1981, bu'r ymprydiwr cyntaf, Bobby Sands, farw. Erbyn Mai 13, roedd Frankie Hughes wedi marw. Bu farw wyth arall. Ym mis Awst, awgrymodd fy nhad ein bod yn mynd ar wyliau i Iwerddon. Ym 1939, yr oedd ef, ei dad a'i chwaer, wedi gwneud taith ar feics yno gan ddod adref ychydig ddyddiau cyn yr Ail Ryfel Byd. Yr oedd yn awyddus i ddilyn yr un llwybr. Braidd yn amheus oedd fy mam gyda'r sefyllfa wleidyddol mor beryglus, ond roedd fy nhad yn sicr na fyddem mewn perygl yn y Weriniaeth.

Ar y gwyliau hynny y gwelais Swyddfa Bost Dulyn am y tro cyntaf, ac yr oedd wedi ei gorchuddio â phlacardiau, baneri, posteri a stondinau. Cefnogi'r ymprydwyr yr oeddent, ac yn wir, drwy gydol y gwyliau, nid oedd modd anghofio'r Ympryd am eiliad. Ar hyd y ffyrdd, ar y polion telegraff, yr oedd baneri du yn crogi. Tra oeddem yn Corc, buom yn rhan o rali, ac yr oedd ambell anerchiad yn eithriadol o ffyrnig. Yn ystod y gwyliau, bu farw Michael Devine, yr olaf o'r ymprydwyr. Cofiaf fy mod ar Vinegar Hill pan glywais y newyddion. Cafodd y cyfan argraff ddofn arnaf. Wyddwn i ddim oll am hanes Iwerddon. Ym 1979, yn ystod Eisteddfod Caernarfon, cofiaf griw o brotestwyr yn rhoi paent ar golofn Lloyd George ar y Maes, ac yn sefyll yno mewn blancedi. Tynnu sylw at aberth carcharorion yr H-Block yr oeddynt, ond roeddwn yn gwbl anwybodus o'r sefyllfa. Anodd iawn oedd cael unrhyw wybodaeth am y carcharorion fodd bynnag. Mae'n anodd hefyd i ni gofio maint y casineb a'r rhagfarn oedd yn y gwledydd hyn tuag at unrhyw beth oedd â chysylltiad gyda'r achos gweriniaethol. Nid fod hynny'n syndod, roedd Prydain ac Iwerddon mewn rhyfel yn erbyn ei gilydd.

Pan euthum ar y cwch i Ddulyn ar fy mhen fy hun ym 1985, y cyfan oedd gen i oedd map stryd o'r ddinas. Roedd caneuon yr Wolfetones yn fy mhen yn sôn am bob math o gymeriadau a digwyddiadau hanesyddol, ac rown i'n awyddus i wybod mwy. Roedd gen i ddiddordeb ysol yn llenyddiaeth y wlad hon a oedd wedi magu Shaw, Wilde, O'Casey, Joyce, Behan a Beckett. Prynais boster gyda lluniau'r rhain i gyd arno a'r frawddeg, 'There were these thick Irishmen...' Wrth edrych ar fy albwm lluniau am y flwyddyn honno, mae'n amlwg beth oedd o ddiddordeb i mi yn y ddinas – Neuadd y Ddinas lle cychwynnodd chwyldro 1916, cerflun o George Bernard Shaw o flaen yr Oriel Genedlaethol, a Pharc Phoenix gyda bedd Sean Heuston, 'officer in Easter Week, executed at Kilmainham 1916'. Mae gen i lun o rif 7, Eccles Street, lle lleolodd Joyce un o'i storïau, a 6 Gardiner Row lle ffurfiwyd uned weithredol IRA Dulyn a'r fan oedd yn arolygu symudiadau'r uned yn ystod

Rhyfel Annibyniaeth 1919-21. Prynais bob math o daflenni a llyfrau i mi gael dysgu'r hanes drosof fy hun, yn lle dibynnu ar adroddiadau'r Wasg Brydeinig. Tanysgrifiais i bapur newydd Sinn Fein, *An Poblacht*. Dysgu fy hunan am hanes Iwerddon a wnes, chefais i 'run gair amdano yn yr ysgol na'r coleg.

Ym mis Mehefin 1985, rhoddodd rhywun wybod i mi am gynhadledd ym Melfast ar y papur dyddiol Gwyddelig, *La*, gan fy annog i fynd yno, a phenderfynais fynd – ar ben fy hun bach. Cyrhaeddodd y manylion yn y post, a chofiaf fod yn nerfus iawn cyn mynd – beth ar wyneb y ddaear oedd o'm blaen? Ond mae 'na ryw gythraul bach felly ynof – yn fy ngwthio ymlaen i flasu perygl. Cyrhaeddais Ddulyn a dal y trên i Belfast. Yr oeddwn wedi cael cyngor i ddal y tascis du, gan mai'r rheini oedd y gweriniaethwyr yn eu defnyddio. Dyma ganfod man y cyfarfod ac i mewn â mi. Roedd y gynhadledd yn uniaith Wyddeleg, a minnau'n deall 'run gair! Dechreuais siarad gyda rhai pobl, a chefais wahoddiad i barti y noson honno a chynnig o wely gan nad oeddynt am i mi aros mewn hostel ieuenctid. Mae'n debyg iddynt gymryd tosturi dros y Gymraes ddi-glem. Credaf mai dyna'r tro cyntaf i mi gyfarfod Liam Andrews hefyd, sydd wedi priodi Cymraes o Abertawe.

Yn ystod yr ymweliad hwnnw, roedd rhai pobl yn awyddus iawn i griw o Gymdeithas yr Iaith ymweld â Belfast yn swyddogol. Cefais lythyr i fynd yn ôl gyda mi – mewn Gwyddeleg – ar bapur swyddogol Sinn Fein. Cefais fy stopio gan yr heddlu yng Nghaergybi ac wrth iddynt fynd drwy fy magiau, dangoswyd cryn ddiddordeb yn y llythyr hwn, a chaent drafferth i'm credu pan ddywedais na ddeallwn air o'i gynnwys!

Yn y pen draw, derbyniodd Cymdeithas yr Iaith y gwahoddiad, ac ym mis Tachwedd euthum gyda Sel Jones, Gwyn Edwards, Steve Eaves, Robyn Parri a Menna Elfyn yn ôl i Belfast. Cafodd Menna a minnau rannu aelwyd Liam Andrews a'r teulu yr adeg honno. Bu'r daith yn agoriad llygad a chawsom ymweld â phob math o fentrau gwahanol, cyfarfod y gymuned Wyddeleg ei hiaith yng Ngorllewin Belfast, gweld fflatiau enwog y Divis a chyfarfod cynghorwyr Sinn Fein. Wedi amlinellu polisi di-drais Cymdeithas yr Iaith, cofiaf un Gwyddel yn troi ataf a dweud,

'We'd give our right hands to be non-violent,' a gwnaeth y geiriau hynny argraff ddofn arnaf. Dywedwyd wrthym sut y bu trobwynt yn eu hanes yn ystod gorymdaith hawliau sifil Deri ym 1969 pan ymosododd yr heddlu ar y bobl a phan losgwyd cartrefi Pabyddion.

Cynhaliwyd un cyfarfod cyhoeddus lle roedd Gerry Adams yn bresennol a chawsom gyfle i ysgwyd llaw ag o ar y diwedd, er nad oedd gen i syniad beth yn y byd i'w ddweud wrtho! Bryd hynny, ni chaniateid llun na llais Gerry Adams ar y cyfryngau, ac yr oedd hynny ynddo'i hun yn ei wneud yn fwy sinistr. Edrychai i mi yn ŵr digon hynaws. Daethom yn ôl i Gymru wedi cael darlun go wahanol o weriniaethwyr Belfast.

Yn dilyn yr ymweliad hwnnw, roedd Sinn Fein yn awyddus i gael eu gwahodd yn ôl i Gymru. Cofiaf ddweud ym Melfast y byddent yn cael gwell croeso yng Nghymru pe deuent fel dirprwyaeth o Wyddelod, ond roeddent yn awyddus i gael eu derbyn fel aelodau o Sinn

Fein, ac fel gwesteion Cymdeithas yr Iaith. Roedd ganddynt gryn edmygedd o'r Gymdeithas. 'You're not a Mickey Mouse movement,' ddywedodd un ohonynt! Aeth y Gymdeithas yn ei blaen i wneud trefniadau ar gyfer yr ymweliad, a sôn am halibalŵ. Pan glywodd y Wasg am y stori y dechreuodd yr hysteria go iawn. Bu Dafydd Elis Thomas yn megino'r tân drwy feirniadu'r cynllun. Ateb y Gymdeithas i'r cyhuddiadau ei bod yn 'gwahodd terfysgwyr' oedd ei bod yn fodlon cyfarfod ag unrhyw un. Os oedd yn fodlon cyfarfod llywodraeth mor dreisiol ag un Margaret Thatcher, mater bach oedd cyfarfod â Sinn Fein. Pwysleisiem mai dirprwyaeth ddiwylliannol ydoedd, ond canfu gohebydd y *Daily Post* fod dau aelod o'r ddirprwyaeth wedi treulio amser yn Long Kesh. Yr oedd hyn i gyd yn digwydd ychydig wythnosau cyn i Ffred ddod allan o garchar (ac roedd 1987 yn flwyddyn etholiad hefyd) a chefais alwad ffôn gan Gwynfor Evans yn gofyn inni symud cyfarfod croesawu Ffred o Gaerfyrddin. Bûm yn ddigon hy i ddweud wrth Gwynfor nad oedd angen poeni am y ddirprwyaeth o Iwerddon. Wedi'r cyfan, yr oedd cefnogaeth y Blaid wedi bod yn llawer mwy amlwg yn y gorffennol pan gondemniodd Lewis Valentine y 'Black and Tans' yn gyhoeddus. Ateb Gwynfor oedd dweud fod hynny'n 'hen hanes'. Roedd clywed hynny o enau Gwynfor o bawb yn fy nharo yn ddigri iawn – yntau'n fwy ymwybodol na neb o bwysigrwydd 'hen hanes'!

Cyrhaeddodd pethau ryw fath o benllanw pan ddatgelodd y *Daily Post* fod Thomas MacGuire, oedd yn aelod o'r ddirprwyaeth, yn aelod o'r IRA. Disgwyliai pawb yng Nghymru i ni dynnu'r gwahoddiad yn ôl wedi hynny, ond glynodd y Gymdeithas wrth ei safbwynt. Gwnaed y penderfyniad terfynol i fynd ymlaen â'r trefniadau mewn cyfarfod o'r Senedd – dyna'r unig gyfarfod erioed lle bu'n rhaid inni wynebu camerâu teledu ar y ffordd allan. Bu Toni Schiavone yn eithriadol o dda fel Cadeirydd yn ystod y cyfnod hwn. Siân Howys druan oedd yn gorfod delio â'r Wasg ddydd a nos, a bu bron i'r cyfan fynd yn drech na hi. Cyrhaeddodd y ddirprwyaeth yn y diwedd, ond ni welsom Thomas MacGuire druan – fe'i cadwyd yng nghelloedd yr heddlu yn Lerpwl dan y PTA (Prevention of Terrorism Act). Fe dynnodd rhai megis Ymddiriedolaeth Nant Gwrtheyrn eu gwahoddiad i'r Gwyddelod yn ôl, ac erbyn cyrraedd giatiau'r Nant, roedd rhywrai wedi peintio sloganau gwrth-Wyddelig yno. Ond cafodd y rhan fwyaf o'r bobl a gyfarfu'r ddirprwyaeth agoriad llygad. Pobl gyffredin fel ni oedd y Gwyddelod ac yr oedd un athrawes feithrin yn eu mysg – nid y syniad cyffredin o derfysgwyr! O edrych yn ôl ar yr amser hwnnw, rwy'n falch i Gymdeithas yr Iaith wneud safiad, er gwaetha'r cyhuddiad ein bod wedi ymddwyn yn naïf a'n bod wedi cael ein defnyddio.

Dros y blynyddoedd, rydw i wedi ymweld yn gyson ag Iwerddon. Sawl gwaith, rydw i wedi croesawu'r flwyddyn newydd ar sgwâr Christchurch yn Nulyn. O Gaergybi, mae Dulyn yn nes i ni'r Gogleddwyr na Chaerdydd. Mae Dulyn yn ddinas braf i bicio iddi i fwrw'r Sul a gweld ambell ddrama neu ffilm. Ymhen blynyddoedd, roedd gen i awydd dod i adnabod rhannau o Iwerddon y tu hwnt i Ddulyn. Bûm ar wyliau yn y Weriniaeth gyda Helen Greenwood gan ymweld â'r mannau poblogaidd a mynd cyn belled â Dingle. Ond roeddwn i'n ysu am gael mynd i berfeddion Iwerddon, ac i'r 'Gorllewin' y clywais gymaint o sôn amdano.

Ddiwedd yr Wythdegau, gwelais lythyr yn *Y Cymro* yn cynnig wythnos yng Ngorllewin Iwerddon yn dysgu Gwyddeleg, drwy gyfrwng y Gymraeg, a dyma fynd yno. Am dair blynedd yn olynol, bûm ar y cwrs hwnnw, a ddaru 'na neb drio yn galetach na mi i ddysgu'r iaith. Diarmuid Johnson drefnodd y cwrs, a'r athro arall oedd Padraig Carlin, myfyriwr o Belfast oedd wedi dysgu Cymraeg ac yn fyfyriwr yn Aberystwyth. Diffyg mwya'r ddau athro hynaws hyn oedd nad oedd ganddynt fawr o amynedd i ddysgu brawddegau syml ac ailadrodd geiriau hyd syrffed. Ar yr ail wers, yr oedd Padraig yn dysgu cerdd hynafol Wyddeleg inni gan ddotio at y gramadeg cymhleth! Roeddwn innau yn fyfyriwr anobeithiol heb unrhyw hyder i ymarfer yr ychydig Wyddeleg a ddysgais. Byddai rhywun yn meddwl fod hyn yn gyfuniad trychinebus, ond mwynheais bob munud o'r cwrs. Wedi diwrnod o ddysgu yn neuadd y pentref, byddem yn mwynhau Guinness ac arogl tân mawn yn y dafarn leol. Daethom i adnabod cymuned fechan Cill Chieran, galw yn yr ysgol leol, dod i adnabod gwraig y siop, ymweld â'r orsaf deledu leol a mynychu'r offeren ar y Sul. Cerddem lwybrau'r ardal, waeth befo beth oedd y tywydd, ac unwaith, buom yn helpu ffermwr lleol oedd wedi mynd yn sownd mewn ffos gyda'i fan. Eglurodd Diarmuid fod y ffermwr trwsgwl yn bencampwr dawnsio Gwyddelig, ac wedi cryn berswâd, cydsyniodd y ffermwr i ddawnsio tra tynnodd Diarmuid bib o'i boced i gyfeilio iddo, yntau'r pencampwr yn ei *wellingtons*. Dyna un o'r golygfeydd hynotaf i mi ei weld – ffermwr yng nghefn gwlad Iwerddon yn dawnsio camau cymhleth yn y mwd.

Am ryw reswm, mi fyddaf o hyd yn cael trafferth i groesi yn ôl adref i Gymru. Wedi cyrraedd y porthladd, sylwais fy mod wedi nodi'r diwrnod anghywir i groesi, a bu'n rhaid i mi gysgu yn y car am noson cyn cael caniatâd i groesi y bore wedyn. Daeth Diarmuid i Gymru ar ein holau, fo a'i ffliwt, a chedwais mewn cysylltiad am dipyn efo Padraig ac yntau. Wedi tair blynedd, daeth y cwrs i ben, a doedd gen i fawr mwy o Wyddeleg, er 'mod i mewn cariad â'r iaith. Gan gofio geiriau Bobby Sands, fod pwy bynnag sy'n berchen mwy nag un gair o iaith yn gallu trosglwyddo'r geiriau hynny i rywun arall, roeddwn i'n ddigon hy i gychwyn dosbarth Gwyddeleg – yn nhafarn y Fic yn Llithfaen! Llwyddais i gasglu hanner dwsin o ddisgyblion ynghyd a rhoddais wersi wythnosol drwy un gaeaf. Yna, doedd gen i ddim mwy o Wyddeleg i'w drosglwyddo, a daeth y dosbarth i ben. Er hynny, doedd dim pall ar fy mrwdfrydedd. Holais yn ddyfal am gyfle i ddysgu Gwyddeleg rhywle yng Ngogledd Cymru. Yn yr Eisteddfod, daeth rhywun ataf i gynnig cymorth,

'Dwi'n siŵr 'mod i wedi clywed fod yna ddosbarth bychan yn dod at ei gilydd ac yn cyfarfod yn rheolaidd mewn tafarn yn Llŷn...'

'Dwi'n gwybod am hwnnw,' atebais, 'fi ydi'r athrawes!'

Cefais gyfle i fynd yn ôl i Belfast ym 1989 yng nghwmni Steve Eaves a'r band. Clywed eu bod yn mynd y noson cynt wnaeth Ffion fy chwaer a mi, a dyma ddal y cwch a gwahodd ein hunain ar y trip. O'r ymweliad hwnnw y deilliodd y gân, 'Gorllewin Belfast'. Ar y daith honno hefyd y cefais gyfle i ymweld â Deri am y tro cyntaf, ac mae'n well gen i Deri na Belfast. Un nofel yr wyf yn ei hawgrymu i unrhyw un sydd am ddarllen hanes Iwerddon yw *Trinity*, Leon Uris. Wedi dychwelyd o Belfast i Gymru am ychydig ddyddiau i dynnu dant, bachais ar y cyfle i fynd yn ôl i'r Ynys Werdd efo llond bws o Gymry o Ffostrasol. Tra'n aros yn Sligo, deuthum i adnabod rhan newydd eto o Iwerddon drwy ddarllen barddoniaeth Yeats a gweld ei fedd yng nghysgod mynydd Ben Bullion.

Gwyn Siôn Ifan ydi'r Gwyddel oddi cartref go iawn. Ni allaf gofio pryd y deuthum i'w adnabod gyntaf. Tua chanol yr Wythdegau ydoedd debyg, pan fyddwn yn mynd gyda Siân i ymweld â Chlwyd. Gwyn fyddai'n gweithio yn Siop y Siswrn, Yr Wyddgrug, a byddai'n hynod o barod ei gefnogaeth i bob math o bethau. Fel 'hen foi iawn' y byddwn yn cyfeirio ato. Daeth Gwyn yn ôl i'w gynefin yn y man a gofalu am Siop Awen Meirion yn Y Bala. Credaf mai Gwyn a'i chwaer, Nia, a'n perswadiodd (Branwen Niclas a minnau) i fynd ar daith efo bws o'r Bala i'r Ŵyl Ban-Geltaidd. Sesiwn a hanner oedd honno ac am ddwy neu dair blynedd tra cynhaliwyd hi yn Galway, bûm yn mynd iddi. Nid Gwesty'r Imperial ar sgwâr y dref oedd y lle gorau os oeddech eisiau noson o gwsg. Yn ystod y dydd, byddai Tegwyn y Trefnydd yn trefnu teithiau o amgylch yr ardal, a chyda'r nos, byddai'r rhialtwch a'r canu yn parhau tan oriau mân y bore.

Dychwelais i Galway un haf gyda Gwyn a chawsom ddiwrnod bythgofiadwy ar feiciau ar Ynysoedd yr Aran.

Tra oeddwn ar Inis Môr, cefais y fraint o gwrdd â Mary Robinson oedd yn Arlywydd Iwerddon ar y pryd, a chyfle i ysgwyd llaw â hi. Dyna un tro prin y daeth fy ngwersi Gwyddeleg i'r adwy!

Mae 'na un Wyddeles yr wyf yn ei hystyried yn fraint fy mod wedi cael rhannu llwyfan â hi. Bernadette Macaliskey (Devlin gynt) yw honno, a fu'n aelod seneddol ifanc am gyfnod wedi iddi ddod i amlygrwydd ym mhrotestiadau y Chwe Sir ym 1969. Cefais gyfle i gael sgwrs â hi wedi'r cyfarfod a gynhaliwyd gan fudiad Milwyr Mas yng Nghaerdydd. Ganol y Nawdegau, ail-adroddwyd hanes pan garcharwyd merch Bernadette. Bu ei hachos yn y newyddion am ei bod yn feichiog pan y'i carcharwyd, a bu brwydr i geisio sicrhau na fyddai'r drydedd genhedlaeth yn cario baich y dioddefaint wrth gael ei eni yng ngharchar.

Ddechrau'r Nawdegau, roeddwn i'n awyddus i gystadlu yng ngystadleuaeth Medal Ryddiaith Eisteddfod yr Wyddgrug, 1991. Wedi cwblhau *Sothach a Sglyfath* yng Nglynllifon, roedd gen i lai na deufis i droi ati i sgwennu cyfrol. Bûm yn holi am lefydd i aros yn Iwerddon, a chefais le rhad iawn yn y diwedd mewn pentref diarffordd y tu allan i Gorc. Ballygurteen oedd ei enw, a llun y fan honno sy'n crogi ar wal fy ystafell. Wythnos cyn y Nadolig, dyna lle roedd y Cnonyn Aflonydd yn cychwyn ar antur arall. Roeddwn wedi buddsoddi mewn prosesydd geiriau symudol, ac wedi pacio'r car. Croesais y dŵr unwaith eto a gyrru i ben draw Iwerddon i dreulio cyfnod mewn man nad oedd gen i'r syniad lleiaf amdano. Mentro felly sy'n rhaid i rywun ei wneud os yw am ganfod pethau newydd. Cofiaf Gwenno

Hywyn yn dweud wrthyf y byddai'n dipyn o sialens i fyw felly ar fy mhen fy hun, ac efallai y byddwn yn dod i adnabod fy hunan yn well.

Y gwir amdani yn y diwedd oedd nad oeddwn ar fy mhen fy hun o gwbl bron. Deuthum yn ffrindiau â Mrs. O'Sullivan oedd yn cadw'r siop, a hi oedd perchennog y tŷ yr oeddwn yn aros ynddo. Deuthum yn ffrinidau â Trish y crochenydd o Limerick oedd yn byw drws nesaf i mi, ac yr oedd hithau yn fy hudo i Clonakilty, y dref agosaf, i ddosbarthiadau dysgu dawnsio Gwyddelig (arbrawf trychinebus). Treuliais dridiau dros y Nadolig ar fy mhen fy hun a hwnnw oedd yr unig dro i mi gael cawl yn ginio Dolig, a phwdin-Dolig-i-un (a baciwyd yn ddistaw bach gan Mam) i ddilyn. Ar awgrym Jâms Nicholas, euthum am dro i Gugan Barra ar Ddydd Nadolig, a phrin y gwelais i undyn byw. Ond erbyn y Calan, yr oedd Branwen Niclas wedi dod i ymweld â mi.

Wn i ddim pryd yn iawn y cychwynnodd y cyfeillgar-wch rhwng Branwen a minnau. Gwyddwn amdani pan oedd yn yr ysgol, ond pan ddaeth i'r coleg y deuthum i'w hadnabod yn iawn. Er bod deng mlynedd yn ein gwahanu, daethom yn ffrindiau agos. Mae'r ddwy ohonom wedi rhannu ymlyniad dwfn iawn at y Gymdeithas, ac y mae gennym ddiddordebau cyffredin, heb sôn am synnwyr digrifwch go wallgof. Pan oeddwn yn Ballygurteen, cyrhaeddodd Branwen orsaf Corc, gorwedd yn fflat ar y fainc a mynd i gysgu. Eisteddais innau yn yr ystafell aros yn amyneddgar am awr, heb sylwi fod Branwen o fewn llathenni i mi yn cysgu yn braf. Bu'r wythnos honno yn Ballygurteen yn wythnos i'w chofio – yn enwedig gan fod Branwen ar fin cyflawni gweithred ddifrifol yng Nghymru gydag Alun Llwyd – gweithred a fyddai'n arwain at garchariad. Saith mlynedd yn ddiweddarach, dychwelodd Branwen a minnau i'r union dŷ yn Ballygurteen, hithau erbyn hynny yn fam i fachgen pumlwydd eurben o'r enw Cai. Hel atgofion fuom bryd hynny gan ryfeddu cymaint oedd yn gallu digwydd mewn saith mlynedd.

Wedi i Branwen fynd, daeth fy rhieni a Fflur a'i phlant i aros gyda mi – un ohonynt yn fabi chwe mis oed! Sôn am feudwy anobeithiol! Mae'n syndod i *Si Hei Lwli* gael ei sgrifennu o gwbl! Ond fe'i sgrifennwyd, ac fe'i postiwyd o'r swyddfa bost yn Clonakilty i Drefnydd yr Eisteddfod Genedlaethol.

O ystyried gymaint o atgofion sydd gen i, dydi o ddim yn syndod deall fod y llun dyfrlliw o bentref bach Ballygurteen uwch ben fy nesg yn golygu cymaint i mi.

Ysgrifennu

Mae'n rhyfedd 'mod i wedi mynd cyn belled â hyn efo'r stori heb sôn nemor ddim am sgwennu, heblaw am lyfrau i blant a sgwennu ambell ddrama. Yr ydw i wedi mwynhau sgrifennu erioed, nid yn unig yr hunan-fynegiant, ond y weithred gorfforol o roi pensel ar bapur. Mae llun ohonom ni blant yn y parlwr chwarae gartref, minnau tua wyth oed – a be ydw i'n ei wneud? Sgwennu! Rydw i wedi hoffi pensiliau a beiros, inc a phapur erioed. Mi gaf foddhad o arogl inc a phapur a chyffyrddiad y naill beth ar y llall.

Sut cychwynnodd o? Rydw i wedi bod yn dda efo pynciau megis Cymraeg a Saesneg erioed. Doedd dim cymaint o ots am y pynciau eraill yn yr ysgol, ond byddai cael marciau gwael yn y Gymraeg yn anfaddeuol. Fy mam sy'n gyfrifol fod gen i gystal Cymraeg ag sydd gen i. Pan fyddem yn blant, hi fyddai yn cywiro ein Cymraeg (a Chymraeg fy nhad!), hi fyddai'n dysgu ymadroddion ac enwau Cymraeg inni am bethau megis menyn cnau mwnci, cwpwrdd rhew, côt gwely a sgidiau dal adar. Cymraeg coeth Dyffryn Ogwen a gefais ganddi a byddai bratiaith yn merwino ei chlustiau. Credaf i Mam etifeddu'r diddordeb hwn yn y Gymraeg gan ei thad. Felly, yn nyddiau'r ysgol, byddwn i a'm chwiorydd yn dod adref gyda'r adroddiad diwedd tymor ac yn aml iawn, ni fyddai'r rhai cyntaf yn ein dosbarth yn y

Gymraeg. Roeddwn i'n bur agos at y gwaelod yn fy nosbarth yn gyffredinol, ond byddai marciau rhagorol gen i yn y Gymraeg. Cadwai hynny fy mam yn hapus.

Er pan fedraf gofio hefyd, rydw i wedi bod yn hoff o ddarllen, a diau fod hyn yn gystal meithrinfa â dim i sgwennwr. Wn i ddim pryd y sylweddolais gyntaf fod gen i ddawn gyda geiriau – pan enillais y gadair yn Eisteddfod yr Ysgol debyg gen i. Wedi i mi ennill Medal Ryddiaith yr Urdd ddwywaith a choron yr Eisteddfod Ryng-golegol ddwywaith, daeth yn amlwg mai yn y cyfeiriad hwnnw yr oedd fy nawn.

Er hynny, dydw i dim wedi cynhyrchu cymaint â hynny. Yr unig beth yr ydw i wedi ei gadw yn gyson ar hyd y blynyddoedd ydi dyddiadur. Petawn yn cyfeirio at unrhyw ddiwrnod yn fy mywyd, gallwn droi i edrych ar y dyddiadur a dweud yn union lle yr oeddwn ar y diwrnod hwnnw. Yr hyn a'm hysgogodd i gadw y fath gofnod oedd dyddiadur Anne Frank. Mae cadw'r fath gofnod wedi bod yn hyfforddiant da ar gyfer sgwennu creadigol. Nid wyf yn un o'r bobl hynny efo stôr o straeon byrion yn fy nrôr ychwaith (oes yna unrhyw un felly?) Pethau wedi eu hysgrifennu yn benodol ar gyfer cylchgrawn neu gasgliad ydi straeon byrion, a dydi o ddim yn ffurf a ddaw yn rhwydd iawn i mi. Cyfrwng o hunanfynegiant yw sgwennu i mi, a dyfais i roi rhyw siâp a synnwyr ar fywyd.

Yr hyn sydd wedi bod yn ysgogiad cyson i mi yw cystadlu – er mwyn cael gweld beth yw safon fy sgwennu, mae'n debyg. Er, rydw i wedi cydnabod erioed mai rhywbeth goddrychol iawn yw barn beirniad, chwaeth bersonol a dim arall. Fodd bynnag, mae cystadlu yn ymarferiad buddiol ac mae'n ddifyr gweld beth yw barn sgrifenwyr eraill am eich gwaith.

Un o'r prif wobrau am sgwennu yng Nghymru yw Medal Ryddiaith yr Eisteddfod Genedlaethol. Roedd un neu ddau feirniad wedi awgrymu fy mod wedi cyrraedd y safon hwnnw, a'r tro cyntaf i mi gystadlu am y Fedal oedd ar gyfer Eisteddfod Llanbed ym 1984 pan oeddwn i'n bump ar hugain oed. Dau beth sydd yn bwysig pan fo rhywun yn cystadlu – testun sy'n ysgogi stori, a beirniaid sydd yn debyg o hoffi'ch gwaith! Roedd testun y Fedal yn Llanbed – beth bynnag am y beirniaid – yn hynod o addas, 'Dyddiadur wedi ei ysgrifennu mewn cymdeithas neilltuedig'. Yr oedd profiadau carchar yn gweddu'n union ar gyfer y gystadleuaeth honno.

Nid fi oedd y cyntaf i groniclo profiadau 'carcharor-dros-yr iaith'. Roedd Meg Elis eisoes wedi gwneud hynny. O ganlyniad, roedd yn rhaid i mi geisio canfod rhywbeth newydd i'w ddweud, ac am y tro cyntaf, roeddwn yn meddwl am fframwaith nofel. Caiff rhywun wybod am y testun tua mis Gorffennaf, ac y mae saith mis wedyn i gyfansoddi'r gwaith. Cael y syniad a chreu'r fframwaith yw'r gwaith caib a rhaw. Unwaith yr ydych wedi cael y ddeupeth yna, nid yw'r sgwennu yn cymryd cymaint â hynny o amser. Yr unig beth arall holl-bwysig i'w gael yn iawn ydi naws neu 'lais' y llyfr. Unwaith yr ydych wedi canfod yr wythïen hudol honno, rydych ar y ffordd.

Yng Ngŵyl Werin Dolgellau ym 1983 clywais Dafydd Iwan yn canu ei anthem newydd 'Yma O Hyd' a gydiodd yn nychymyg y genedl. Mae'r teitl wedi dod yn gymaint o ystrydeb bellach fel mai anodd yw dychmygu'r effaith a gafodd y gân pan oedd y syniad yn newydd. Rhaid cofio sut le oedd Cymru ym 1983. Roedd y Ceidwadwyr wedi cael mwyafrif aruthrol yn yr Etholiad Cyffredinol; collodd Gwynfor Evans ei sedd a daliodd Keith Best ei afael ar Ynys Môn. Roedd Prydeindod ar ei waethaf wedi Rhyfel y Malvinas y flwyddyn flaenorol. Dal i ddirywio wnâi'r Gymraeg ac roedd y mewnlifiad yn dal i brysur foddi Cymru. Parhau i bryddesta yn bruddglwyfus wnâi beirdd Cymru gan ystyried Methiant 1979 fel yr hoelen olaf yn arch Cymru a'r Gymraeg. O ystyried hyn i gyd, yr oedd cân Dafydd Iwan yn mynd yn gwbl groes i'r llif, ac yr oedd y gobaith a'r hyder yn y gân yn gwbl newydd, yn enwedig y cwpled enwog,

'Bydd yr iaith Gymraeg yn fyw!
Rydyn ni yma o hyd!'

Wn i ddim am neb hyd yma sydd wedi gwneud gwaith ymchwil ar effaith pleidlais 1979 ar farddoniaeth Gymraeg, ond byddai'n astudiaeth ddifyr. Yr eithriad disglair ymysg canu prudd y cyfnod yw Dafydd Iwan – ei obaith yw un o'i nodweddion amlycaf. Cafodd Dafydd ymateb aruthrol i 'Yma O Hyd'. Bu'n ystyried rhoi'r gorau i ganu yn ystod y cyfnod hwn ac mae gen i gywilydd hyd heddiw 'mod i wedi ysgrifennu llythyr cas iawn ato. Roedd gen i ofn fod y llais hwn a fu'n gymaint o ysbrydoliaeth i mi a channoedd o rai eraill mewn perygl o ddistewi. Yn fy nghynddaredd yr ysgrifennais ato a chefais ateb haeddiannol. Sylweddolais fy nghamgymeriad yn syth, a difaru.

Rhaid bod y felan wedi cydio ynof yn ystod Gŵyl Werin Dolgellau. Wrth wrando ar Dafydd yn canu ei gân a sylwi ar ddyrnau'r gynulleidfa yn yr awyr dechreuais feddwl a oedd o'n gystal syniad â hynny ein bod ni 'yma o hyd'? Roedd rhywbeth diflas iawn ynglŷn â byw ar erchwyn dibyn. Gwell fyddai gen i fyw yn y gorffennol pan oedd y Gymraeg mor naturiol ag awyr iach i bobl. Gwell fyddai gen i fyw yn y dyfodol pan fyddai'r Gymraeg yn farw gelain; pan na fyddai unrhyw ddiben poeni yn ei chylch – rhyw adeg 'blaw rŵan' fel yr wyf yn ei ddweud yn y nofel. Gellir dweud fod hwn yn gyfnod diflas pan na allwch roi'r gorau i frwydro, ac eto mae'n amlwg nad oes fawr o obaith am wellhad. Dyna fan cychwyn y nofel, y syniad y gallai 'yma o hyd' olygu syrffed, petaem yn ddigon dewr i gydnabod hynny.

Y mis Medi hwnnw ym 1983, gadawodd Ffred fi ar draeth Dinas Dinlle, a daeth Dad a Mam yno i'm codi a mynd â mi am wyliau gyda hwy yn y garafán. Cymaint oedd ofn fy nhad y deuai'r heddlu gyda warant i'm restio fel na chredai ei bod yn saff i mi gael fy ngadael ym Mron Wylfa. Doedd ei ofnau ddim yn ddi-sail. Y munud y deuthum adref o'r gwyliau, cyrhaeddodd yr heddlu a mynd â mi i Risley. Roedd Dad wedi cael digon ar straen y carchariadau ac fe'm rhybuddiodd y byddai yn talu y tro nesaf y cawn fy nghymryd i garchar. Dadleuai fy nhad a minnau am oriau ynglŷn â hyn. (Credaf mai tan chwech o'r gloch y bore y parodd y ddadl hwyaf rhyngof i a Dad!) Mynnwn i fod gennyf yr hawl i wneud safiad, mai mater o hawl personol ydoedd. Dadl fy nhad oedd 'mod i'n aelod o deulu ac roedd fy ngharchariadau yn cael effaith uniongyrchol ar y teulu. Hyd y gallai ef weld, roeddwn wedi cael gwneud fy safiad sawl tro, ac yr oedd pen draw ar yr hyn y gallai teulu ei oddef. Byddwn i'n cymharu y sefyllfa gyda'r hyn oedd wedi digwydd rhwng fy nhad a'm taid. Dewisodd fy nhaid fod yn wrthwynebydd cydwybodol yn ystod y Rhyfel Byd Cyntaf, ond nid dyna fu dewis fy nhad yn yr Ail Ryfel Byd. Teimlodd ef fod yn rhaid iddo ymladd Ffasgaeth ac amddiffyn ei deulu. Dadleuwn innau fod fy nhad wedi gwneud dewis ar sail cydwybod ac roeddwn innau hefyd yn mynnu'r hawl hwnnw. Byddem yn dadlau am oriau maith a chredaf fod fy nhad yn gwirioneddol gredu fod carchariadau yn cael effaith arnaf. Efallai mai ar fy mam oedd hi waethaf yn ceisio cadw'r ddysgl yn wastad rhyngom. Gallai ddeall cryfder fy nheimladau i, a dwyster gofid fy nhad, a châi ei rhwygo rhwng y ddau ohonom. Cyfaddawd fy nhad oedd caniatáu i mi fynd i garchar ym 1983 – er mwyn i'r carchariad gael sylw – ond cadwodd at ei air y byddai'n talu'r ddirwy yn y man.

Ym mis Medi 1983 felly y digwyddodd fy ngharchariad byrraf. Wedi tridiau yn unig, dywedwyd wrthyf fod fy nirwy wedi ei thalu a bod gennyf yr hawl i gerdded yn rhydd. Tu allan, dyna lle roedd y teulu yn disgwyl amdanaf. Roeddwn i'n gandryll, ac yn waeth na dim, nid oedd neb yn deall fy nghynddaredd. I mi, y rhan anoddaf o garchariad ydi'r paratoi o flaen llaw. Rydych yn caledu eich hun, yn ysu am i ddyddiad y carchariad ddod, a phan gewch eich cymryd i mewn yn y diwedd, rydych 'i lawr allt'. Y cyfan sydd yn rhaid i chwi ei wneud ydi disgwyl am ddyddiad eich rhyddhad, ac y mae yr hunllef ar ben. Yr ydych wedi bod trwy'r sgarmes gyda'r Sefydliad, dydyn nhw ddim wedi llwyddo i'ch torri, ac y mae rownd arall ar ben. Am bob diwrnod yr oeddwn i yng ngharchar, yr oedd fy ewyllys i ymgyrchu yn cryfhau. Pan dalwyd fy nirwy, roeddwn i wedi cael fy lluchio o'r cylch a doedd gen i affliw o ddim i gwffio yn ei erbyn. Dyna sut y gwelwn i bethau – yn gwbl groes i bawb arall.

Yr hyn ddeilliodd o'r cyfan oedd y nofel *Yma O Hyd*. Caeais fy hun yn fy stafell am yn agos i dair wythnos a cheisio mynegi'r cymhlethdod profiadau a deimlwn. Roedden nhw'n gawdel go iawn – yn chwerwder, casineb a rhwystredigaeth. Yr oedd gennyf ddigon o amser ar fy nwylo, gan fy mod wedi paratoi i fod yng ngharchar am fis, nid oedd dim yn galw, ac nid oedd dim i'w wneud. Oni bai am yr ysgrifennu, wn i ddim beth fyddwn i wedi ei wneud. Mae'n rhaid fod yr holl ymgyrchu yn fwrn ar brydiau. Un fantais o fynd i garchar oedd bod rhywun yn cael gorffwys o straen yr ymgyrchu hwn. Pa anfanteision bynnag oedd yng ngharchar, un fantais fawr oedd nad oedd neb ar eich gofyn yn dragwyddol i achub Cymru. Ceisiais fynegi hynny hefyd yn y nofel.

O ran cymeriadau a fframwaith, tynnais ar ddrama Saunders Lewis, *Cymru Fydd*. Yn y ddrama honno, mae'r prif gymeriad, Dewi, yn torri i mewn i garej ac yn lladrata ugain punt. Gwna hyn wedi iddo fod ym mhrotest Cymdeithas yr Iaith yn Nolgellau a gweld y plismyn a'r bobl leol yn troi ar y protestwyr. Mae'r weithred o ladrata o'r garej yn ymgais i dorri ei hun oddi wrth y Cymry merfaidd hynny nad oes ganddynt 'barch i'w gwlad na'u hiaith, am nad oes ganddyn nhw ddim parch iddyn nhw eu hunain'. Diwedd Dewi yw ei fod yn cyflawni hunanladdiad. Cymerais gymeriad Dewi, ei droi yn ferch, a'i galw yn Blodeuwedd. Ceisiais feddwl beth fyddai dyfodol Blodeuwedd pe na bai yn dewis lladd ei hun. Ei gofid hi yw iddi fod yn brotestwraig iaith, ond i'w dirwy gael ei thalu. Mewn ymgais i ddychwelyd i noddfa'r carchar, mae'n torri i mewn i siop ac yn achosi difrod diystyr. Tua diwedd y nofel mae rhywbeth tebyg i ffrwydrad niwcliar yn digwydd. Yn lle cael lloches dan fwrdd y gegin (sef awgrym yn Llawlyfr y Llywodraeth ar y pryd), mae'r Cymry yn ceisio lloches yn noddfa'r genedl, dan gysgod pabell yr Eisteddfod Genedlaethol. Cânt ysbrydoliaeth yn gwrando ar ganwr yn canu, ac maent yn mentro allan yn ddewr. Daeth y syniad am yr olygfa olaf wrth imi ddychwelyd yn ôl i faes carafannau'r Eisteddfod un noson. Cofiaf glywed llais Dafydd Iwan yn canu drwy'r uchelseinydd, a rhyfeddu fod un pafiliwn yn gallu dal cenedl gyfan. Tra oeddwn yn synfyfyrio ar fy mhen fy hun, agorodd y dorau, ac mewn dim, llifodd cannoedd o bobl drwyddynt, a'm hamgylchynu. Cymry oeddent i gyd, gyda gwên ar eu hwynebau, wedi cael noson lawen werth chweil. Ni ddywedodd neb 'run gair wrthyf, ac eto, gwyddwn mai fy mhobl i oeddynt. Roedd o'n brofiad cofiadwy.

Cymharwyd arddull *Yma O Hyd* i arddull Morgan Llwyd; nodwyd fod y Piwritan yn poeni mwy ynglŷn â throsglwyddo ei neges nag ydoedd am ei grefft, ac yr oedd yr un peth yn wir amdanaf i, yn ôl un adolygydd. Diau fod gwir yn hynny. Roedd gen i genhadaeth bendant i'w phregethu, er y credwn fod yn rhaid i'r neges honno gael ei chyflwyno yn ddifyr ac yn ddarllenadwy. Prys Morgan oedd un o feirniaid y gystadleuaeth, a chredai ef fod angen ffurfioli peth ar yr iaith. Daeth Robat Gruffudd ataf a holi a oedd yn fwriad gen i gyhoeddi'r gwaith. Ei farn ef oedd y dylid cyhoeddi'r gwaith fel y'i hysgrifennwyd, a dyna ddigwyddodd. Yn dilyn cyhoeddi'r nofel, derbyniais Wobr Griffith John Williams a Gwobr Cyngor y Celfyddydau am Lenor Ifanc y flwyddyn.

Ysgrifennwn ambell stori fer ar gyfer radio neu gylchgrawn, ond rhywbeth a roddai lawer mwy o fwynhad i mi oedd gwaith a wnes ar gyfer y cylchgrawn merched, *Pais*. Cyfweliadau gyda phobl oedd y rhain, megis Eigra Lewis Roberts a Gwyn Llewelyn. Byddwn wrth fy modd yn cael trwydded i holi perfedd person a gweld beth oedd yn ei symbylu fo neu hi. Yn nyddiau cynnar delfrydgar S4C, pan oeddent yn darparu cylchgrawn Cymraeg i wylwyr, byddwn yn sgwennu ambell waith i *Sbec*, megis rhoi rhagflas o ffilm oedd ar fin cael ei dangos, ac yr oedd y gwaith hwnnw yn bleser pur.

Nid yw swm a sylwedd yr hyn a ysgrifennais yn ystod yr Wythdegau, ar wahân i gyfres Rwdlan, yn fawr iawn. Yr unig beth y byddwn yn cyfrannu'n rheolaidd iddo oedd *Tafod y Ddraig*. Tua diwedd yr Wythdegau, roeddwn yn cyfrannu colofn fisol o ryw fil a hanner o eiriau i *Barn*. Ysgrifau ar bwnc o'm dewis i fyddai'r rhain, rhyw fath o fyfyrdod ar rywbeth a aeth â'm bryd, a byddwn yn mwynhau eu cyfansoddi. Byddai ysgrifennu rhywbeth fel hyn yn dod yn llawer rhwyddach i mi na chreu o'r dychymyg, ac oni bai fy mod yn cael fy ngorfodi i gyfansoddi stori fer, ni fyddai'n dasg y byddwn yn ei gwneud o'm gwirfodd. Weithiau rwy'n meddwl 'mod i'n fwy o ohebydd nag o awdur. Os oes dewis rhwng ymgyrchu ac ysgrifennu'n greadigol, yr ymgyrchu gaiff y flaenoriaeth. Mae ysgrifennu llythyr, taflen neu lyfryn gymaint haws, mae gan rywun ddyddiad pendant i anelu ato, a chaiff canlyniad y gwaith ei weld yn syth. Does yna ddim y fath frys efo sgwennu creadigol.

Pan adroddais hanes bywyd Bodo, chwaer Nain, i Karl, cofiaf ef yn dweud y byddai'r hanes yn gwneud 'stori dda'. Ddaru mi ddim ystyried hynny o ddifri nes iddi farw. Roeddwn i eisiau cofnodi y bywyd hwn ar ryw ffurf neu'i gilydd. Nid bod yna ddim byd anghyffredin yn ei gylch. Ganed Gladys Williams, merch i reolwr banc o Fethesda, ar ddiwedd y bedwaredd ganrif ar bymtheg. Bu ei mam farw pan oedd hi'n ferch ysgol a lladdwyd brawd iddi yn un ar hugain oed yn y Rhyfel Byd Cyntaf. Bu farw ei chariad yntau, a threuliodd ei hoes yn hen ferch yn gofalu am ei thad yn nhref Llandudno. Roedd hi'n tynnu at ei thrigain pan anwyd fi, felly dim ond fel hen wraig y cefais ei hadnabod. Hi ddysgodd i mi, mewn modd ymarferol iawn, ystyr henaint. Bu'n byw gyda ni am gyfnod. Wedi iddi farw ym 1990, y testun ar gyfer y Fedal Ryddiaith yn Eisteddfod yr Wyddgrug 1991 oedd 'Y Daith'. Bûm yn meddwl am hir am y testun a datblygodd syniad. Cofiais am daith a wnes gyda Bodo (sef enw y teulu arni gan fod mwy nag un Gladys.)

Pan fu raid i Bodo fynd i gartref henoed yn y diwedd, roedd gen i biti drosti, ac wedi i mi basio fy mhrawf gyrru (a minnau bron yn 30 oed!) euthum i'w gweld a chynnig mynd â hi i unrhyw le y dymunai. Dychmygais y ddwy ohonom yn cael mynd am de i gaffi, neu fwynhau hufen iâ yn yr haul. Roedd ateb Bodo yn un go annisgwyl. Ei dymuniad oedd ymweld â bedd ei chwaer, Grace, ym mynwent Coetmor, Bethesda. A'n helpo. I wneud taith o'r fath, dylwn fod wedi cael rhywun i'm helpu oherwydd erbyn hynny, roedd Bodo mor fusgrell fel na allai gerdded heb gymorth 'pulpud'. I ffwrdd â ni ac roedd ei chael allan o'r car ger y fynwent ym Methesda yn dipyn o strach. Buom yn chwilio am y bedd am beth amser, a minnau'n bryderus beth fyddai'n digwydd petai Bodo yn syrthio gan nad oedd yna'r un adyn byw ar gyfyl y lle. O'r diwedd, deuthum o hyd i'r bedd ac edrychodd Bodo arno.

'Dyna biti,' meddai, 'fedra i ddim gweld y geiriau. Fedrwch chi eu darllen i mi?'

Trawyd fi gan eironi'r sefyllfa. Petawn wedi dychmygu ymweliad â mynwent yng nghwmni hen wraig, ni fyddwn wedi meddwl am sefyllfa dristach. Wedi'r holl ymdrech, ni allai Bodo weld yr hyn a ddymunai. Y daith honno i fynwent Coetmor gaiff ei disgrifio ym mhennod olaf *Si Hei Lwli*. Dydw i ddim wedi newid fawr arni, doedd dim pwynt. Roedd yr hyn a ddigwyddodd mewn bywyd go iawn yn rhagori ar unrhyw beth y gallai'r dychymyg ei greu.

Wrth i mi gwblhau fy nghyfnod yng Nglynllifon yn sgrifennu *Sothach a Sglyfath*, gwyddwn mai deufis yn unig oedd gennyf i sgwennu nofel ar gyfer y Fedal Ryddiaith. 'Y Daith' fyddai'r daith a wnes gyda Bodo o'r cartref henoed i'r fynwent. Tra ar y daith honno, byddwn yn symud yn ôl a 'mlaen mewn amser i fyfyrio ar effaith amser ar bobl. Yn ystod y daith, byddai'r hen wraig a'r wraig ifanc, yn dod i adnabod ei gilydd yn well. Dyna fi wedi cael y syniad a'r fframwaith. Yr unig beth arall yr oeddwn ei eisiau oedd llonydd. Y fan lle cefais hwnnw oedd Ballygurteen yn Iwerddon. Cyn teithio yno, roeddwn i wedi casglu lluniau, llythyrau a phob math o bethau fyddai'n help i ddeffro atgofion. Nid oedd angen yr un ohonynt. Eisteddais i lawr wrth y ddesg yn Iwerddon, gafael mewn ysgrifbin a dechrau sgwennu. Llifodd yr atgofion yn ôl i mi. Erbyn dydd Nadolig, roeddwn i'n sgwennu tua thair mil o eiriau y diwrnod. Mae *Si Hei Lwli* a *Wele'n Gwawrio* yn cychwyn gyda'r Nadolig yn gefndir – am y rheswm syml 'mod i'r munud olaf yn eu sgwennu! Ar gyfer y prosiect hwn hefyd, roeddwn i wedi buddsoddi mewn prosesydd geiriau symudol. Roedd yn beiriant dipyn mwy anhylaw na'r 'laptops' modern ddaeth ar y farchnad wedyn, ond bu'n was ufudd i mi am ddeng mlynedd. Wyddwn i ddim am y peiriannau hyn cyn eu prynu. Y cyfan wnes i oedd mynd i siop ym Mangor a gofyn am brosesydd geiriau y gallwn ei roi yn fy nghar i fynd i 'Werddon. Dyna sut y cefais yr unig frawd fu gen i – y Brother WP1.

Roedd ysgrifennu drwy gydol y dydd yn ormod o dreth i'r meddwl, felly yn aml yn y pnawn, byddwn yn mynd am dro yn y car – dyna pam y mae llawer o sôn am y car yn *Si Hei Lwli*! Gan mai taith mewn car oedd y ffrâm i'r llyfr, roedd rhaid i bopeth ddigwydd o fewn y ffrâm honno. Hoffodd Meg Elis, un o'r beirniaid, yr enw 'Eleni' ar y ferch ifanc. Daw'r enw o gerdd Llywarch Hen am ddeilen,

'Hi hen, eleni ganed'

Y diffyg pennaf gyda gweithio mor ddyfal ar yr un peth drwy'r dydd, a cheisio tanio dychymyg a pheri i'r atgofion lifo, oedd na allwn atal y llif hwnnw pan ddeuai'r nos. Cawn drafferth mawr i fynd i gysgu, ac roedd hi'n ddau o'r gloch y bore yn aml arnaf yn noswylio. Nid oedd teledu yn y tŷ i mi gael ymlacio wrth ei wylio, a'r unig lais y byddwn yn ei glywed yn aml yn ystod y dydd oedd cyflwynwyr y rhaglenni radio Gwyddelig. Rhyw flwyddyn ynghynt, yn un o'r *Fleadhs*, minnau'n rhyfeddu at ddawn un Gwyddel gyda'i ffidil, dywedodd gwraig wrthyf mai'r cyfan oedd rhaid ei wneud i ddysgu chwarae'r ffidil oedd ymarfer yn ddyddiol. Yn Sligo, prynais ffidil, ac yn niffyg athro i'm dysgu, prynais lyfr i'm dysgu sut i'w chwarae. Daeth y ffidil gyda mi i Iwerddon. Bu fy rhieni yn oddefgar iawn yn gwrando ar sŵn ansoniarus ffidil yn cael ei chwarae gan eu merch, ond y fantais yn Iwerddon oedd nad oedd neb arall yn rhannu tŷ gyda mi. Aeth wythnosau maith heibio cyn i mi ddeall ei bod yn bosibl clywed y ffidil yn glir o'r tu allan i'r tŷ. Rhaid fod trigolion amyneddgar Ballygurteen yn falch iawn o weld y fewnfudwraig yn mynd! 'Blow-ins' oedd eu gair hwy am fewnfudwyr.

Weithiau, tra'n sgwennu'n brysur i geisio cwblhau'r dasg, teimlwn fod y gwaith yn colli ei sbarc. O sgwennu'n ddi-stop, roedd perygl i'r broses droi yn un fecanyddol bron. Un dydd, rhoddais y gorau i sgwennu wrth y ddesg, gafaelais mewn dalen lân a dechrau sgwennu pennod newydd. Gadewais i'r dychymyg ddianc heb roi unrhyw gyfyngiadau arno. Yr hyn ddatblygodd oedd disgrifiad o'r car a'r ddwy wraig ynddo yn codi o'r ddaear ac yn hwylio drwy'r awyr. Yn y diwedd, agorodd y drysau a disgynnodd y ddwy ferch allan ohono yn hamddenol a blodau'n syrthio'n gawod ar eu pennau. Trodd yr hen wraig yn wraig ifanc osgeiddig, a glaniodd y ddwy ar ddarn o laswellt ir.

Rhoddais y papur i lawr a darllen yr hyn roeddwn i

wedi'i ysgrifennu gan geisio gwneud synnwyr ohono. O'i ddarllen mewn gwaed oer, hawdd fyddai meddwl fy mod dan ddylanwad cyffur go gryf. Ni fyddai'r fath ddarn yn ddealladwy, – feiddiwn i ei gynnwys yn y nofel? Penderfynais wneud hynny, ac nid wyf wedi difaru. O edrych yn ôl, roedd y darn hwn yn cyfleu hanfod y nofel – yr oedd yn gwireddu awydd y ferch ifanc i weld yr hen wraig yn diosg ei henaint. Mewn gwirionedd, petai modd atal effaith amser am eiliad, dyma fyddai'n digwydd. Dwy ferch yr un fath â'i gilydd ydyn nhw. Yr unig beth sydd yn eu gwahanu yw bod un wedi ei geni drigain mlynedd cyn y llall. Sylweddolais mai'r un meddyliau sydd gennym drwy gydol ein bywydau, ac mai'r unig beth sy'n newid mewn gwirionedd yw ein gwedd allanol. Yn ddeg ar hugain oed, doeddwn i ddim yn teimlo'n wahanol iawn i'r hyn oeddwn yn ugain oed, ac yn ddeugain oed, diau mai'r un person a fyddwn. I mi, roedd hwn yn sylweddoliad mawr, ac wrth sgwennu *Si Hei Lwli* y daeth i mi.

Tra oedd fy rhieni yn ymweld â mi, cefais eu barn hwy ar y gwaith. Byddaf wastad yn dangos fy ngwaith i bwy bynnag sy'n fodlon ei ddarllen (teulu bob tro) ac yn gwerthfawrogi barn arno. Ar gais fy mam, newidiais enw'r prif gymeriad i fod yn Bigw yn lle Bodo. Cofiaf yr adeg pan gwblheais y dasg. Yr oedd angen cael tri chopi o'r gwaith yn nwylo'r Eisteddfod erbyn dydd olaf Ionawr. Cefais gryn drafferth i wneud tri chopi o waith cant a hanner o dudalennau mewn pentref mor fach â Clonakilty! Bu cyfreithiwr clên yn ddigon hynaws i adael i mi fenthyg ei beiriant dyblygu am fore, ac yn y diwedd fe'i postiais i'r Wyddgrug gan ffonio adref i ofyn iddynt gael sicrhad gan yr Eisteddfod fod gwaith 'Lwli' wedi cyrraedd. Cefais wybod nad oedd y gwaith wedi cyrraedd y diwrnod canlynol. Wrth ddod o'r ciosg wedi cael y wybodaeth yna, fe fyddai disgwyl i mi fod yn benisel iawn. Wedi'r cwbl, roedd posibilrwydd real fod y llawysgrif wedi mynd ar goll rhwng Dún Laoghaire a Chaergybi. Falle ei bod yn gorwedd yng ngwaelod y môr. Rhyfeddais ataf fy hun yn teimlo mor ddi-hid. Ond i mi, hyd yn oed pe na bai'r llawysgrif yn cael ei chanfod byth, roedd y dasg wedi ei chyflawni a'r gwaith wedi ei wneud. Yr oedd bywyd Bigw wedi ei gofnodi, ac yr oeddwn wedi cael gwared o faich.

Yn ffodus, cyrhaeddodd y llawysgrif Swyddfa'r Eisteddfod o fewn deuddydd, a thrwy gyfrwng llythyr ym mis Mehefin, cefais wybod 'mod i'n fuddugol yng nghystadleuaeth y Fedal. Roedd hi'n braf cael y fath newydd, y ffaith fod tri beirniad o leiaf yn ystyried y gwaith yn deilwng o'r Fedal. Ar wahân i'r teulu agosaf, cedwais y newyddion yn gyfrinach, a phan fyddwn yn teimlo'n isel, roedd cofio am wobr y Fedal yn deimlad cynnes y tu mewn i mi. Bu wythnos Eisteddfod yr Wyddgrug yn un ddigon helbulus. Cefais fy arestio ddydd Llun am i mi beintio 'Bwrdd Esgusodion' ar uned Bwrdd yr Iaith Gymraeg a chefais fy hebrwng oddi ar y maes gan yr heddlu. Erbyn dydd Mercher, roedd pwysigion yr Eisteddfod yn fy hebrwng ar hyd y maes wedi i mi ennill y Fedal. Lle felly ydi Cymru, weithiau maen nhw yn eich cicio, dro arall, maen nhw'n canu eich clodydd. Bu bron iawn i mi fod yn hwyr ar gyfer seremoni'r Fedal. Dyna lle roeddwn i ym mhabell Cymdeithas yr Iaith yn ceisio ymddwyn yn naturiol a

Dad yn rhuthro ataf i ddweud y dylwn fod yn fy sedd yn y Pafiliwn. Roedd fy oriawr wedi stopio – y tro cyntaf iddi wneud hynny! Rhaid ei bod yn synhwyro nerfusrwydd fy nghorff! Brasgamais ar draws y cae i fod yn y Pafiliwn ar gyfer y gystadleuaeth oedd yn rhagflaenu Seremoni'r Fedal. Caeodd y stiward brwd y drws yn fy wyneb a bu rhaid i mi grefu arno,

'Mae 'na reswm pendant pam y dylwn fod yn fy sedd cyn y seremoni nesaf,' meddwn, gan obeithio nad oedd sawl un yn defnyddio'r un tric i gael mynediad.

Gofynnodd llawer i mi sut brofiad yw sefyll ar eich traed i dderbyn un o wobrau'r Eisteddfod. Yn fy achos i yn Yr Wyddgrug, roedd peth amheuaeth o du'r Wasg 'mod i wedi sefyll i fynegi protest ynglŷn â rhyw bwnc neu'i gilydd (yn enwedig gan mai crys 'Deddf Iaith' a wisgwn). Cymerodd rai eiliadau iddynt sylweddoli fod gen i reswm dilys iawn dros sefyll ar fy nhraed tra oedd pawb arall yn eistedd! Ar y pryd, ymddangosai fel amser maith nes i'r osgordd fy nghyrraedd i'm hebrwng, yna roedd taith hir i fyny i'r llwyfan. Cyffelybais gymeradwyaeth torf yr Wyddgrug i 'gariad cenedl yn cael ei lapio amdanoch', a fedra i ddim rhagori ar y gyffelybiaeth honno. Dyna'r peth agosaf, am wn i, i'r hyn a deimla chwaraewr rygbi wedi iddo sgorio cais dros Gymru. Ydi, mae'n anrhydedd fawr, gofiadwy.

Byddwn yn edrych ar y Rhestr Testunau bob blwyddyn i weld beth oedd testun y Fedal ac weithiau y pwnc fyddai 'Storïau byrion yn ymwneud â'r ffug-wyddonol' neu 'Nofel wedi ei lleoli yn y dyfodol', ac ni fyddai hynny yn tanio unrhyw frwdfrydedd ynof. Credaf mai Robin Llywelyn enillodd y Fedal ar y testun olaf hwnnw yn Eisteddfod Aberystwyth gyda'i gyfrol *Seren Wen ar Gefndir Gwyn*. Adeg y seremoni honno, roeddwn i ar set y BBC yn rhoi fy marn ar y feirniadaeth a'm hargraffiadau o'r gwaith buddugol. Cofiaf gael fy swyno gan deitl nofel Robin, gan mor wreiddiol a gwahanol ydoedd. Mynnais gael un o'r copïau cyntaf, ac wrth i'r teledu ffilmio'r Orsedd yn gadael y Pafiliwn, byseddais yn sydyn drwy'r gyfrol. Hyd yn oed wrth fras-ddarllen rhai tudalennau cyn rhoi sylwadau, roeddwn i'n credu fod gen i gyfrol go unigryw yn fy nwylo. Yr hyn mae Robin Llywelyn a Mihangel Morgan wedi ei wneud yw dod â rhywbeth cwbl ffres i'n rhyddiaith. Cefais fy ysbrydoli gymaint gan nofel Robin fel y teimlais yr awydd i sgwennu yn syth. Llogais y llety oedd gen i yn Aberystwyth dros yr Eisteddfod am wythnos arall, a cheisio rhoi pin ar bapur. Ond y munud y gadawodd fy ffrindiau, diflannodd yr hwyl a'r asbri, a'r unig beth oedd gen i'n gwmni oedd tâp newydd Steve Eaves, 'Croendenau'. Yn aml iawn, mae cerddoriaeth gyfoes yn gallu bod yn fwy o ysbrydoliaeth i mi na dim. Mae caneuon Twm Morys wedi rhoi syniadau rif y gwlith i mi.

Fodd bynnag, hyd yn oed o gael wythnos gyfan i sgwennu a llety ar lan y môr a chasét Steve Eaves, fedrwch chi ddim mynnu bod yr awen yn dod. Rhaid dweud fod testun y Fedal y flwyddyn ganlynol, 1993, 'Cyfrinachau' yn un mwy dengar. Yr oedd yn rhaid i mi roi cynnig ar hwn. Bûm yn chwarae efo'r gair, ei dorri yn ei hanner, a'i osod o chwith. Yn sydyn, cefais wedd newydd arno, achos o wneud hynny, daeth 'achau cyfrin'! Tra'n teithio yn y car; tra'n effro, tra'n cysgu; tra'n cerdded, tra'n dawnsio, roeddwn i'n gofyn, 'Achau cyfrin pwy allai y rhain fod?' Ni ddaeth yr un ateb.

Yna, digwyddodd rhywbeth na ddigwyddodd erioed o'r blaen wrth i mi gyfansoddi darn o waith. Cefais lun yn fy meddwl. Ar fy ffordd yn ôl o ryw gyfarfod yn Aberystwyth yr oeddwn, ac yr oedd hi'n noson olau leuad. Roedd y darlun a ddaeth i'm meddwl yn un graffig iawn. Yn y llun, yr oedd tri pherson. Safai gwraig ifanc o'r neilltu yn edrych i lawr ar ddau ddyn. Cwffio oedd y ddau ddyn a bu'n ymladdfa mor ffyrnig nes i un dyn farw o ganlyniad i ymosodiad y llall. Digwyddodd y cyfan yng ngolau lleuad. Bu'r darlun hwnnw yn ddigon i roi cychwyn ar nofel, yr un am yr achau cyfrin. Bûm am amser maith yn dyfalu pwy oedd y bobl a welais yn y llun a beth oedd eu perthynas â'i gilydd. Penderfynais mai'r ferch oedd y prif gymeriad. Ei brawd oedd un dyn, a'i chariad oedd y llall, a'r brawd oedd yn lladd y cariad. Wedi dyfalu pa drosedd fyddai'n cyfiawnhau adwaith mor gryf ar ran y brawd, dim ond un ateb oedd yn bosibl. Roedd y cariad wedi peri fod y chwaer yn feichiog, a hynny'n groes i'w dymuniad. Oedd, yr oedd wedi ei threisio. O'r digwyddiad hwnnw, roedd gobaith seilio nofel ar achau cyfrin. Sais oedd y cariad a Chymraes oedd y fam.

Ar y pryd, yr oedd cyfeillion i mi yn cael trafferth gyda'u cymdogion, a'r cymdogion hynny yn Saeson digywilydd. Clywais helbulon y gweryl hon yn gyson ac aeth pethau cynddrwg nes iddynt gyrraedd llys barn. Cam bychan oedd angen i ddychmygu pa mor ddrwg y gallai pethau ddatblygu rhwng cymdogion.

Un diwrnod ym mis Medi, gofynnodd cyfaill o

gerddwr, Sel Williams, a hoffwn ddod efo fo ar daith gerdded i Oerddwr. Yn ogystal â'r gwahoddiad, cefais gopi ganddo o ysgrif T.H. Parry-Williams, *Oerddwr*. Brawddeg olaf yr ysgrif honno gydiodd yn fy nychymyg,

'Y sawl na chredo, edryched yn Llyfr Melyn Oerddwr... oherwydd y mae llawer o hud y fan a'r lle yn ystod un cyfnod go bwysig wedi ei draethu, yn fabinogi digon bras ac anghelfydd yn aml, ar ddalennau cofnodol y gyfrol ryfedd ac ofnadwy honno.'

Beth yn y byd allai'r fath gyfrol fod? Beth oedd mor 'rhyfedd ac ofnadwy' amdani?

Penderfynais roi fy ateb fy hun. Llyfr Melyn Oerddwr fyddai'r llyfr y byddai mam yn ei ysgrifennu i'r plentyn yn ei chroth i egluro sut le oedd y byd.

Yn y diwedd, daeth y tri syniad at ei gilydd, – y llun dan olau'r lleuad, y cymdogion cwerylgar, a Llyfr Melyn Oerddwr. Byddai anghydfod am ffiniau, byddai'r Sais yn treisio'r ferch, a thra'n disgwyl y plentyn, byddai'r ferch yn cofnodi'r profiadau, a stori yr 'achau cyfrin', mewn llyfr hudol. Dylanwad arall oedd ffilm Peter Greenway, *Prospero's Books*. I ryw raddau, mae popeth ddaw i ran rhywun tra'n ysgrifennu llyfr yn cael ei larpio gan yr awdur ar gyfer ei ailbrosesu. Lleolwyd y nofel yn Rhyd-ddu a newidiais enw fferm sydd yno o Clogwyn y Gwin i Llwch Gwin. I wneud pethau'n anos, penderfynais y byddai'r prif gymeriad, y ddarpar fam, Awen, yn fud a byddar.

Pan euthum i weld Oerddwr, roeddwn yn dipyn o sinig, ac yn argyhoeddiedig fod Parry-Williams wedi ymestyn cryn dipyn ar ei ddychymyg tra'n ceisio cyfleu awyrgylch Oerddwr. Fodd bynnag, wrth inni nesáu at Oerddwr ei hun, tywyllodd yr awyr a daeth yn storm enbyd o fellt a tharanau. Diflannodd y storm yr un mor sydyn ag y daeth, fel sy'n digwydd mewn hen ffilmiau. Ond dyna sut y cefais fy ngolwg gyntaf ar Oerddwr a deuthum innau i'r casgliad ei fod yn fan hynod iawn. Dyna wers i mi am fod yn Domos yr Anghredadun.

Gyda'r syniad wedi ei lunio'n fras, y cyfan oedd angen ei wneud yn awr oedd sgwennu'r gwaith! Er mwyn cael llonydd i sgwennu y tro hwn, ymhell oddi wrth y ffôn a gwahoddiadau ffrindiau, euthum i dŷ a brynwyd gan fy chwaer yn Llanrug. Nid oedd Ffion wedi symud yno bryd hynny, yr oedd ar ganol cael ei ail-wneud; felly lle digon llwm ydoedd, y waliau yn foel, sment ar y llawr, a nemor ddim moethusrwydd bydol yno, dim hyd yn oed bwrdd a chadair! Yma y deuwn, i eistedd ar glustog, setlo yno yn gynnar yn y bore a gadael y lle yn hwyr y prynhawn. O un pen diwrnod i'r llall, chlywn i na siw na miw. Rhaid cyfaddef bod hynny yn help mawr i geisio dychmygu sut le oedd y byd i berson mud a byddar. Fodd bynnag, oherwydd natur y tŷ hwn, trodd y llyfr yn un digon mewnblyg. Gwyddwn fy mod yn ysgrifennu llyfr go ryfedd, ond roedd y testun wedi cydio ynof, ac ni allwn adael llonydd iddo. Yn fuan wedi Nadolig 1992, ffoniodd Karl fi a gofyn garwn i ddathlu'r Calan yn Sisili? Dydw i byth yn un i wrthod trip, ond poenwn am yr amser. Yr oedd dydd olaf Ionawr yn agosáu. Euthum â'r gwaith gyda mi i Sisili, ond wrth gwrs, ni sgwennais yr un gair tra oeddwn yno ac, o ganlyniad, collais wythnos o amser sgwennu. Mewn brys gwallgo wedi dod adre, treuliais ddiwrnod cyfan yn chwilio am le i ffoi iddo. Canfyddais dŷ yn Stratford upon Avon, a chyrhaeddais y diwrnod canlynol gan gau fy hun yno am dair wythnos. Yr unig drip oddi yno a gefais oedd taith ʻdeirawr i siarad yng Nghymdeithas Lenyddol Dolgellau a gyrru'n ôl yr un noson. O'r diwedd, gorffennais y gwaith a'i anfon i'r Eisteddfod Genedlaethol. Beirniadaeth ddigon anghyffredin a gefais: dywedodd un beirniad, Jane Edwards, y byddai'n well petawn wedi anfon y gwaith i Gystadleuaeth y Goron!

Fel gyda *Si Hei Lwli*, dysgodd *Titrwm* ryw wirionedd dwfn i mi. Tua diwedd y llyfr, mae'r cymeriadau yn dechrau amau a ydynt yn ddim ond cymeriadau o gig a gwaed, neu'n gymeriadau mewn stori. Petaent yn gymeriadau o gig a gwaed, gallent farw yn dawel, ond gan fod eu tynged wedi ei chofnodi mewn llyfr, maent yn bod yn dragwyddol – ar yr amod bod rhywun yn agor y gyfrol ac yn ei darllen. Oni bai bod rhywun yn gwneud hyn, mae eu bodolaeth yn gwbl ddiystyr. Euthum ar hyd y trywydd hwn a sylweddoli, oni bai fod y Gymraeg yn para yn iaith fyw, byddai'r llyfr ei hun yn gwbl ddiystyr. Rwy'n fwriadol amwys ar ddiwedd y nofel ynglŷn â dyfodol Titrwm (y baban yn y groth). Os na chaiff ei g/eni, nid yw'r llyfr yn cael ei ddarllen ganddo/i. Falle mai rhywrai yn y dyfodol ddaw o hyd iddo, pobl na all wneud pen na chynffon ohono. Dyma pam y rhoddais y frawddeg hon yng nghefn y llyfr,

'This is a mysterious book written in the Welsh language for an unborn child. A catalogue number for this book is not available in the British Library.'

Gelwais y plentyn yn Titrwm am nad oedd yn cyfleu gwryw na benyw. Daw o'r gân werin, 'Titrwm Tatrwm' sy'n cyfleu sŵn cerrig mân yn curo yn erbyn ffenestr i dynnu sylw cariad. Mae yna eironi yn hyn gan fod y fam yn fyddar, a brawddeg gyntaf y llyfr yw 'Glywi di 'nghuro?' Mae'r llyfr yn drwm dan ddylanwad barddoniaeth T.H. Parry-Williams ac mae'n cynnwys dyfyniadau o un o'm hoff gerddi,

'Tyred a gwrando, mae'r diferion glaw
Yn diflasu clywed cynnwrf yn y coed.'

Ni wn beth yw ystyr hynny, ond mae'n cyffwrdd rhywbeth yng ngwaelod fy mod. Byddwn wrth fy modd yn cael y ddawn i farddoni, yn enwedig i gynganeddu.

Y darn diwethaf o waith i mi ei gyfansoddi ar gyfer cystadleuaeth y Fedal oedd *Wele'n Gwawrio*. Sylwais wedi ei gyhoeddi fod teitl pob un o'm llyfrau yn deitl cân. Y testun ar gyfer Eisteddfod y Bala, 1997 oedd 'Y Canol Llonydd'. Hoffwn y testun yn fawr, ond mi barodd drafferthion mawr i mi. Y flwyddyn flaenorol, yr oeddwn wedi cael chwe mis gan Gyngor y Celfyddydau i ysgrifennu nofel, a doedd yr un syniad wedi dod. Dechreuais ofni bod ffynnon fy syniadau yn hesb. Darllenais y rhan fwyaf o waith Morgan Llwyd, ond ni ddeuthum ar draws yr union gymal, 'y canol llonydd'. Darllenais *Y Stafell Ddirgel* gan fod Marion Eames yn un o'r beirniaid i weld a oedd hi'n cyfeirio at y canol llonydd – dim lwc. Bûm yn chwarae gyda'r syniad mai rhywun wedi marw oedd 'y canol llonydd' ac ysgrifennais ddarn yn cymryd arnaf fy mod wedi marw. O ganlyniad, dioddefais o'r felan! Y syniad arall a gefais oedd mai lleian oedd y prif gymeriad ac am ddyddiau yr haf hwnnw, bûm yn gwrando ar gerddoriaeth Hildegaard Bingen o'r bymthegfed ganrif, yn ceisio dychmygu sut fywyd oedd bywyd lleian a beth fyddai ganddi i'w ddweud wrth bobl heddiw. Roedd pob syniad yn fethiant, pob un ond un.

Credwch neu beidio, y syniad o rywun wedi marw oedd yr un oedd yn dal i apelio ataf. Wedi i mi gael gwared o'r felan, sylweddolais na fyddai'n rhaid iddo fod yn llyfr digalon. Enghraifft o hyn oedd y llyfr *Epitaph of a Small Winner* gan ŵr o Brazil, Machado de Assis. Yn y llyfr hwn, mae'r awdur yn adrodd hanes ei fywyd, er ei fod wedi marw. Meddai,

> *'I am a deceased writer not in the sense of one who has written and is now deceased, but in the sense of one who has died and is now writing...'*

Hoffwn lais yr awdur hwn a synnais iddo gael ei sgwennu ym 1879! Erbyn hyn, roedd hi'n tynnu at ddiwedd y flwyddyn, ac yr oedd amser yn mynd yn brin unwaith eto. Deuthum i'r casgliad 'mod i'n berson all sgwennu dan straen yn unig. Ar noson olaf 1996, roeddwn i a Ben fy nghariad eisiau gwneud rhywbeth gwahanol, felly dyma fynd at yr Wyddfa efo'r syniad o groesawu'r flwyddyn newydd o'r copa. Gan ei bod mor oer, ddaru ni ddim cyrraedd ymhellach na Phen y Pás, mewn car na ddaethom allan ohono! Fodd bynnag, dyma roddodd yr egin syniad i mi.

Rai dyddiau yn ddiweddarach, roedd y ddau ohonom yn teithio i Dde Cymru a minnau'n poeni mwy nag erioed am y nofel. Wrth drafod y person wedi marw yn hel meddyliau mewn arch, gofynnodd Ben gwestiwn creiddiol,

'Ydi caead yr arch wedi cau?'

Unwaith y gofynnodd hynny, yr oedd y posibiliadau yn ddi-ben-draw. Cynlluniwyd y llyfr ar y cyd rhyngom yn ystod y daith honno. O beidio gwneud i'r cymeriad farw tan hanner ffordd drwy'r llyfr, yr oedd hynny yn hwyluso pethau'n fawr. Dyma drafod pryd yn union y byddai'n marw ac meddai Ben,

'Gallai farw ar Nos Galan ar drothwy'r Mileniwm!'

'Yn lle?'

'Ar ei ffordd i'r Wyddfa?'

'Doedd dim stop ar y syniadau wedyn. Er mor wallgof y swnient, roeddynt yn apelio ataf. Soniodd Ben am lyfr Salman Rushdie, *Midnight's Children,* a sut oedd y plant a anwyd am hanner nos yn meddu gallu arbennig. Pam na fyddwn yn troi'r syniad ben i waered a bod pawb a fyddai'n *marw* ar noson y Mileniwm â gallu arbennig ganddynt? Erbyn cyrraedd yn ôl o'r De, yr oedd ffrâm go bendant i'r nofel ac yr oedd gen i fis i'w sgwennu...

Y tro hwn, nid oedd amser i fynd i ffwrdd. Gyda tharged o bedair mil o eiriau bob dydd, rhaid oedd wrth ddisgyblaeth lem. Erbyn hyn, roedd gen i dŷ fy hun ac yn ystod y cyfnod hwn, nid oeddwn yn ateb y ffôn o gwbl. Rhoddais y bennod gyntaf i'm prif feirniad, fy mam, a doedd hi ddim yn rhy hoff ohoni. Fodd bynnag, dyma ddyfalbarhau gyda'r llyfr, a hwnnw'n mynd yn rhyfeddach gyda phob tudalen. Fe'i rhoddwn i wahanol aelodau o'r teulu i gael rhyw fath o ymateb. Gyda phob gwaith, mae 'nhad yn helpu yn aml gyda syniadau a Mam yn gwneud gwaith cywiro manwl. Erbyn y diwedd, roedd gen i 'nhad a Ben yn ffonio gyda gwahanol awgrymiadau, roedd pob math o syniadau yn ffrwydro yn fy meddwl innau, a gwyddwn eu bod yn ofer oni bai fy mod yn gallu eu rhoi i lawr ar bapur.

Ar ddydd olaf Ionawr, wedi gwneud y tri chopi, dyma yrru i lawr i Swyddfa'r Eisteddfod yn y Bala a chyflwyno'r gwaith. Does dim teimlad tebyg i drosglwyddo gwaith gorffenedig felly, ac ymadael ag o wedi'r fath fisoedd. Erbyn diwedd Mehefin, cefais alwad ffôn ddirgel,

'Mae'r Cnonyn Aflonydd yn fuddugol.'

'Pardwn?'

Ni allwn wneud unrhyw synnwyr o'r neges nes i'r sawl oedd yn galw fy atgoffa mai dyna oedd fy ffugenw ar gyfer cystadleuaeth y Fedal Ryddiaith! Unwaith drachefn, cafwyd y pleser o gadw'r gyfrinach a'i rhannu gyda'r teulu.

Un o'r pethau gorau am ennill yn y Steddfod ydi'r esgus i ddathlu wedi hynny. Pan enillais yn yr Wyddgrug, cafwyd dathlu ar y noson, ac yr oedd pawb yn llongyfarch. Rhyw bythefnos wedyn, roeddwn gartref ym Mron Wylfa pan ddaeth Branwen heibio a gofyn i mi ddod i gyfarfod o'r Gymdeithas yng Nghaernarfon. Doedd gen i fawr o amynedd, ond fe euthum – fel ag yr oeddwn, heb newid na brwsio fy ngwallt hyd yn oed. Ar ein ffordd i'r cyfarfod, dywedodd Branwen ei bod eisiau galw yn y Bakestone, tŷ bwyta heb ei ail yng Nghaernarfon. Euthum gyda hi, dringo'r grisiau, a dyna sioc – roedd y lle yn orlawn o ffrindiau ac roedd Branwen wedi trefnu parti dathlu'r Fedal! Roedd cymaint o hwyl ar bawb fel na ddaeth y parti i ben tan bedwar o'r gloch y bore, ac yr oedd Branwen wedi meddwl am bopeth. Ni fu gwahanu ar ôl y noson chwaith, parodd yr hwyl a'r gwmnïaeth am dridiau, gan gynnwys trip i'r De, i 'Barry Island', a Gŵyl Werin Pontardawe!

Fe fyddech yn meddwl ei bod yn amhosib twyllo rhywun yn yr un modd yr eildro, ond nid gyda Branwen. Wedi i mi ddod adre o wyliau'r haf ym 1997, dywedodd Branwen wrthyf fod pryd o fwyd wedi ei drefnu gan ffrindiau yn y Felinheli. Llwyddodd i'm hudo ymaith, a dywedodd fod yn rhaid iddi alw heibio Gwesty'r Palas Pinc ar y ffordd. Fe'i dilynais yn ufudd – i mewn i stafell hollol dywyll, a thaniwyd y golau. Unwaith yn rhagor, fe lwyddodd Branwen i gael dros hanner cant o ffrindiau a pherthnasau dan yr unto. Rhoddwyd blodau yn fy mreichiau, cacen o'm blaen a chefais gyfarchion dirifedi. Fedra i byth gyfleu fy niolchgarwch am nosweithiau fel hyn, a bydd yr atgofion amdanynt yn aros gyda mi am byth.

Dyna un fantais i sgwennu – partïon dathlu! Ac ambell waith, ceir digwyddiadau annisgwyl eraill. Yn fuan wedi cyhoeddi *Titrwm*, cefais alwad ffôn yn holi ai fi oedd wedi dangos diddordeb yn 'Llyfr Melyn Oerddwr', gan 'mod i wedi ei grybwyll ar raglen radio.

'Ia,' meddwn i, yn hollwybodus, 'ond does neb yn gwybod lle mae'r llyfr bellach.'

'Mi rydw i yn gwybod,' meddai'r llais y pen arall.

'Ydach chi?'

'Ydw. Mae o gen i yn fan hyn.'

A wir i chi, perchennog Llyfr Melyn Oerddwr oedd yn siarad â mi. Roedd ei phriod yn perthyn i deulu

Oerddwr, ac yr oedd y llyfr wedi cael ei gadw'n saff gan y teulu. Cefais wahoddiad i fynd draw i'w weld.

Siwrne ryfedd oedd honno i Lan Ffestiniog. Wedi meddwl cymaint amdano, wyddwn i ddim yn iawn a oeddwn eisiau gweld y llyfr go iawn, rhag ofn i mi gael fy siomi. Ond rhaid oedd mentro. Cyrhaeddais y tŷ, ac mewn dim, yr oedd y gyfrol ar y bwrdd o'm blaen. Ches i mo fy siomi. Yr oedd yn gyfrol fawr, drwchus, yn llawn hyd yr ymylon o doriadau papur newydd, cardiau post, cerddi a chyfarchion, rhai ohonynt yn llaw T.H. Parry-Williams ei hun a'i rieni. Rhyw ffurf ar lyfr lloffion anferth ydoedd yn cofnodi hanes un teulu Cymraeg o ddechrau'r ugeinfed ganrif tan y Pumdegau. Fe'i hystyriwn yn fraint fawr 'mod i wedi cael gweld y fath lyfr. Oedd, mewn rhyw ffordd od, yr oedd hi'n gyfrol 'ryfedd ac ofnadwy'. Ambell syndod fel yna ddaw i'ch rhan wrth sgwennu.

Un math arall o sgwennu yr ydw i wedi ymgymryd ag o ers 1993 yw sgwennu colofn wythnosol ar gyfer papur newydd. Hen gyd-fyfyriwr, Huw Prys Jones, neu 'Huw Llanrwst', ddaeth ar fy ngofyn a holi a fyddai gen i ddiddordeb mewn ysgrifennu colofn i'r *Herald*. Doeddwn i ddim wedi rhoi cynnig ar hyn o'r blaen, a chytunais, gan addo colofn bob pythefnos ar y dechrau. Ond y munud y deuthum i arfer â'r syniad, daeth 'Y Byd a'r Betws' yn golofn wythnosol. Rydw i'n ffodus 'mod i'n cael ysgrifennu am ba bwnc bynnag rwy'n dymuno, a does dim cyfyngu arnaf. Mae'n ddisgyblaeth dda, rhaid dweud; oni bai fod gen i fil o eiriau yn barod i'r Golygydd fore Mercher, rwyf wedi methu. Mae gen i edmygedd mawr o bobl fel Dr. R. Tudur Jones fu'n cyfrannu am flynyddoedd i'r *Cymro* a John Roberts Williams efo'i gyfraniadau di-dor am chwarter canrif i'r radio. Erbyn hyn, rwy'n ystyried y golofn yn rhyw ffurf ar ddyddiadur, ac o edrych yn ôl arni, gobeithio y bydd pobl y dyfodol yn cael rhyw syniad sut bethau oedd yn mynd â bryd Cymraes yng Ngwynedd ar droad yr unfed ganrif ar hugain.

Crwydro

Rydw i'n rhoi bai ar fy magwraeth. Ers y dyddiau hynny pan oedd fy rhieni yn llwytho'r garafán ar gyfer gwyliau arall, rydw i wedi cael yr ysfa i deithio. Mae'r syniad o dreulio noson oddi cartref a deffro mewn lle dieithr yn gwneud i mi deimlo'n gynhyrfus. Rhydd gyfle i'r annisgwyl ddigwydd, mae'n peri i mi fod yn effro i synau newydd a gweld pobl wahanol.

Wedi cael cymaint o blant, byddai tad call wedi rhoi'r gorau i'r syniad o wyliau, ond nid un felly yw fy nhad. Hyd yn oed â Ffion y fenga yn wyth mis oed, doedd hynny ddim yn esgus dros aros gartre. Ddiwrnod cynta' gwyliau'r haf, byddai fy nhad wrthi tan oriau mân y bore yn paratoi'r garafán. Codi am chwech y bore wedyn i dynnu'r garafán ddeunaw troedfedd i Rosneigr er mwyn bod wrth ei ddesg yn y gwaith am naw. Ac yna y byddem tan ddechrau Medi. Am chwe wythnos, byddem yn cael ein crasu gan yr haul, yn mwynhau rhyddid bendigedig efo tywod yn ein gwalltiau, rhwng ein bodiau ac yn ein dillad, heb hidio botwm. Dro arall, symudwyd y garafán i Ben Llŷn, a phan gâi Dad ei wyliau ef, caem dripiau dyddiol i Bwllheli, Cricieth, Morfa Nefyn a'r Bermo gan fyw ar sglodion a hufen iâ. Yr un drefn fyddai hi wedyn efo carafán lai yn mentro i'r Alban. Ar bob gwyliau, fe fyddai 'na drafferthion efo'r car – pynctiar mewn olwyn, brêcs yn methu, cael tractor i'n tynnu o fwd. Un tro – ym mhen pellaf yr Alban, bu'r car yn sâl iawn, a buom yn gwersylla tu ôl i garej am dridiau yn disgwyl iddo wella. Unwaith, yn Iwerddon, cafodd y car ei ddwyn a bu rhaid i 'nhad ganfod ffordd i dywys y garafán yn ôl i Gymru – heb gar! Ond deuem drwy bob anhawster a dysgais yr egwyddor yn gynnar nad oes fawr o sefyllfaoedd yn y byd na allwch chi ddod allan ohonynt. Os ydych chi yn ddigon anffodus i fod mewn sefyllfa amhosib, mae'n rhy hwyr i boeni!

Gyda magwraeth o'r fath, fe dybiech 'mod i wedi dechrau teithio fy hun o oedran cynnar iawn, ond nid felly y bu. Tra'n fyfyrwyr, cofiaf Fflur a minnau yn mynd i swyddfa deithio i holi am dripiau i Ffrainc i hel grawnwin, ond nid aethom yn bell gyda'r syniad hwnnw. Ar wahân i un gwyliau teuluol yn gwersylla yn Ffrainc, nid oeddwn wedi bod dramor o gwbl. Yr oeddwn yn tynnu tua'r deg ar hugain a 'rioed wedi teithio mewn awyren! Y ffaith amdani oedd nad oeddwn i y math o berson i hel fy mhac a theithio ar fy mhen fy hun i rywle (ar wahân i Iwerddon). Un o bleserau teithio yw cael rhannu rhyfeddodau gyda chyfaill, ac am bum mlynedd ar hugain, yr oedd gwyliau gyda'r teulu yn ddigon o antur. Yn y diwedd, aeth pawb ei ffordd ei hun a fi yn unig fyddai'n mynd ar wyliau'r garafán gyda fy rhieni.

Nid oedd cymaint â hynny o gyfle i deithio fy hun yn ystod hafau'r Wythdegau. Roedd pob haf yn cael ei dreulio naill ai'n cerdded o Fangor i Gaerdydd gyda Thaith Addysg, neu'n dringo deg copa yng Nghymru er mwyn codi arian i Gymdeithas yr Iaith. Un lle yr oeddwn yn awyddus i ddod i'w adnabod yn well oedd De Cymru a'r Cymoedd, ac ym 1985, dyma berswadio fy rhieni i fynd â'r garafán yno. Lle digon digalon oedd y Cymoedd rai misoedd wedi Streic y Glowyr, a doedd o ddim yn llawn twristiaid, rhaid dweud. Clywsom y newyddion am farw Saunders Lewis, ac uchafbwynt y gwyliau hwnnw oedd cael mynd i'w gynhebrwng. Roedd o'n gynhebrwng cofiadwy. Welais i 'rioed y fath groesdoriad o Gymry wedi ymgynnull mewn man mor anghymreig. Hwnnw oedd y tro cyntaf i'r mwyafrif ohonom fod yn agos i offeren Babyddol. Yr oedd llawer fel ni wedi dod yn ein dillad haf, ond odiach na hynny oedd gweld yr wynebau cyfarwydd. Wynebau cenedlaetholwyr oeddynt, wynebau yr oeddwn wedi arfer eu cyfarch yn llawen mewn rali, etholiad neu Steddfod. Doedden ni ddim wedi dod ynghyd mewn angladd o'r blaen. Gyda Dafydd Iwan, Dafydd Wigley, Meredydd Evans a Geraint Gruffudd yn ei chludo, daeth arch Saunders Lewis i'r golwg. Hwnnw oedd yr unig dro i mi weld y Ddraig Goch yn gorchuddio arch. Mae'n debyg gen i mai dyna'r peth agosaf i 'state funeral' Cymraeg i mi fod yn llygad-dyst iddo. Gresyn na chefais gyfarfod y cawr.

Gyda'r Gymdeithas y cefais y cyfle i deithio dramor heb y teulu am y tro cyntaf, a hynny ym 1986. Daeth gwahoddiad gan fudiad iaith o Gatalunya inni fynd draw i Farcelona am rai dyddiau. Nid oedd ganddynt arian i dalu yr un beseta inni at ein costau, ond yr oedd gwarant y byddai'r profiad yn un bythgofiadwy. Cytunais i fynd yn syth a neidiodd Karl a Dafydd Morgan Lewis at y cynnig hefyd. Ni chawsom ein siomi. Buom gyda chriw Crida yn peintio arwyddion Sbaeneg, yn dysgu am raglen o normaleiddio'r iaith Gatalaneg yn ogystal â

cherdded i lawr y Ramblas yn edmygu pensaernïaeth
Gaudi. Sylweddolais nad oedd Cymru ar ei phen ei hun
gyda'i brwydr dros yr iaith, ac yr oedd hynny'n gysur
rhyfedd. Yn fwy na dim, yr oedd pobl tu allan i Gymru
yn cael eu hysbrydoli gan ymgyrchoedd Cymdeithas yr
Iaith. O ystyried mai dim ond deng mlynedd oedd wedi
bod ers marw Franco, yr oedd Catalunya wedi gwneud
camau llawer brasach na Chymru.

Tra oeddem yn y wlad, cawsom y fraint o gyfarfod
Esyllt Lawrence, Cymraes a briododd fardd o Gatalunya,
Luis van de Pol. Wedi bod ar ffo ym Mecsico yn ystod y
Rhyfel Cartref, yr oeddynt yn byw erbyn hynny yn
Arenys de Mar, pentref glan y môr ger Barcelona.
Gwnaeth Esyllt waith cenhadol aruthrol dros Gymru a
chyfieithodd *Gŵr Pen y Bryn* Tegla Davies i'r Gatalaneg.
Ddeng mlynedd wedi'r ymweliad cyntaf hwnnw, cefais
gyfle i ddychwelyd i Barcelona i ŵyl benodol ar Gymru
yng nghwmni R.S.Thomas, Gwyneth Lewis ac eraill.
Byddai Esyllt Lawrence wedi bod wrth ei bodd yno, ond
bu farw rai misoedd ynghynt. Un syniad a hoffais yn
fawr yng Nghatalunya oedd fod Ebrill 23 yn ddydd
cenedlaethol y llyfr. Roedd yn arferiad gan bawb i brynu
llyfr i gyfaill neu gymar, a gyda'r llyfr, byddech yn rhoi
rhosyn. Mewn ysgrif i'r *Faner* wedi'r ymweliad cyntaf,
dywedais y byddwn wrth fy modd yn gweld Cymru yn
mabwysiadu'r syniad o 'Ddiwrnod y Llyfr' ac erbyn y
ganrif newydd, yr oedd wedi gwneud hynny.

Y flwyddyn ganlynol, gofynnodd Karl a hoffwn fynd
ar daith i'r Iseldiroedd gydag o. Er bod Karl wedi symud
i Lundain fel ymchwilydd Plaid Cymru, yr oeddem wedi
parhau mewn cysylltiad drwy lythyr. Ym mherson Karl

cefais gyfaill teithio heb ei ail a chawsom sawl antur dros y blynyddoedd. Roedd yn gymorth ein bod yn rhannu'r un synnwyr digrifwch a'r un diddordebau. Ar y gwyliau cyntaf hwnnw i'r Iseldiroedd, doedd gan yr un ohonom fawr o arian ond ddaru hynny mo'n rhwystro rhag cael pythefnos o fwynhad. Yn Amsterdam, cefais weld cartref Anne Frank, a rhoddodd hynny ddigon o fodd i fyw imi. Treuliasom rai dyddiau yn Friesland gyda chyfaill i Karl, a phrofiad newydd i mi oedd rhannu aelwyd gyda phobl na allwn ddeall gair o'u hiaith. Ar feiciau y gwelsom lawer o'r wlad, ac wedi gweld Delft, cartref Rubens, Antwerp ac eglwys gadeiriol Rotterdam, dyma gymryd y tocyn 'Benalux' oedd yn caniatáu teithio rhwng sawl gwlad. Aethom i weld Lwcsembwrg, picio i'r Almaen, gweld Brwsel a chael cip ar gartref Karl Marx ar y ffordd adref. Treuliasom oriau mewn siopau llyfrau ail-law, a Karl a'm cyflwynodd i un a ddaeth yn hoff awdures i mi, Isabel Allende. Gwnaeth y camgymeriad o roi benthyg *The House of the Spirits* i mi, a doeddwn i ddim eisiau codi fy mhen o'r llyfr wedi hynny!

Mae llyfrau weithiau yn gallu bod yn gyflwyniad i wlad, a dyna oedd yn gyfrifol am i mi ymddiddori yn Nwyrain Ewrop. Ar y pryd, yr oedd y Llen Haearn yn dal mewn bod, ac yr oedd swyn y gwaharddedig yn perthyn i'r rhan hon o'r byd. Robat Gruffudd a'm cyflwynodd i waith Milan Kundera, ac wedi darllen *The Unbearable Lightness of Being*, roedd yn rhaid i mi gael ymweld â Phrâg. 1988 oedd y flwyddyn, a honno'n un hanesyddol o edrych yn ôl. Karl, Dafydd a Richard Owen (o'r Cyngor Llyfrau) oedd fy nghyd-deithwyr. Ers i mi ddarllen am y tanciau Sofietaidd yn dod i'r wlad ugain mlynedd ynghynt, yr oedd yr enw Prâg wedi fy swyno. Fel y man cyntaf i mi ymweld ag o yn 'y Dwyrain', ymddangosai y lle yn llwm iawn heb hysbysfyrddau cyfalafol ym mhob man. Doedd dim sôn ychwaith am siopau cadwyn y corfforaethau megis McDonalds bryd hynny. Yn anffodus, gadewais y 'phrasebook' hanfodol ar y trên, a doedd neb o'r brodorion fel petaent eisiau helpu twristiaid. Gallech eistedd mewn caffi am hanner awr, neu giwio mewn siop, achos os nad oedd gair o Tsiec gennych, byddent yn eich anwybyddu. Buan y diflannodd y rhwystredigaeth hwn pan ddaethom o hyd i ogoniannau'r hen ddinas, y palas, pont Siarl a'r ardal Iddewig. Yr unig ddiflastod i mi oedd bwyta cabaij bob pryd, oherwydd wedi gweld y ffilm *Gandhi*, roeddwn wedi troi yn llysieuwraig! Gyda'r farchnad ddu yn rhemp, yr oedd bwyta mewn tai bwyta moethus yn arbennig o rad a'n hoff gyrchfan oedd yr Hotel Europa ar y brif stryd. Un waith darfu inni bechu'r heddlu lleol yn anfaddeuol drwy ganu 'Hogiau Ni' am hanner nos ar y prif sgwâr. Heb arfer gyda charidýms y Gorllewin, cymerodd yr heddlu ein teithebau, ac yr oedd perygl inni beidio eu cael yn ôl. Sobrodd hynny ni'n syth.

Wrth i'r gwyliau dynnu tua'r terfyn, hithau'n Awst 21, 1988, penderfynodd y Tsieciaid herio'r awdurdodau a chynnal gorymdaith i gofio digwyddiadau 1968. Yr oedd yn anodd credu eu bod yn meiddio gwneud y fath beth. Un o'r ychydig bethau a chwenychwn oedd baner genedlaethol y wlad, ond methais gael un yn unman. Ar noson yr 21ain, mynnais ein bod yn cael mynd i fusnesa a cherddasom y tu ôl i'r orymdaith, yn falch o gael teimlo yn rhan o hanes. Yn sydyn, gwelais yr heddlu yn dod

tuag atom a chŵn ffyrnig yn ysgyrnygu eu dannedd
arnom. Nid oeddwn eisiau uniaethu cymaint â hynny â'r
achos, a dyma ddiflannu'n sydyn! Ni fu'n brotest dawel,
a phoethi wnaeth teimladau erbyn diwedd Awst. Erbyn
heddiw, mae'r cyfan wedi newid ac y mae siopau rhyw,
McDonalds a Marks & Spencer wedi treiddio i Brâg. Wn
i ddim a garwn fynd yn ôl yno. Mae'n well gen i gadw'r
darlun sydd gen i, o le dieithr, amheus o dwristiaid ac un
o ddinasoedd hyfrytaf a mwyaf rhamantus Ewrop. Yno
hefyd y cefais un o nosweithiau hyfrytaf a thristaf fy
mywyd.

Erbyn y flwyddyn ganlynol, yr oedd Karl wedi bod yn
mynychu dosbarthiadau nos Eidaleg, ac yn awyddus i roi
cynnig ar siarad yr iaith. Dyna oedd y rheswm dros
dreulio tair wythnos yn crwydro'r Eidal. Yr oedd Karl
eisoes ar y cyfandir yn teithio a'r neges a gefais ganddo
oedd fy mod i'w gyfarfod o flaen La Scala, Milan am
saith o'r gloch ar ryw ddyddiad penodol. Llwyddais i
ddal yr awyren a chyrraedd Milan, ac am saith o'r gloch
roeddwn o flaen y tŷ opera enwog, ond doedd dim golwg
o Karl. Sefais yno fel pelican am deirawr cyn dechrau
anesmwytho. Heb weld Karl, dechreuais amau fy mod yn
y fan anghywir. Doedd bosib mai hwn oedd y drws cefn?
Yr oedd gen i ofn symud o'r fan, ond yr oedd yn rhaid i
mi gael rhyw fath o gadarnhad. Y drafferth oedd nad
oedd gen i air o Eidaleg.

'La porta La Scala?' gofynnais i rywun a aeth heibio.

'Si...'

Wyddwn i ddim beth oedd 'drws ffrynt' mewn
Eidaleg, a rhoddais gynnig truenus arni,

'La porta importante?'

Afraid dweud i'r brodor edrych yn rhyfedd iawn arnaf cyn ymadael. Am hanner nos, cafodd fy rhieni alwad ffôn o Milan i roi gwybod iddynt fod eu merch yn gwbl ddi-ymgeledd. Mae'r ddau wedi gorfod dioddef llawer o fy nghael i yn ferch iddynt! Yn y diwedd, euthum i gysgu i'r hostel ieuenctid agosaf, a phwy ddaeth ataf ar y bwrdd brecwast y bore canlynol ond Karl Davies – roedd y trên a ddaliodd o'r Almaen y noson cynt yn hwyr! Diau iddo gyrraedd yr hostel ieuenctid o'm blaen i!

Gwireddu breuddwyd oedd cael gweld gwaith Michelangelo yn Fflorens. Hud oedd codi yn y bore bach i weld myneich Assisi yn cerdded heibio. Wedi cael digon ar y gogledd soffistigedig, a chael ein siomi gyda llosgfynydd Vesuvius, dyma ddal y trên tua'r deheubarth. Hanner awr a gawsom yn Rhufain, a hynny ar yr orsaf yn aros am drên. Yr oedd peryglon Napoli yn ein denu, ac yna aethom dros y dŵr i Sisili i weld diwylliant gwahanol. Karl oedd wedi darllen nofel *Y Llewpard* ac eisiau gweld y wlad a oedd yn gefndir i'r nofel. Cawsom ymweld ag ynysoedd Môr Aegea ac aros noson ar losgfynydd Stromboli wedi gwneud ymdrech arwrol i gyrraedd y copa yn y nos. Rhaid dweud mai yn Palermo, prifddinas Sisili, y gwelais yr olygfa ryfeddaf. Mewn beddrod yno mae cannoedd ar gannoedd o sgerbydau yn cael eu harddangos – llawer yn dal wedi eu gwisgo, ambell un gyda het ar ei ben. Mae rhai yn gorwedd yn anghyfforddus ar silffoedd, eraill yn crogi o'r to. Welais i 'rioed ddim byd tebyg na chynt na chwedyn. Yr unig beth a'm llethodd oedd y gwres; dydi Sisili yng nghanol Gorffennaf ddim yn syniad da! Yn fy marn i, teithio ar eich liwt eich hun ydi'r ffordd orau o weld gwlad, gyda digon o lyfrau, cydymaith difyr, a dilyn eich ffansi.

Tra'n cofio Palermo yr haf hwnnw, daw un pryd bwyd arbennig yn ôl i'r cof. Nid yn gymaint oherwydd yr hyn oedd ar y plât, ond oherwydd testun y sgwrs. Hoff destun Karl a mi oedd llif hanes. Hynny ydi, pam mae hanes weithiau yn esgor ar newidiadau mewn ambell oes, a pham mae cyfnodau eraill yn ddistawach? Ai pobl sydd yn creu hanes, neu a oes gan hanes ryw fath o fywyd ei hun? Roedd Karl yn grediniol fod yna ryw rym sydd yn peri i newid ddigwydd, megis yr ymchwydd yn nhonnau'r môr. O bryd i'w gilydd daw 'tonnau' – ar ffurf chwyldroadau neu newid mawr. Roedd hwn yn destun trafod – *pam* roedd cymaint o newidiadau sylfaenol wedi digwydd yn ystod y bedwaredd ganrif ar bymtheg; ai'r awydd am ryddid oedd yn ymledu o wlad i wlad? Oes yna gyfnodau pan fo Hanes yn ymateb yn ffafriol i awydd pobl am newid? Y rhain fyddai ein pynciau trafod. Cofiaf ddweud 'mod i'n difaru weithiau mai yn ail hanner yr ugeinfed ganrif yr oeddwn i'n byw, gan dybied fod oes y newidiadau mawr wedi mynd heibio, ac na fyddem yn cael bod yn dystion i ymchwydd mawr yn llif hanes yn ystod ein hoes ni. Ym 1989, mor anghywir oeddwn. Rhaid nad oeddwn wedi teimlo'r craciau yn agor dan ein traed.

Tua phedair blynedd yn ddiweddarach, aeth Karl a minnau yn ôl i Sisili i ddathlu'r flwyddyn newydd yno – neu dyna oedd y bwriad. Hwn oedd yr adeg pan oeddwn ar ganol ysgrifennu *Titrwm*. Credaf mai gobaith Karl oedd dianc i rywle cynnes dros y gaeaf. Yn anffodus, yr hyn oedd yn ein croesawu yn Sisili oedd eira! Roedd

De'r Eidal a Sisili yn dioddef y tywydd gwaethaf ers hanner can mlynedd! Fel pe na bai hynny'n ddigon, euthum yn sâl. Nos Calan, a ninnau yn teithio ar drên heb fod yn siŵr lle caem stopio ar gyfer dathliadau hanner nos, roedd y poenau yn fy stumog mor ddifrifol fel nad oedd mymryn o ots gen i lle y cyrhaeddem cyn belled â bod gwely ar fy nghyfer. Mewn gwely yn Taormina y croesewais 1993, tra oedd Karl yn crwydro'r strydoedd yn chwilio am siop fferyllydd oedd ar agor. Mae Taormina yn enwog am ei harddwch – meddan nhw, a bu D.H. Lawrence yn byw yno am gyfnod. Hoffwn gael dychwelyd yno ryw ddydd, pan fo'r lle'n rhydd o eira, a'm corff yn iach!

Fydda fo'n ddim gan Karl i godi'r ffôn a gofyn a oeddwn eisiau mynd i'r fan a'r fan – a hynny yn syth. Cefais alwad ffôn ganddo unwaith yn gofyn garwn i ddod i Iwgoslafia – roedd awyren yn mynd mewn tridiau. Mae hynny'n fy siwtio yn iawn, dydw i ddim yn un i gynllunio fisoedd ymlaen llaw; mae'n well gen i godi 'mhac a mynd. Dyna sut y cefais y cyfle i dreulio wythnos yn Dubrovnik, mewn gwlad a diwylliant gwahanol eto. Rydw i'n falch rŵan i mi fynd bryd hynny – i Brâg, ie, ond yn fwy fyth i Iwgoslafia. Ymhen rhai blynyddoedd, yr oedd porthladd hardd Dubrovnik wedi ei ddinistrio yn llwyr gan fomiau mewn rhyfel chwerw. Pan fyddai'r Wasg yn trafod helbul Serbia a Chroatia yn ystod y Nawdegau, byddwn i'n meddwl am wraig ein llety yn Dubrovnik. Tybed beth ddigwyddodd iddi hi?

Rhyw dridiau o rybudd a gefais gan Karl hefyd pan ofynnodd garwn i gael trip i Efrog Newydd. Y fantais efo'r trip hwn oedd fod y daith am ddim. 1994 oedd hi, ac yr oedd cwmni Hoover wedi gwneud y camgymeriad aruthrol o gynnig taith i Efrog Newydd i bawb oedd yn prynu peiriant Hoover. O ganlyniad, mi werthwyd peth wmbredd o offer trydanol, ond bu bron i gwmni Hoover fynd i'r wal. Roedden ni'n dau ymysg y cannoedd a fanteisiodd ar haelioni Hoover. Rhaid fod tocyn i ddau yn cael ei roi am ddim, oherwydd dim ond Karl a brynodd hwfer. Nid oedd Efrog Newydd ar dop y rhestr o ddinasoedd y carwn eu gweld, ond wedi clywed cymaint am y lle, fedrwn i ddim peidio edrych ymlaen. Mae Efrog Newydd yn union fel yr ydych yn disgwyl iddo fod – tacsis melyn, lot o sŵn, pobl o bob lliw a llun, stêm yn codi o'r palmentydd fel mewn ffilmiau, a phlateidiau mawr o fwyd. Mae popeth yn fwy na'r cyffredin yn y fan hon. Gan ein bod yn mynd yno'n gynnar ym mis Ionawr, roedd gorchudd o eira dros bob man, gan ei wneud yn hynod o dlws. Nid oedd ein gwesty ymhell iawn o Times Square a chawsom weld y mannau poblogaidd i gyd – adeilad yr Empire State, Greenwich Village, cerflun Liberty a'r Central Park. Gwnaethom ein siâr o siopa ac o fwyta crempogau yn llifeirio o surop (i frecwast!) Hon yw gwlad gormodedd. Ac er cymaint fy rhagfarn yn ei herbyn, deuthum i hoffi Efrog Newydd. Fedrwch chi ddim peidio â chael eich swyno gan fwrlwm a rhialtwch y lle.

Tua diwedd y gwyliau, penderfynodd y ddau ohonom fynd ein ffyrdd ein hunain – fi i'r sinema, a Karl i grwydro'r ochr arall o'r dref. Pan ddeuthum yn ôl i'r gwesty, nid oedd golwg o Karl, ond arhosais amdano cyn disgyn i gysgu am dri o'r gloch y bore. Deffrois am bump, ond doedd o byth wedi cyrraedd yn ei ôl. Ni ymddangosodd amser brecwast fel y gwnaeth o yn Milan flynyddoedd ynghynt, a dyna pryd y dechreuais boeni'n wirioneddol. Tu allan i'r gwesty, roedd hysbyseb mawr yn dangos faint o bobl gâi eu llofruddio bob diwrnod yn yr Unol Daleithiau. Roedd y ffigwr ar y sgrîn yn newid wrth i chi edrych arno, a doedd hynny ddim yn gysur i'm dychymyg gorfywiog. Cymerais yn ganiataol fod rhywun wedi ymosod ar Karl a'i fod yn gorwedd rywle mewn pwll o waed. Rhaid oedd i mi fynd i chwilio amdano. Nid oedd y gwesty yn fodlon helpu nes i berson fod ar goll am 24 awr. Erbyn hynny, byddai ei gorff yn oer ac adar ysglyfaethus wedi dechrau gwledda arno. Roedd yn rhaid i mi wneud rhywbeth ar frys.

Un o'r pethau mwya' dychrynllyd yr ydw i wedi gorfod eu gwneud yw cerdded i lawr strydoedd Efrog Newydd gyda theitheb Karl yn gofyn i bobl, 'Have you seen this man?' Mentrais ar y trên tanddaearol, ond stopiwyd fi gan ryw ddyn, ac yr oedd cymaint o ofn arnaf, euthum yn ôl i'r gwesty a thorri 'nghalon. Pan ydych chi yn y cyflwr meddyliol yna, mae pob eiliad o aros fel awr. Roeddwn i'n gwneud trefniadau sut i ddod â chorff Karl yn ôl i Gymru, a'm hofn mwyaf oedd ffonio Dafydd Wigley a dweud ei fod wedi colli ei Brif Weithredwr. Am hanner dydd, a minnau mewn stad o hysteria bron, daeth cnoc ar ddrws fy ystafell a phwy safai yno'n holliach ond Karl. Roedd o wedi methu cyrraedd yn ôl i'r gwesty ac wedi treulio'r noson yn Brooklyn. Sylweddolodd faint fy ngofid wrth ddeall nad oeddwn wedi cael y negeseuon a adawodd i mi gan ddesg y gwesty. Theimlais i erioed gymaint o ryddhad. Aethom am bryd o fwyd yn Chinatown i ddathlu fod Karl yn dal ar dir y byw. Ond profiad chwithig a swreal yw bwyta pryd 'Chinese' gyda pherson y buoch yn trefnu ei angladd rai oriau ynghynt.

O ystyried profiadau fel hyn, dydi o ddim yn syndod weithiau 'mod i'n gwerthfawrogi ambell wyliau yng nghwmni fy rhieni. Ers blynyddoedd bellach, maen nhw yn mentro gyda'r garafán dros y môr, ac euthum gyda hwy i'r Swistir ym 1993. Nôl yn y Pedwardegau, roedd fy nhaid wedi gwneud y daith hon, ac yr oedd fy nhad yn awyddus i ddilyn ôl ei droed. Mae'r Swistir yn wlad mor ddrud fel dwi'n amau a fyddem wedi gallu fforddio ymweld â hi oni bai ein bod yn aros mewn carafán. Un o'r pethau da am fy nhad ydi nad oes ganddo ofn mentro, felly mae o'n fodlon gyrru ar hyd ffyrdd fyddai'n codi gwallt pen sawl gyrrwr. Roedd yn rhyfedd ymweld â gwlad nad oedd wedi profi gwrthryfel mawr ar ei thir yn ddiweddar, gwlad na fu ychwaith yn amlwg iawn yn hanes Ewrop. Mae modd dadlau fod hyn yn ei wneud yn lle diflas; fel y dywedodd rhywun unwaith, pa fath o wlad sydd yn enwog am gynhyrchu cloc cwcw? Yr oedd absenoldeb rhyfel yn ei gwneud yn wlad wahanol. Yr hyn a fwynheais fwyaf ar y gwyliau oedd gweld golygfeydd anhygoel o'r mynyddoedd, teithio i fyny'r Jungfrau fel y gwnaeth fy nhaid a chael y cyfle i ymweld â Genefa.

Ddwy flynedd yn ddiweddarach, pan oedd fy rhieni yn crwydro'r Eidal, hedfanodd fy chwaer Ffion a minnau i'w cyfarfod yn Fenis. Cafodd Ffion a minnau wely yn yr hostel ieuenctid a phob bore byddem yn croesi'r afon i'r ddinas arallfydol hon. Ni fyddai dim yn rhoi mwy o bleser i mi na chrwydro'r strydoedd cul a dod ar draws un sgwâr hardd ar ôl y llall. Pleser annisgwyl oedd cael ymweld â'r ynysoedd cyfagos. Ysgrifennais stori fer am un o'r ynysoedd hyn ar gyfer un o sesiynau y Babell Lên yn yr Eisteddfod, *Y Gŵr Wrth Ddyfroedd Hunllef*. Stori oedd hon am drempyn a eisteddai wrth Bont yr Ocheneidiau. Pan ddychwelais i Fenis ymhen pedair blynedd, yr oedd y trempyn yn dal i hawlio'r gornel honno o'r ddinas.

Ffordd arall o ddod i adnabod gwledydd yw bod yn rhan o ddirprwyaeth. Soniais am un ymweliad ag Iwerddon yng nghwmni Cymdeithas yr Iaith. Dirprwyaeth Gymreig arall y bûm yn rhan ohoni oedd un i Wlad y Basg ddechrau'r Nawdegau yng nghwmni Begotxu Olaizola – merch o Wlad y Basg ddysgodd Gymraeg yn rhugl tra'n gweithio yn Mercator yn Aberystwyth. Ar y daith honno y deuthum i adnabod Elin Haf Gruffydd Jones a Lyn Lewis Dafis – dau o Gymry sy'n rhugl yn iaith Gwlad y Basg. Bu honno'n daith werth chweil a chawsom weld mwy na thwristiaid cyffredin. Cawsom ymweld ag ysgolion, gweld dosbarthiadau dysgu ail-iaith, gweld gorsaf ddarlledu ac ymuno yn nathliadau y Basgiaid yn y rhan wledig o'r wlad. Dyna ddylai natur twristiaeth fod yn y dyfodol – gweld gwledydd drwy lygaid y brodorion. Roeddwn i wedi clywed am frwdfrydedd y Basgiaid a'u hysbryd annibynnol, ac ni chefais fy siomi. Profiad mawr oedd ymweld â Guernica. Yng nghwmni brodor o'r wlad caiff rhywun weld cymaint mwy. Ar y cei yn Donostia mae cerflun o gadwynau ac wrth i'r gwynt chwythu drwyddynt gallwch glywed sŵn annibyniaeth. Byddaf yn ddiolchgar i Begotxu am fy nghyflwyno i ddiwylliant hynafol y Basgiaid.

Ym 1994, derbyniodd Cymdeithas yr Iaith gais i fod yn rhan o ddirprwyaeth i ymweld â Nicaragua. Ymgyrch Gefnogi Nicaragua oedd yn trefnu'r ymweliad, a rhyw Ben Gregory oedd wedi ysgrifennu'r llythyr. 'Dyma ti, Angharad,' meddai aelodau'r Gymdeithas wrthyf; roedd Senedd y Gymdeithas yn cymryd yn ganiataol bellach 'mod i'n fwy na pharod i hel fy mhac i fynd ar unrhyw daith. Ond roeddwn i'n llawer mwy petrusgar i fynd ar y daith hon. Wedi cael y manylion am y peryglon fyddai rhywun yn debyg o ddod ar eu traws – mosgitos, malaria a sawl clefyd arall, – rown i ymhell o fod yn sicr. Yn y diwedd, llwyddodd Siân Howys a minnau i oresgyn ein hofnau, a Selwyn Jones a Rocet; felly roedd pedwar o aelodau'r Gymdeithas ar y ddirprwyaeth gyntaf honno o Gymru. Y lleill oedd Julie Morgan, a ddaeth yn aelod seneddol yn ddiweddarach; Peter Henneker ar ran yr elusen CAFOD; a thri neu bedwar arall yn ogystal â Ben Gregory, y trefnydd. Rhaid oedd cael tipyn o bigiadau cyn mynd ar y daith – i atal colera, typhoid a hepataitis (A a B), a wyddwn i ddim a fyddwn yn dychwelyd yn fyw. Un peth oedd teithio Ewrop yn dalog, ond dyma'r tro cyntaf i mi ymweld â gwlad yn y Trydydd Byd. Roedd pobl wedi dweud wrthyf, 'Mi wnaiff o newid dy fywyd di,' ond doeddwn i ddim yn siŵr a oeddwn eisiau i'm bywyd gael ei newid!

I ran ddwyreiniol y wlad yr aethom, Arfordir y Caribî, gan mai dyma oedd y rhan wledig a thlodaidd. Y syniad oedd y byddai gan y Cymry fwy yn gyffredin â rhanbarth fel hwn! Yr oeddynt hefyd wedi cael mesur o hunan-lywodraeth. A dweud y gwir, mae dwy ochr y wlad yn gwbl wahanol. Mae'r gorllewin yn cynnwys y brifddinas, yn Sbaeneg ei hiaith a llawer o bobl yn byw yno; a'r dwyrain yn wledig, yn brin ei phoblogaeth, ac yn siarad Saesneg gyda'r diwylliant a'r bwyd yn debyg i'r Caribî. Y rheswm syml am hyn oedd mai y Sbaenwyr a oresgynnodd y gorllewin a'r Saeson a oresgynnodd y dwyrain, gyda help ambell Gymro megis y môr-leidr, Harri Morgan. Tra oeddem ni ar Arfordir y Caribî, cynhaliwyd yr etholiadau rhanbarthol, ac yr oedd bod yn dyst i hynny yn brofiad. Ar ddydd yr etholiad ei hun cawsom fynd ar gwch fesul tri neu bedwar (nid oes ffyrdd fel y cyfryw yno) i bentrefi bychain o amgylch Pearl Lagoon. Mae o'n lle tebyg iawn i'r golygfeydd yn y nofel *Robinson Crusoe*, yn llawn o goed palmwydd, tywod crasboeth a'r gymdeithas heb newid fawr ers tri chan mlynedd. Mae mwy o newidiadau wedi bod yn yr ugain mlynedd diwethaf; rhyfel ffyrnig yn erbyn y Contras, yna bygythiad gwaeth y dyddiau hyn ar ffurf cyffuriau. Mewn llawer o'r pentrefi, nid oedd cyflenwad trydan. Ym 1988, cafwyd corwynt difrifol a ddinistriodd rannau helaeth o'r wlad. Daeth cymorth o Giwba, a thra oeddynt yn Nicaragua, bu'r Ciwbaniaid yn byw mewn llochesi pren. Wedi iddynt ymadael, trowyd y cabanau hyn yn brifysgol. Pryder y bobl leol oedd fod ieuenctid galluog yr ardaloedd tlawd yn ymadael i gael addysg well a swyddi. I gadw'r bobl ifanc yn yr ardal rhaid oedd cael prifysgol iddynt. Yr enw roddwyd ar y lle oedd URRACAN – Prifysgol y Corwynt! Ym 1979 yr oedd llygaid y byd ar Nicaragua gan i'r blaid Sosialaidd genedlaetholgar gael gwared o unben ffyrnig. Am ddeng mlynedd, cafwyd cyfle i newid cymdeithas wrth i bobl gyffredin ddysgu darllen, cael gwasanaeth iechyd a thai pwrpasol. Ond erbyn 1990, daeth yr adain dde yn ôl i rym, diflannodd breuddwyd, ac y mae trafferthion Nicaragua cyn waethed ag y buont erioed. Ym 1998, ddeng mlynedd i'r diwrnod bron wedi Corwynt Joan, cafodd Canol America ei tharo gan gorwynt gwaeth – Corwynt Mitch. Unwaith yn rhagor, dinistriwyd bywydau a chartrefi brau. Am rai nosweithiau, roedd sylw'r byd ar dlodi Honduras a Nicaragua, ond buan y diflannodd. Cododd Ymgyrch Gefnogi Nicaragua £25,000 yng Nghymru yn unig, a chawsom ddychwelyd i Nicaragua fisoedd wedi'r corwynt.

Yn etholiadau 1994, enillodd yr FSLN, y blaid Sosialaidd yn Bluefields, a'r noson honno, buom yn dathlu yn swyddfeydd y blaid honno. Yno, ar y balconi gyda'r nos, yng nghanol sŵn miwsig y Caribî a'r gwres trofannol y cefais fy sgwrs gyntaf â Ben Gregory. Cymro di-Gymraeg o Dredegar ydoedd, cyn aelod o'r Blaid Lafur a fawr o glem am yr Wynedd wledig Gymraeg y'm magwyd i ynddi. Ar wahân i ragfarn a delweddau o byllau glo, doedd gen innau 'run syniad am ei gefndir yntau. Ond yr oedd gennym rywbeth yn gyffredin – ein hoffter o deithio. Yr oedd ef â'i fryd ar deithio De America, ac yn ddigon ysgafn, gofynnodd faswn i'n hoffi dod efo fo yno. 'Wrth gwrs,' meddwn i heb betruso.

Ar y ffordd adref o Nicaragua y cefais y profiad gwaethaf a all ddigwydd i deithiwr. Roeddem yn newid awyren ym maes awyr Houston yn Texas, a rhoddais ochenaid o ryddhad fy mod yn ôl mewn gwlad wâr. Tra'n ochneidio, cymerais bopeth o'r pwrs oedd wedi bod o amgylch fy nghanol am bythefnos rhag ofn lladron, a'u trosglwyddo i bocedi fy nghôt oedd ar gefn y gadair. Yna, a'm pen yn y gwynt, cerddais ymaith gan adael fy nghôt ar y gadair. Wrth gwrs, pan euthum i'w nôl, yr oedd wedi diflannu, a chynnwys ei phocedi – fy mhwrs, fy arian, tocynnau'r awyren a'm teitheb. Mewn panig, dywedais wrth y wraig tu ôl i'r ddesg a hysbysodd honno fi nad oedd gobaith mynd ar fwrdd awyren i Brydain heb docyn a theitheb. Yn eu hymgais i gyfyngu ar fewnfudwyr, yr oedd Prydain yn dirwyo unrhyw gwmni awyrennau oedd yn cludo teithwyr heb deitheb swyddogol. Rheol oedd rheol, ac roedd hi ar ben arnaf. Roedd sôn y byddai'n rhaid i mi aros yn Houston am ddau ddiwrnod ar fy mhen fy hun cyn cael cymorth y llysgennad Prydeinig. Erbyn hyn, roedd y dagrau yn llifo. Doeddwn i ddim eisiau cael fy ngadael yn Texas ac roeddwn i'n torri 'mol eisiau mynd adref. Roeddwn wedi cael fy llosgi gan yr haul, roedd fy stumog yn wan, roeddwn i wedi blino, a fedrwn i ddim dychmygu'r gweddill yn cael hedfan yn ôl hebof. Ar ben hyn, doedd gen i 'run geiniog goch yn eiddo i mi. Bu Julie Morgan yn ddyfal yn ceisio fy helpu gan ddweud, 'Rhodri must be able to do something'. Ond yr adeg honno, dim ond aelod seneddol cyffredin oedd Rhodri Morgan, ac er gwaethaf crefu taer gan ei wraig o ben arall y byd, ni allai wneud dim i sicrhau fod Angharad Tomos yn dychwelyd i Gymru.

Wedi llwyr anobeithio, aeth Julie a minnau at y ddesg yn y maes awyr, ac meddai'r Americanes,

'Have you ANYTHING to prove that you're British?'

Doedd gen i ddim byd. Yr unig beth oedd â'm henw ar

ei gyfyl oedd llyfr o gerddi T.H. Parry-Williams. Doedd profi 'mod i yn Gymraes o ddim diddordeb iddi.

'I need DOCUMENTS,' meddai yn reit flin, 'credit cards, something OFFICIAL with your NAME on it.'

O waelod fy mag, daeth gwaredigaeth. Yn ei llaw rhoddais gerdyn a oedd yn golygu llawer i mi. Y geiriau arno oedd 'Angharad Tomos – Official Observer of the Nicaraguan Elections.' Siawns nad oedd hynny'n ddigon swyddogol iddi.

'Don't be ridiculous,' meddai yn llawn dirmyg. 'That's only a tiny country in Central America.'

Yn amlwg, doedd o ddim yn cymharu â cherdyn Visa. Gyda'r un frawddeg honno roedd hi wedi crisialu agwedd yr Americanwyr at bobl Canol America. Y dirmyg hwn sy'n gyfrifol i raddau helaeth am raddfa'r dioddefaint.

Yn y diwedd, cefais air ar y ffôn gyda'r swyddog Immigration Control ym maes awyr Heathrow. Dim ond newydd agor fy ngheg oeddwn, ac meddai,

'With an accent like that, you can't be anything but Welsh,' a chefais fynd ar yr awyren. Diolchais nad acen Wyddelig neu Indiaidd oedd gen i, neu byddwn wedi bod yn llawer llai derbyniol gan yr Awdurdodau. Mae'n debyg mai dal i aros yn Houston y byddwn gyda'r mwsog yn tyfu dros fy nhraed. Ond mae'r Cnonyn yn ystyried y daith honno'n dipyn o record, yn enwedig gan i mi orfod teithio o Heathrow i Lanwnda wedyn – heb docyn trên na 'run geiniog goch y delyn. Bob tro y byddwn yn dod wyneb yn wyneb â giard, byddwn yn adrodd y stori yn ei chyfanrwydd ac meddai un,

'That must be a true story or you've got a hell of an imagination!'

Rhyw dri mis wedi dod adref, daeth Ben Gregory i weld Gogledd Cymru, a fi gafodd y gwaith o'i dywys o gwmpas am wythnos. Wedi crwydro Dinas Dinlle, Aberdaron a pherfeddion Môn, daethom i adnabod ein gilydd yn o dda, a mynnais ei fod yn dod i'r Cnapan i gael blas ar ddiwylliant Cymraeg. Deallais ei fod yn chwarter Gwyddel, a 'rioed wedi bod yn Iwerddon, felly wedi Eisteddfod Glyn-nedd, i ffwrdd â ni i Iwerddon i grwydro ardal Corc. Ar noson olaf y gwyliau, rhoddodd Ben gynnig pendant i mi fynd ar daith i Brasil efo fo. Yr oedd ei berthynas ef a'i gymar wedi dod i ben, a byddai'n falch o gael rhywun i rannu Brasil ag o. Doedd dim angen gofyn ddwywaith i mi.

Fis Tachwedd 1994, canfyddais fy hun felly yn croesi'r Iwerydd am y pumed gwaith y flwyddyn honno ac yn glanio yn Porto Alegre (Porthladd Hapusrwydd). Yno yr oedd Terry Barry yn byw (ia, un arall efo gwreiddiau Gwyddelig!). Hogyn o Ferthyr, cyfaill ysgol a choleg i Ben oedd Terry, ac er ei fod yn aelod o Gymdeithas yr Iaith, gwaith Terry oedd dysgu Saesneg i frodorion Brasil. O'r porthladd, cawsom hedfan i Foz do Iguacu i weld rhaeadr sy'n uwch na'r Niagara ac yn lletach na Fictoria. Uwch ben fy nesg mae llun o hwnnw hefyd – drws nesaf i bentre bach Ballygurteen. Hwn oedd y rhaeadr ddefnyddiwyd yn y ffilm *The Mission*. Gellwch glywed sŵn y dŵr o gryn bellter, ac y mae'n lle hudol. Ceir miloedd o loynnod byw lliwgar yno, ac anifeiliaid anghyffredin. Wedi taith o 24 awr ar fws, dyma gyrraedd Ouro Preto (Tref yr Aur). Hawdd oedd dychmygu pobl yn heidio yn eu miloedd i'r Eldorado hon i geisio ffortiwn.

O'r holl fannau y buom yn ymweld â hwy, diau mai yn San Joao y gwelsom yr olygfa ryfeddaf. Aethom i weld tŷ'r meirw, ac yno roedd y beddau yn y muriau. Wrth inni ddarllen yr enwau dieithr daeth gosgordd i mewn a chynnal cyfarfod coffa i'r ymadawedig. Iddynt hwy yn eu galar, roedd y ddau ohonom ni yn anweledig. Cawsom gyfle i syllu ar eu hwynebau prudd a gwrando ar eu llafarganu a swniai mor ddieithr. Yn sydyn, daeth aderyn a hedfan uwch ein pennau ac wrth imi wrando ar siffrwd ei adenydd, swnient fel adenydd angylion cyn i sŵn clychau anferth yr eglwys gerllaw lenwi ein clustiau. Ni chymerodd y galarwyr sylw o hyn, dim ond dal ati i siantio. Dyna'r gymysgedd ryfeddaf o synau i mi eu clywed erioed.

Un rheswm pam yr oeddwn am weld Brasil oedd am fod fy arwr, T.H. Parry-Williams, wedi bod ar daith yno yn Nauddegau'r ugeinfed ganrif. Roedd yn rhaid i mi gael gweld y fan lle canodd y gerdd i'r ferch ar y cei yn Rio. Ni wyddwn mai Rio de Janeiro yw un o ddinasoedd peryclaf y byd. Gyda chanran y twristiaid wedi gostwng yn arw yn y blynyddoedd diwethaf, yr oedd gen i ofn cerdded y strydoedd. Ar y palmant, o flaen siopau crand a werthai ffwr a pherlau, eisteddai'r tlodion yn arddangos eu nwyddau truenus, yn olwynion beic ac yn hen esgidiau. O ben y Sugar Loaf, cawsom edrych i lawr ar y ddinas gythryblus. Yn ystod y cyfnod y buom yno bu cyrch gan yr heddlu ar yr ardal dlotaf i geisio rhoi stop ar y farchnad gyffuriau sy'n rhemp yno. Ymhen hir a hwyr, cefais wireddu breuddwyd a sefyll ar Gei Rio, a lle swnllyd, prysur, llawn pobl ydoedd. Yng nghanol y rhai 'milain eu moes', gwelais ferch mewn ffrog goch a smotiau yn sefyll ar ei phen ei hun. Merch gyffredin ydoedd, a'i chefn ataf, ond oherwydd y bardd, trodd yn symbol na allwn dynnu fy llygaid oddi arni. Bu'n werth gwneud pererindod yno. Yn y gwesty ar y teledu y noson honno, gwelais lun Gwynfor Evans ar y sgrîn a Dafydd Iwan yn canu. Ar deledu Brasil, yr oedd rhaglen am frwydr y sianel yng Nghymru! Ie, lle od yw Brasil.

Mantais fawr yw fod Ben a minnau yn rhannu'r diddordeb hwn mewn teithio. Ym 1997, dyma gymryd mis o wyliau i deithio ar drên drwy Ddwyrain Ewrop. Cefais gyfle i weld Berlin, teithio drwy sawl dinas gofiadwy yng Ngwlad Pwyl, picio i Estonia, treulio diwrnod yn Helsinci, lawr i Slovacia, tridiau yn Budapest a gorffen yn Fienna. Un peth a'm trawodd ar y daith hon oedd effaith yr Ail Ryfel Byd ym mhob un o'r gwledydd hyn, yn enwedig Gwlad Pwyl. Roedd ganddynt etifeddiaeth gyffredin o ddioddefaint. Rhyfeddais at harddwch Warsaw a Gdansk cyn deall mai copi o'r gwreiddiol ddinistrwyd gan fomiau'r Natsïaid ydoedd llawer o'r tai a'r strydoedd. Mentrais ymweld ag Auschwitz, ac yno roedd arddangosfa gan yr Iddewon, y Rwsiaid a chenhedloedd eraill. Ond mor wahanol ydoedd i'r lluniau du a gwyn o'r Pedwardegau a gawsom mewn gwersi Hanes! Gydag awyr las mis Mai, gwair gwyrdd ac adeiladau gwag, anodd oedd dychmygu'r erchyllterau a ddigwyddodd yno. Doeddwn i erioed wedi dychmygu Auschwitz mewn lliw.

Un peth a'm trawodd yn ystod y gwyliau, yn enwedig ym Merlin lle roedd tafarn gartrefol o'r enw 'Checkpoint

Charlie', oedd mor ffodus mai ymwelydd o deithiwr oeddwn i, ar ddiwedd yr ugeinfed ganrif. Ac eto, rhyw adlewyrchiad gwael o fywyd a welwn i. Tai wedi cael eu hailgodi, gwersylloedd rhyfel wedi eu gwagio, popeth wedi newid yn llwyr ar wahân i enwau. Yr unig bethau i'w gweld yn awr ydyw arddangosfeydd i dwristiaid – llefydd i chi gael paned o goffi ar eich taith. Heddiw, y mae modd prynu rhan o Wal Berlin mewn bag plastig, neu lun mewn ffrâm o'r graffiti oedd ar y wal. Heddiw, mewn mannau oedd yn berygl bywyd hanner can mlynedd ynghynt, gellwch sefyll i wenu a chlicio'r camera yn ddibryder. Anodd yn aml yw ymdeimlo â dwyster y fan a sylweddoli pethau mor ddychrynllyd ddigwyddodd yno pan oedd fy rhieni yn ifanc.

Un wlad y dotiais ati oedd y Ffindir, er mai dim ond diwrnod a gefais yn Helsinci. Ar y pryd, roedd *Wele'n Gwawrio* yn mynd drwy'r wasg, ac euthum i'r Galeri Genedlaethol, yr Ataneum. Yno y gwelais waith Hugo Sinberg am y tro cyntaf. Y munud y gwelais 'Yr Angel Clwyfedig', gwyddwn mai dim ond hwnnw fyddai'n gwneud y tro ar gyfer clawr y gyfrol. Ysgrifennais lythyr yn syth at Robat y Lolfa a chafwyd caniatâd i'w ddefnyddio.

Wedi'r daith faith i Ewrop, mae Ben a minnau wedi crwydro i wlad Groeg, Ffrainc a'r Eidal, ac y mae ambell gyfle wedi dod i fynd dramor yn sgîl sgrifennu. Wedi ymweld â Fienna am y tro cyntaf, syrthiais mewn cariad â'r lle. Mor ffodus oeddwn o gael gwahoddiad yn ôl i'r fan. Cyfieithodd Sabine Heinz *Si Hei Lwli* i'r Almaeneg, a hi drefnodd ŵyl ar gyfer awduron o'r gwledydd Celtaidd. Cafwyd cefnogaeth dda gan ddinasyddion

Fienna i'r ŵyl a dangoswyd diddordeb mawr mewn llenyddiaeth o'r gwledydd Celtaidd. Tachwedd 1999 oedd hyn, a'r atgof sydd gen i yw strydoedd Fienna dan eira yn dal eu gwynt wrth i'r Nadolig agosáu. Dim ond dramor ar deithiau fel hyn y byddaf yn cwrdd â Gwyneth Lewis. Deuthum yn gyfeillgar â hi ym Marcelona mewn gŵyl ar Gymru yno, ac adnewyddais y cyfeillgarwch yn Fienna.

Dyna hanes y rhan fwyaf o grwydradau tramor y Cnonyn Aflonydd. Yr unig bethau na ddaw dan y teitl 'gwyliau' na 'dirprwyaethau' na 'theithiau llenyddol' yw teithiau Cadwyn, am eu bod o ran natur mor wahanol. Mae llawer o'r bobl ddaw i adnabod Ffred ryw bryd neu'i gilydd yn dod yn rhan fewnol o gylch cyfrin Cwmni Cadwyn. Yn ogystal â chyflenwi nwyddau, datblygodd Cadwyn i werthu defnyddiau y byddent yn eu haddurno eu hunain – nwyddau pren a lledr. Gyda chymorth procer poeth a llawer o amynedd, gall cwsmeriaid brynu nwyddau a'u henwau arnynt mewn unrhyw iaith o'u dewis. Pan ddeallodd Ffred fod gen i beth dawn artistig (er nad yw hyn yn hanfod) cefais gyfle i fod yn rhan o dîm Cadwyn. Cofiaf mai sioe Middlesex oedd y gyntaf i mi fod ynddi tua diwedd yr Wythdegau a threuliais oriau maith yn sgrifennu '*A Present from Middlesex*' ar lwyau pren. Wedi'r sioe honno, euthum gyda Ffred a'r teulu a Sioned Elin i Sbaen am wythnos. Fy nghyfrifoldeb amwys i oedd cadw cwmni i Meinir a'r plant tra oedd Ffred a Sioned yn mynd o amgylch i hel archebion gan wneuthurwyr lledr. Wedi cyrraedd maes awyr Gatwick, sylweddolodd Meinir nad oedd ganddi deitheb. Awr oedd gennym cyn i'r awyren ymadael. Cofiaf eiriau Ffred wrthyf i a Sioned,

'Rŵan, daliwch chi'r awyren. Awn ni yn ôl i Lanfihangel. Wedi cyrraedd Malaga, ceisiwch ddod o hyd i dacsi... ac enw'r llety rydym yn aros ynddo ydi...'

Rhuthrodd adre gyda Meinir ac un o'r plant gan addo ymuno gyda ni'r diwrnod canlynol. Cadwodd at ei air, ac wedi i bawb gyrraedd yn saff, cawsom amser braf. Yn ystod ei ychydig oriau rhydd, byddai Ffred yn ceisio gwasgu hynny o olygfeydd a fedrai i amser prin – dyna sut y codais am bump o'r gloch y bore er mwyn taith go hir i weld Lisbon – 'am ei bod yn ddinas werth ei gweld'. Mae Ffred Ffransis yn berson cwbl wahanol ar ei wyliau. Chlywch chi'r un gair am Gymdeithas yr Iaith na phroblemau Cymru. Mae'n lluchio ei hun i'r diwylliant lleol ac yn dysgu ac yn gweld cymaint ag a fedr mewn amser byr. Ar y gwyliau hwnnw aethom i weld Gibraltar. Ychydig fisoedd ynghynt saethwyd tri aelod o'r IRA yn farw gan yr SAS. O Gibraltar, cawsom groesi mewn cwch i Centa, dim ond i ni gael dweud ein bod wedi rhoi troed ar gyfandir Affrica.

Flwyddyn yn ddiweddarach, ym 1989, euthum gyda Cadwyn eto i Bortiwgal am bythefnos. Y tro hwn, roeddwn i a Morfudd yn edrych ar ôl ei phlentyn hi ac un o blant Ffred tra oedd Ffred a Sioned yn teithio o amgylch y wlad. Rhag ofn ein bod wedi diflasu ar yr Algarve, cynigiodd Ffred daith ddeuddydd i Seville. I ffwrdd â ni, a dotiais at goed oren y ddinas a'r colomennod gwyn. Yn anffodus, tra oeddem ni yn dotio at y fath bethau, dotiodd lladron at ein heiddo ni gan ddwyn popeth yn fan Ffred, nid yn unig ein bagiau, ond holl waith papur Ffred, yn cynnwys ei deitheb a'i drwydded yrru. Byddai unrhyw un arall wedi torri ei galon, ond cario 'mlaen wnaeth Ffred. Roedd hi'n anodd peidio â gwenu wrth i Ffred gael ei holi gan yr heddlu yn yr orsaf leol, ac yntau'n disgrifio ei hun fel 'pennaeth cwmni Cadwyn'.

'A lle mae'r pencadlys?'

'Llanfihangel-ar-arth.'

'Does gennych chi ddim swyddfa yn Llundain?'

'Ym, – nac oes.'

Ni allai'r heddwas gredu fod modd rhedeg busnes *heb* gael swyddfa yn Llundain. A ninnau mewn swyddfa heddlu yn Sbaen, trodd Ffred ataf fi a Morfudd a dweud, 'Rŵan, gan ein bod wedi colli popeth, well i chi fynd yn ôl i'r fflat. Fedrwch chi fynd at yr orsaf drên, ffeindio'r trên nesaf i Bortiwgal a ffeindio eich ffordd adref o fan'na?'

Dyna pryd y profodd Ffred i mi ei fod yn iawn yn fy mhryfocio am ddysgu Gwyddeleg. Dan yr amgylchiadau hynny byddai unrhyw iaith Ewropeaidd arall wedi bod o fwy o ddefnydd na'r Wyddeleg. Na, doedd teithio efo Ffred byth yn brofiad diflas.

Rhoddais y gorau i helpu Cadwyn pan aeth y profiad yn drech na mi. Ystyriaf fy hun yn wraig gref gyda chyfansoddiad gwydn. Gallaf weithio'n galed ond rhaid cael *peth* cwsg. Dyna oedd y prif anfantais gyda Cadwyn, doedd dim lle yn ystod diwrnod 24 awr i gysgu. Byddai rhywun ar daith yn cyrraedd y gwely tua dau y bore, a rhaid oedd deffro bump ambell waith i deithio i'r lle nesaf i osod stondin. Rwy'n siŵr fod Ffred a Meinir yn mynd i garchar ambell waith er mwyn cael gorffwys!

Mae'r holl deithio yma – a'r camgymeriadau – wedi rhoi profiad o fywyd i mi. Beth bynnag aiff o'i le bellach, gallaf ddygymod ag o, dim ond i mi gofio cyngor Pontsiân,

'Os byth y byddi mewn trwbwl, ceisia ddod mas ohono fe.'

Yr eildro y bûm yn Nicaragua, nid oeddwn wedi bod yn y wlad am fwy na hanner awr pan gollais fy mag – a phopeth oedd gen i. Y tro hwnnw, bûm yn lwcus, a daeth i'r fei yn y maes awyr bythefnos yn ddiweddarach, pan oeddwn ar y ffordd adref. Ar yr ymweliad hwnnw y sylweddolais cyn lleied mae rhywun wirioneddol ei angen tra mae oddi cartref – brwsh dannedd a 'chydig o ddillad glân yw'r unig wir anghenion. Pa bynnag argyfwng yr ydych ynddo, yr unig beth tyngedfennol yw eich bod yn dod ohono yn fyw. Mae dysgu gwersi bach elfennol felly yn lleihau pryder rhywun yn fawr – ac yn rhoi bywyd mewn perspectif.

Ystyriaf fy hun yn ffodus wedi cael teithio. Breuddwyd fy nhaid oedd cael gwneud hynny. Dychmygodd unwaith y byddai plant yr unfed ganrif ar hugain yn gallu teithio drwy'r gofod mewn llongau awyr a chael ymweld â gwledydd mor rhwydd ag oedd ei genhedlaeth ef yn teithio ar feic. Cefais fyw i wireddu ei freuddwyd.

'Rhosod o'r Difrod'

Cychwynnodd y Nawdegau gydag achos llys enwog Alun a Branwen. Wedi iddi adael Ballygurteen, a hwylio'n drist yn ôl i Gymru, ymunodd ag Alun ac aeth y ddau i adeiladau'r Llywodraeth yn Llandrillo a pheri difrod yn enw'r ymgyrch Ddeddf Eiddo. Os oedd y Gymdeithas yn uchel ei disgwyliadau gyda Deddf Iaith Newydd a Chorff Datblygu Addysg Gymraeg, yr oedd ein disgwyliadau efo'r ymgyrch Ddeddf Eiddo yn llawer mwy uchelgeisiol. Byddai deddf o'r fath yn golygu y byddai yna reolaeth go gaeth ar y farchnad dai a chynllunio, rhywbeth a oedd yn mynd yn hollol groes i egwyddorion y Ceidwadwyr.

Am fisoedd, buom yn paratoi ar gyfer yr achos ac yn disgwyl dyddiad. Yn aml yn ystod yr haf hwnnw, pan gyfarfyddai Branwen a minnau, byddem yn byw bywyd i'r eithaf ac yn gwneud popeth 'am y tro olaf' cyn y carchariad. Yn y diwedd, ym Mrawdlys yr Wyddgrug, cafodd y ddau ohonynt chwe mis o garchar.

Yn fuan wedi iddi gael ei charcharu, gofynnodd Branwen a gâi weld ei haelod seneddol, Wyn Roberts. Pan wrthodwyd ei chais, datganodd Branwen ei bwriad i ymprydio. Parodd hyn bryder dychrynllyd i'w rhieni. Ysgogwyd Jâms Niclas i ysgrifennu llythyr at Wyn Roberts yn gofyn iddo newid ei feddwl. Yn fy myw, welais i erioed gais mor daer. Cais o waelod calon ydoedd, gan dad, gan fardd, gan Gymro. Gwyddwn na allai neb fyth wrthod y fath gais. Ond fe'm profwyd yn anghywir a siomwyd Jâms Niclas yn enbyd.

Plastrwyd Cymru gyda'r posteri coch trawiadol gyda llygaid y ddau yn syllu arnom. Rywsut, fe gydiodd y carchariad hwnnw yn nychymyg y genedl a chanodd sawl bardd gerddi a chaneuon iddynt. Yn wir, esgorodd y carchariad ar gyfrol gyfan o farddoniaeth, *Cymru yn Fy Mhen*. Diau mai un o ganeuon mwyaf poblogaidd y cyfnod oedd cân Steve Eaves i Alun a Branwen,

'Maen nhw'n deud fod y ddau yn naïf
Efo gormod o ffydd yn y natur ddynol,
Ond dwi'n gwybod 'mod i eisiau cerdded
Ar hyd yr union 'run llwybr.
A drwy'r baw…
Dwi'n gweld y rhosod yn tyfu o'r difrod.'

Byddai 'rhosod o'r difrod' yn ddisgrifiad da o'r hyn ddigwyddodd yng Nghymru yn ystod y Nawdegau.

Cafwyd cefnogaeth aruthrol i Alun a Branwen tra oeddent yng ngharchar, ac yn y cyfarfodydd cyhoeddus wedi iddynt ddod allan. Ond ni ddatblygodd hwnnw yn gefnogaeth eang i'r ymgyrch Ddeddf Eiddo. Cefnogi Alun a Branwen wnâi pobl wrth ddod i ralïau, wrth ymaelodi a chyfrannu. Cefnogaeth emosiynol, gyffredinol ydoedd i ddau ifanc aeth i 'garchar dros yr iaith'. Rai misoedd wedi iddynt ddod o garchar, nid oedd yr ymwybyddiaeth o'r angen am Ddeddf Eiddo wedi cydio ym mhobl Cymru. Nid oedd llawer yn deall yr ymgyrch, tra credai eraill ein bod yn gofyn gormod. Mae'n wir dweud na chydiodd yr ymgyrch Ddeddf Eiddo yn y

Cymry fel yr ymgyrch statws. Roedd eraill yn beirniadu'r Gymdeithas am ei bod yn mynnu deddfau'n dragwyddol.

Mae yna un brotest Ddeddf Eiddo nad anghofiaf tra byddaf byw. Clywsom fod arwerthiant yn cael ei chynnal gan *Prudential* yn Llundain er mwyn gwerthu tir yng Nghymru. I lawr â ni i Lundain – llond bws mini o Gymru. Yr oeddem i gyd wedi gwisgo ein dillad gorau ar gyfer yr achlysur crand. Ni chredaf inni sylweddoli maint y digwyddiad nes inni gerdded drwy ddrysau'r gwesty moethus. Nid oedd modd i hanner dwsin o brotestwyr wneud unrhyw argraff ar dorf mor fawr. Ond wedi teithio'r holl ffordd, rhaid oedd rhoi cynnig arni.

Fi gafodd y dasg o gerdded i du blaen y dorf a thynnu'r corn siarad o'm bag. Dechreuais ar fy nhruth,

'Hey! We, the people of Wales...'

ac er mawr syndod i mi, distawodd pawb ac edrych ar y ddynes ryfedd hon efo acen Gymraeg oedd yn gwneud y fath ffŵl ohoni ei hun. Nid oeddwn wedi paratoi ar gyfer gwrandawiad, a wyddwn i ddim beth i'w ddweud,

'Wales is not for sale!' meddwn. 'You have no right to buy Wales like this... It's not right, no... Now, we have come here to tell you this... Wales is not for sale...'

Roedd pethau'n mynd o ddrwg i waeth. Edrychwn ar y bobl o'm blaen, yn eu gwisgoedd crand yn dal gwydrau gwin. Ar wyneb sawl un roedd gwên yn ymledu, a daeth awydd chwerthin dros ambell un. Yna, daeth gwraig ddychrynllyd o grand ataf, dynes nobl wedi ei gwisgo mewn gwisg Duduraidd. Wyddwn i ddim beth oedd ar fin digwydd; – a oedd am ymrafael yn gorfforol â mi? Credaf mai fi gafodd y sioc fwyaf pan luchiodd y wraig ei breichiau i'r awyr, – nid i'm colbio i, ond er mwyn dechrau canu *Rule Britannia*. Petai gen i ronyn o synnwyr cyffredin (neu hunan-barch), byddwn wedi ildio a gadael llonydd iddi, ond wnes i ddim. Gafaelais yn y corn siarad ac ail-gychwyn, wedi gwylltio'n gandryll, ond fel record wedi sticio.

'Don't sell Wales!' bloeddiais. 'There are people there with no homes!'

Doedd affliw o ots gan y bobl grand. Gyda'i chytgan, boddodd y gantores fi'n llwyr, a hithau heb gorn siarad. Cafodd fonllef o gymeradwyaeth, chwarddodd y gynulleidfa a sylweddolais (o'r diwedd) 'mod i wedi colli'r dydd yn llwyr. Euthum oddi yno gyda 'nghynffon rhwng fy nghoesau. Dyna un brotest y mae'n well gen i ei hanghofio.

Y noson y cynhaliwyd cyfarfod croeso i Alun a Branwen ym Methesda, arestiwyd Dewi Prysor, Stwmp a Siôn Aubrey. Buont yng ngharchar am flwyddyn yn disgwyl achos, a phan gynhaliwyd yr achos hwnnw yn y diwedd, yr oedd yr oriel gyhoeddus yng Nghaernarfon yn llawn. Dieuog oedd y ddedfryd yn achos Dewi a Stwmp, ond carcharwyd Siôn Aubrey am wyth mlynedd. Tra oeddent yn disgwyl achos, bûm yn ymweld â hwy yng ngharchar a bûm yn dyst i'r modd y gall cyhuddiad o'r fath, a misoedd yng ngharchar, wneud llanast llwyr o fywydau pobl.

Ar y dydd y cafodd Prysor a Stwmp eu rhyddhau, a dydd damwain Huw Gwyn, yr oedd hanner cant o aelodau Cymdeithas yr Iaith yn rhwystro'r ffordd o flaen adeiladau'r Swyddfa Gymreig yn Llundain yn mynnu Deddf Iaith newydd. Ddechrau'r Nawdegau, cyrhaeddodd yr ymgyrch hon ei phinacl. Yr oedd yr ymgyrch yn ddeg oed, a'r unig beth a sefydlwyd gan y Llywodraeth oedd Bwrdd yr Iaith Gymraeg dan John Elfed Jones, nad oedd yn golygu unrhyw beth o gwbl. Cafwyd llu o achosion wrth i wahanol griwiau o bobl beintio'r slogan 'Deddf Iaith Newydd' ar furiau'r Swyddfa Gymreig, ac yr oedd pobl yn gwbl ymwybodol o frwydrau statws elfennol na ddylem ni fod yn eu brwydro yn y Nawdegau. Caiff Eisteddfod Llanelwedd ei hadnabod fel Steddfod y Ddeddf Iaith. Yn y diwedd, ym 1993, rhoddwyd rhyw lun ar Ddeddf Iaith a oedd yn gwbl annigonol. Roedd hi mor wan fel y pleidleisiodd aelodau Plaid Cymru ac ambell aelod o'r Blaid Lafur yn ei herbyn, ymataliodd y gweddill, a bu rhaid cael naw aelod Ceidwadol o Loegr i sicrhau mwyafrif. Y cyfan wnaeth y ddeddf oedd sefydlu Bwrdd yr Iaith fel cwango dan gadeiryddiaeth y cyn-Sosialydd, Dafydd Elis Thomas, a oedd ar y pryd newydd dderbyn gwahoddiad i Dŷ'r Arglwyddi. Cyfansoddodd Twm Morys englyn cofiadwy adeg y Steddfod honno pan gwynai pawb am naill ai'r glaw neu'r Ddeddf Iaith,

'Glaw mawr sy' dros Gilmeri, – glaw yn llafn,
　　Glaw yn llawn picelli,
　　Glaw yn arf yn ein gŵyl ni;
　　Glaw a laddai arglwyddi.'

A doedd y perfformiad ddim yn gyflawn heb i rywun glywed Twm yn adrodd mewn llais dramatig.

Y peth gwaethaf oedd Dafydd Elis Thomas wedi ei wneud, ym marn Cymdeithas yr Iaith, oedd chwalu'r consensws cadarn a fodolai yn erbyn Deddf Iaith wan. Y gwrthwynebiad mwyaf i'r ddeddf oedd y ffaith nad oedd yn cyffwrdd â'r sector breifat, yn sôn am 'hyrwyddo' yr iaith yn unig, a dim ond yn caniatáu'r Gymraeg pan oedd hynny yn 'rhesymol ac ymarferol'. Ceisiodd y Gymdeithas barhau'r ymgyrch yn galw am Ddeddf Iaith Gyflawn, ond roedd y Cymry wedi cael digon ar yr ymgyrch.

Erbyn hyn, yr oedd gŵr rhyfedd o'r lleuad, neu o Wokingham, wedi ei benodi yn Ysgrifennydd Gwladol Cymru. Ei sylw treiddgar ef yn ystod yr un Eisteddfod oedd,

> 'The Nationalists don't seem to understand the position of the Welsh language in Wales.'

Ddaru John Redwood ddim mymryn dros Gymru tra bu yn ei swydd. Ni chysgodd o yr un noson yng Nghymru, a gwrthododd arwyddo dogfennau Cymraeg hyd yn oed.

Yr hyn sy'n nodweddu llawer o ymgyrchu y Nawdegau cynnar yw'r frwydr yn erbyn y *Quangos*. Dan Lywodraeth y Torïaid, roedd mwy a mwy ohonynt yn cael eu sefydlu, tra roedd awdurdodau lleol yn colli eu grymoedd. Anodd iawn oedd ymgyrchu yn y ffordd draddodiadol yn erbyn y *Quangos* hyn. Câi'r aelodau eu hethol gan yr Ysgrifennydd Gwladol, byddent yn cadw'r enwau yn gudd ac yn cyfarfod yn y dirgel. Er cymaint o ddrwg a wnaent felly, nid oedd modd tarfu ar eu gwaith swyddfa neu feddiannu eu cyfarfodydd, gan eu bod yn gweithio mor gyfrinachol. Ar gyfer un Eisteddfod, lluniais logo wedi ei ysbrydoli gan *Monty Python* efo esgid fawr yn sathru'r gair *'Quango'*. Lluniais lyfryn hefyd yn ceisio egluro'r rhesymau pam y gwrthwynebai Cymdeithas yr Iaith y rhain i'r fath raddau.

Efallai fod yr ymgyrch addysg wedi dangos i ni yn well na dim y rhwystredigaeth fyddai rhywun yn ei brofi oherwydd y *Quangos*. Rhaid dweud fod chwyldro wedi digwydd ym maes addysg tra oedd Margaret Thatcher a'r Toriaid mewn grym. Gwelsom y gyfundrefn addysg fel yr adwaenem hi yn cael ei phreifateiddio dan ein trwynau. Yn hytrach na phwyso ar Gyngor Gwynedd i agor mwy o ganolfannau iaith, yr oeddem yn ochri gyda Gwynedd pan gaewyd y canolfannau hyn oherwydd diffyg cyllid. Yn hytrach nag ymestyn addysg Gymraeg, roeddem yn rhoi ein hegni i gyd i geisio dal gafael ar y briwsion oedd gennym.

Wedi'r ymgyrchu maith, cafwyd rhyw lun ar Bwyllgor Datblygu Addysg Gymraeg. Fel y Ddeddf Iaith, roedd yn syrthio'n brin o'r hyn y galwodd y Gymdeithas amdano'n wreiddiol. Nid oedd gan y Pwyllgor y cyllid na'r pwerau i newid sefyllfa'r Gymraeg mewn addysg. Yn lle bodloni ar hyn, penderfynodd Ffred ar bolisi o fod yn bresennol yng nghyfarfodydd y Pwyllgor a dal ati i bwyso arnynt nes y byddent yn hawlio rhagor o rym. Yr oedd yn ymgyrch wahanol gan nad ymgyrchu yn eu *herbyn* yr oeddem, ond ymgyrchu dros iddynt gael eu grymuso. Yn y diwedd, fe berswadiwyd y Pwyllgor i fynnu rhagor o arian yn ogystal â mynnu'r hawl i weinyddu'r arian hwnnw eu hunain. Yr oedd ymateb y Llywodraeth i hyn yn chwim a didrugaredd. Yn y Papur Gwyn ar Addysg, yr awgrym oedd y dylid dileu y Pwyllgor Datblygu Addysg Gymraeg.

Yr oedd fy ngwaed yn berwi. Teimlwn yn eithriadol o chwerw tra ceisiai Ffred egluro i mi mai dyma sut oedd y Toriaid yn gweithredu. Y cwbl y gallwn feddwl amdano oedd yr holl gyfarfodydd, yr holl ralïau, yr holl egni a roddwyd i gynnal yr ymgyrch ers 1982, y gweithredu a'r carchariadau. Yn Eisteddfod Aberystwyth 1992, amlygwyd teimladau'r Gymdeithas. Yr oedd y 'Neuadd Addysg Gymraeg' ar y maes yn cynnwys y mudiadau oedd yn ymhel ag addysg yng Nghymru, a thu allan, yr oedd pabell SEAC – y cwango a sefydlwyd i ofalu am y cwricwlwm a'r asesu. Ar yr uned hon, rhoddwyd baner, 'Cwango i ladd addysg Gymraeg', ac yna aethom ati yn hynod drefnus i ddatgymalu'r uned.

Sawl gwaith yr ydw i wedi dyheu am ymbellhau oddi wrth Gymdeithas yr Iaith er mwyn gallu canolbwyntio ar y cant a mil o bethau eraill yr wyf eisiau eu gwneud? Ond bob rhyw ddwy neu dair blynedd, mae rhywbeth yn digwydd sydd yn fy nghynhyrfu yn lân, a Chymdeithas yr Iaith yw'r sianel sy'n galluogi rhywun i wneud rhywbeth yn ei gylch. Carchariad Alun a Branwen ddaeth â mi yn fwy gweithgar yn yr ymgyrch Ddeddf Eiddo; dileu PDAG ddaeth â mi yn ôl i'r ymgyrch addysg. Wedi darllen y Papur Gwyn *Choice and Diversity* ar gynlluniau'r Ceidwadwyr ynglŷn ag addysg, euthum ati i lunio'r Papur Lliwgar, sef ymateb Cymdeithas yr Iaith i'r Papur Gwyn. Teimlwn yn ddigon cryf ar y mater hwn i weithredu, ac aeth pump ohonom i swyddfeydd y Ceidwadwyr yng Nghaerdydd a pheri cymaint o ddifrod â phosib. Yn yr achos llys, cafodd y pump ohonom chwe chan punt o ddirwy yr un, y ddirwy fwyaf i mi ei chael erioed. Aeth Beca Brown ac Olwen i garchar yn hytrach na thalu, ond casglu'r ceiniogau fu hanes y gweddill ohonom.

Ym mis Mehefin 1993, pan oedd y Pwyllgor Datblygu

Addysg Gymraeg yn dirwyn i ben, cafwyd gwersyll awyr agored o flaen gwesty'r Copthorne yng Nghaerdydd lle roedd aelodau PDAG yn cynnal cyfarfod i ddileu eu hunain. Cofiaf ofyn i un o'r swyddogion sut yn y byd y gallent gydweithio â'r Llywodraeth i'r fath raddau. Yr ateb a gefais oedd fod yn rhaid i mi ddysgu gwers – yr oedd yna adegau i wrthwynebu'r Drefn, ond yr oedd yna adegau pan oedd yn rhaid cydweithio.

'Dyna oedd barn Quisling hefyd!' oedd ymateb chwim Ffred, a dyma ni i gyd yn cerdded allan. Oedd, yr oedd yn ddiwedd trist i bennod a allai fod wedi datblygu mewn modd cwbl wahanol. Rhoddwyd y cyfrifoldeb o ddatblygu addysg Gymraeg i'r Bwrdd Iaith, ac yr oedd popeth fel petai yn cael ei gyfeirio i'r twll du hwnnw. Yr oedd arian aruthrol yn cael ei wario ar y Cwango Iaith, ond nemor ddim yn dod ohono. Byddai rhywun yn gweld aelodau'r Bwrdd yn cyflwyno bathodynnau neu dystysgrifau lu, ond doedd hyn yn ddim o ystyried problemau enfawr y Gymraeg. Ceisiodd Dafydd Elis Thomas eu datrys drwy wadu fod y Gymraeg mewn argyfwng bellach, ac nid anghofiwyd y datganiad gwirion hwnnw. Buom yn meddiannu a gweithredu yn erbyn y Bwrdd Iaith hyd syrffed. Erbyn 2001, daeth adroddiad beirniadol iawn o waith y mentrau iaith a'r Bwrdd, a dechreuodd pobl eraill sylweddoli mai twll du oedd y Bwrdd a oedd yn llyncu adnoddau.

Tan 1997, yr oedd ymgyrchu yn anodd iawn. Gyda'r newid mewn awdurdodau lleol yng Nghymru, yr oedd yn anodd cynnal deialog gyda hwy. Yn aml wrth ohebu â chyngor, caem yr ateb fod popeth mewn limbo nes y byddai'r awdurdodau newydd yn dod i rym. Daeth hyn yn batrwm cyffredin. Yr oedd awdurdodau iechyd yn troi yn ymddiriedolaethau wrth gael eu preifateiddio. Yr oedd un cwmni yn prynu'r cwmni arall nes ei bod yn amhosib cael rhywun i gymryd cyfrifoldeb am unrhyw beth. I ychwanegu at y diflastod, yr oedd arweinwyr y dosbarth canol Cymraeg, Dafydd Elis Thomas, Prys Edwards a'u tebyg yn ceisio ein hargyhoeddi fod 'brwydr yr iaith ar ben' a bod ewyllys da yn hytrach na gwrthdaro yn debycach o ennill y dydd. Ymdrech ar eu rhan ydoedd i bortreadu protestio fel rhywbeth hen-ffasiwn ac i ymylu'r garfan radicalaidd. Tu cefn iddynt, yr oedd arian y Llywodraeth ar gael i roi ffurf 'glosi' ar eu celwyddau.

Wrth geisio dal pen rheswm weithiau gyda phobl nad oedd yn dymuno ein deall, hawdd iawn oedd syrffedu, ac ambell waith byddai rhywbeth cwbl wahanol yn dod i ran rhywun. Adroddaf hanes am rywbeth nad oedd yn ymgyrch o gwbl, ond fe dyfodd yn grwsâd o hedyn bychan iawn. Mis Mai 1992 oedd hi pan euthum ar un o deithiau cerdded Cymdeithas yr Iaith a oedd yn cychwyn o hen lys Llywelyn yn Abergwyngregyn. Yr oeddwn yn siarad â Sel Williams a fo grybwyllodd fod gan Lywelyn Ein Llyw Olaf ferch o'r enw Gwenllian. Dyna oedd y tro cyntaf i mi glywed am hyn – er i mi ddilyn cwrs ar Hanes Cymru yn Aberystwyth. Tua'r un pryd, deuthum yn ffrindiau â hen gapten llong o Gaernarfon, cymeriad a hanner o'r enw Richard Turner neu 'Dic Turner'. Cofi a fu ar y môr ydoedd, a briododd ferch o Dde America, a wahanodd â hi, a fu'n garcharor rhyfel dan y Siapaneaid, a drodd yn Babydd ac a ddarganfyddodd hanes Cymru wedi iddo ymddeol. Daeth heibio swyddfa Cymdeithas yr Iaith yng Nghaernarfon i ddangos erthygl a ddarllenodd yn y *Guardian*. Soniai yr erthygl am Sempringham, y fan lle'r anfonwyd Gwenllian iddo yn fabi blwydd i dreulio gweddill ei hoes yno fel lleian. Cofiaf yr argraff gafodd y stori arnaf nes troi yn obsesiwn bron. Roedd yn rhaid i mi gael mynd yno'n syth i weld y lle, ac efo ffrindiau, gwnes y daith hir i Lincoln. Doedd dim yno i goffáu Gwenllian.

Ysgrifennodd Dic Turner a minnau lythyr i'r Wasg yn gofyn am arian i lunio cofeb i'r Dywysoges a chafwyd ymateb hael iawn. Gŵr yn gwneud pethau'n syth oedd Dic Turner, ac mewn dim, yr oedd wedi trefnu fod carreg goffa yn cael ei llunio. Gwyddai fod gwasanaeth am gael ei drefnu yn Sempringham i gofio'r sylfaenydd, Sant Gilbert. Rhoddodd y garreg goffa yng nghefn ei gar, gyrru i Lincoln, a chyflwyno'r llechen i Esgob Grantham yn y fan a'r lle yng nghanol y cyfarfod coffa. Ar y llechen yr oedd y geiriau,

'Hyn sydd i gofio GWENLLIAN, merch Llywelyn y Llyw Olaf, a garcharwyd yma am 55 mlynedd'

gyda dyddiadau ei geni a'i marw. Wn i ddim beth aeth drwy feddwl yr esgob pan dderbyniodd y garreg. Ni ddaeth i ben Richard Turner fod angen gofyn am ganiatâd y Goron a ballu i osod carreg o'r fath ar dir eglwysig. Petai'r esgob heb gydymdeimlad, diau y byddai'r mater wedi ei gladdu yn y fan a'r lle. Ond anodd iawn oedd peidio cael eich swyno gan gymeriad Richard Turner. Diolch i ddiddordeb yr esgob a hynawsedd hanesydd lleol, codwyd wal a gosodwyd y llechen yn ddilol arni. Petai Pwyllgor wedi ymgymryd â'r dasg, byddai wedi bod yn fater dipyn mwy cymhleth. Unwaith y gosodwyd y garreg yn ei lle, dangoswyd diddordeb anhygoel yn y fan. Dim ond am fod cofeb yno, mae sawl un wedi ymweld â'r lle. Yn y man, fe gymerodd Merched y Wawr ddiddordeb yn y stori, a chydag anogaeth Mallt Anderson, sefydlwyd 'Cymdeithas Gwenllian'. Ym 1996, yr oedd Richard Turner yn bur wael ac euthum i'w weld yn yr ysbyty. Ni allai siarad, ond yr oedd yn amlwg yn awyddus iawn i ddweud rhywbeth wrthyf. Ches i fyth wybod beth. Wedi i mi ddychwelyd o Eisteddfod Llandeilo a ffonio'r ysbyty i holi yn ei gylch, dywedwyd wrthyf ei fod wedi marw. Collais gyfaill lliwgar. Un daith fydd yn aros yn y cof yw'r achlysur pan benderfynodd *Hel Straeon* wneud eitem am y gofeb. Cawsom fenthyg car, ac aeth y ddau ohonom i fyny y diwrnod cynt, aros mewn llety, a chael tynnu ein lluniau wrth y gofeb y diwrnod wedyn. Yr oedd Richard Turner wrth ei fodd, ac ni fu pall ar ei straeon. Crefais arno i'w cofnodi ond nid oedd ganddo ddiddordeb. 'Fydda i ddim byw yn hir,' medda fo, 'efo un fegin,' ac yn wir, er i mi wylltio efo fo am ddeud hynny, fo oedd yn iawn.

Yn 2000, ffoniodd Mallt Anderson fi gyda'r newydd trist fod y gofeb yn Sempringham wedi ei fandaleiddio. Gwnaeth Cymdeithas Gwenllian waith gwych yn trefnu fod carreg arall yn cael ei gosod yn ei lle. Fe fyddai Richard Turner wedi bod yn falch o hynny.

Hyd at ganol y Nawdegau, rhown fy amser i Gymdeithas yr Iaith yn gyfan gwbl, waeth i chi ddeud. Ond dechreuais ymddiddori mewn ymgyrchoedd eraill a chyfrannu at y rheini yn ogystal. Yr oedd ymhel â gwaith gwahanol yn gallu bod yn adnewyddiad ysbryd. Dwy ymgyrch y closiais atynt oedd ymgyrch Nicaragua a'r ymgyrch yn erbyn awyrennau Hawk.

Wedi'r ymweliad cyntaf â'r wlad, euthum yn ôl i Nicaragua ym 1996 ac ers hynny rwy'n ymweld â'r wlad bob dwy flynedd. Ers yr ymweliad cyntaf, mae nifer o ymwelwyr wedi bod yn ymweld â Chymru. Angelica Brown oedd yr un ddaeth ym 1995, a fi gafodd y cyfrifoldeb o fynd â hi o gwmpas am wythnos. Y diwrnod cyntaf, yr oedd gen i boenau mawr yn fy stumog a chan feddwl fod fy sgert yn rhy dynn, euthum adref i newid. Wrth wneud bwyd i Angelica, dywedais wrthi fod y poenau yn mynd yn waeth nes iddi hithau ddechrau pryderu. Rywsut, llwyddais i yrru adref ond bu'n rhaid i mi godi yn y nos, a'r poenau yn annioddefol. Aeth fy rhieni â mi i Ysbyty Gwynedd, a'r diwrnod wedyn, dywedwyd wrthyf y byddai'n rhaid i mi gael triniaeth i dynnu pendics oedd wedi mynd yn ddrwg. Daeth Angelica i'm gweld yn yr ysbyty, a Branwen ddaeth i'r adwy a bod yn dywysydd iddi'r wythnos honno!

Cryfhau wna'r cysylltiadau wrth i'r blynyddoedd fynd heibio, ac y mae cadw cysylltiad â gwlad fel Nicaragua yn rhoi bywyd mewn perspectif. Nid yw'r argraffiadau cyntaf hynny a wnaed ar fy meddwl wedi eu hanghofio. Gyda phawb ddaw i gysylltiad â'r ymwelwyr o Nicaragua i Gymru hefyd, mae'r cymeriadau hyn yn gwneud argraff ddofn. Er fy mod yn dal i gwyno cymaint ag erioed am fân broblemau bywyd, cofiaf yn sydyn sut mae pethau yn Nicaragua, ac am ymdrechion glew y bobl hyn, a chywilyddiaf. Gwaethygu wnaeth pethau yn y wlad. Mae'r asgell dde yn dal mewn grym ac y mae enillion y chwyldro yn cael eu herydu. Maent angen ein cymorth gymaint ag erioed ac y mae'r teithiau cyson a drefnir o Gymru yn caniatáu i bobl weld yr amodau byw drostynt eu hunain. Yn Nhachwedd 1998, daeth Nicaragua i sylw'r byd wedi Corwynt Mitch, a chyfrannodd pobl Cymru yn anrhydeddus at yr apêl. Cofiaf ddychwelyd i'r wlad yn fuan wedi'r corwynt, i bentref bach Santa Anna, oedd wedi dioddef yn ddrwg. Gwelais y pentref tawel hwn ar lan y llyn a'r haul yn gwenu, y blodau yn tyfu a phlant bach yn chwarae yn gytûn. Nid oedd fawr o effaith y corwynt i'w weld.

'That lake,' meddai brodor, 'was not here before the hurricane.' Wedi cael mynd mewn cwch ar y llyn, dyma weld toeau y tai a'r adeiladau a orchuddiwyd gan y llifogydd. Mae ganddynt hwythau sawl Tryweryn bellach.

Cawsom ddychwelyd i Nicaragua yn 2001 a gweld sut y gwariwyd yr arian a godwyd ym 1998. Ar y ffin â Honduras roedd 28 o dai newydd wedi eu codi i gymuned Santa Anna. Ym mhentref Jinotepe, yr oedd ysgol feithrin newydd wedi ei chodi. Ar y daith honno y cefais y fraint o gyfarfod â bardd mwyaf y wlad, Ernesto Cardenal, a fu'n Weinidog Diwylliant yn Llywodraeth y Sandinistiaid. Wrth fy nghlywed yn siarad Cymraeg, nododd ei bod yn iaith gerddorol iawn i'r glust.

Yn gynnar ym 1996, cynhaliwyd cyfarfod ym Mangor ynglŷn â'r ymgyrch yn erbyn awyrennau Hawk. Nid oeddwn i erioed wedi clywed am Ddwyrain Timor tan i mi fynychu cyfarfod rai misoedd ynghynt. Clywais fod Dwyrain Timor wedi ei meddiannu ers 1975 gan Indonesia, ac ers hynny fod 200,000 o bobl wedi eu lladd. Yr oedd cynrychiolydd Dwyrain Timor yn y

Cenhedloedd Unedig, (Jose Ramos Horta) wedi cael y Cenhedloedd Unedig i basio sawl cynnig yn condemnio Indonesia, ond parhau wnâi'r gormes, y lladd a'r trais. Prydain oedd yn cyflenwi arfau Hawk i lywodraeth Indonesia i gael eu defnyddio yn erbyn pobl Dwyrain Timor. Roedd y mudiad *Swords Into Ploughshares* yn ymgyrchu yn erbyn arfau rhyfel gan beri difrod iddynt a'u gwneud yn ddi-rym. Yn gynnar ym 1996, gweithredodd pedair merch o Lerpwl yn erbyn awyren Hawk, ac yr oeddynt yng ngharchar yn disgwyl achos. Fedrwn i ddim credu fod hyn wedi digwydd a minnau'n gwybod dim amdano. Ychydig iawn o sylw a gafodd yn y Wasg.

Yn syth, sefydlwyd grŵp 'Atal yr Hawks, Gwynedd'. Wynebau cyfarwydd oedd yn y grŵp – Branwen Niclas, Huw Gwyn, Delyth ac Emyr Tomos, Awel Irene a Dylan Morgan a Rhian. I gynyddu ymwybyddiaeth, trefnwyd gwersyll ar lain o dir tu allan i RAF Y Fali. Yr oedd arwyddocâd arbennig i safle'r Fali. Dyma lle câi peilotiaid o Indonesia eu hyfforddi i hedfan awyrennau Hawk. Yr oedd tir Cymru yn cael ei ddefnyddio mewn modd uniongyrchol i gyfrannu at y lladdfa yn Nwyrain Timor. Cynhaliwyd y gwersyll heddwch yn ystod penwythnos ym mis Mehefin a chafwyd cefnogaeth eang gan enwadau, gan feirdd a chantorion. Yr oeddwn wedi bod yn sgwennu at un neu ddwy o'r merched ac yn awyddus iawn i gael diwrnod yn Lerpwl yn Llys y Goron i glywed yr achos a ddigwyddodd ym mis Gorffennaf. Y diwrnod cyn i mi fynd i Lerpwl, ffoniodd Ben i rannu'r newyddion syfrdanol – roedd y merched yn rhydd! Yn groes i bob disgwyl, yr oedd y rheithgor wedi eu dyfarnu yn ddieuog. Yr oedd yn ddyfarniad hanesyddol.

Chwe mis yn ddiweddarach, trefnodd Branwen daith i ddwy o'r merched o amgylch Cymru. Cafwyd cynulleidfa dda i bedwar cyfarfod, a chafodd didwylledd y merched argraff ddofn ar bawb a'u clywodd. Braint oedd cael eu cwmni ar fy aelwyd. Am gyfnod wedyn, cedwais gysylltiad gyda grŵp gweithgar yn Lerpwl. Cawsom brotest bwysig yn Llandudno yn ddiweddarach ym 1997 pan gynhaliodd y WDA gynhadledd lle daeth gwerthwyr arfau o wahanol wledydd at ei gilydd. Mae enghraifft Dwyrain Timor wedi agor fy llygaid i faint y fasnach arfau. Os credwn fod brwydr yr iaith yn anodd, mae hwn yn dalcen canmil caletach. Un o freintiau mwyaf fy mywyd oedd cael cwrdd â Jose Ramos Horta pan drefnodd Ben gyfarfod cyhoeddus iddo yng Nghaerdydd. Yr oedd ôl chwarter canrif o ymgyrchu yn amlwg arno. Fodd bynnag, yn y cyfarfod hwnnw ar ddechrau 1998, yr oedd ganddo hyder tawel y byddai pethau yn gweithio er daioni yn y pen draw. Yr oedd yn iawn. Cafwyd gwared o Suharto yn Indonesia a daeth arlywydd newydd. Penderfynwyd y byddai Dwyrain Timor yn cael cynnal refferendwm ar annibyniaeth. Cynhaliwyd y refferendwm tua diwedd Awst 1999. Dyna pryd y dechreuodd y lladd. Gan wybod eu bod wedi colli, gwnaeth milwyr Indonesia yr ymdrech eithaf i ladd cymaint ag oedd modd o bobl Dwyrain Timor a llosgi trefi i'r llawr. Wythnos hunllefus oedd honno, fel petai'r rhan yna o'r byd wedi gwallgofi, ac yr oedd pobl Timor yn gwbl ddiamddiffyn. Bellach, maent yn adeiladu eu bywydau drachefn, ond nid oes modd cyfrif maint y dioddefaint a'r pris a dalwyd.

Mewn cymhariaeth, roedd ymgais Cymru i gael

refferendwm yn hawdd. Tra oedd Ben a minnau ar ein gwyliau o amgylch Ewrop (ac wedi sicrhau pleidlais bost) daeth canlyniadau'r Etholiad Cyffredinol. Buom am dridiau yn methu cael gafael ar gopi o bapur Saesneg i weld pwy oedd wedi ei ethol. Yn Estonia buom yn darllen am y dathlu ym Mhrydain am fod y Ceidwadwyr wedi colli a Tony Blair yn Brif Weinidog. Ymhen dim yr oedd hwnnw yn addo refferendwm i Gymru a'r Alban ar fater Cynulliad. Pan glywais fod Cymru yn cael llawer llai na'r Alban, na fyddai'n cael yr hawl i ddeddfu na chodi trethi, rhuthrais adref i weld y teledu. Roeddwn yn grediniol y byddai Ron Davies wedi ymddiswyddo oherwydd y gwarth. Wnaeth o ddim, wrth gwrs. Wrth i ddyddiad y refferendwm nesáu, daeth pawb yn bleidiol i'r syniad. Cefnogodd Cymdeithas yr Iaith y syniad o Gynulliad gyda'r slogan, 'Senedd i Bobl Cymru'. O Eisteddfod y Bala, cawsom daith gerdded drwy Gymru yn pwyso ar bobl i bleidleisio 'Ie'. Ond yr oedd eisiau 'Mwy nag Ie', ac yr oeddem am i bobl gadw hynny mewn cof.

Ynghanol cynnwrf yr ymgyrchu, daeth clec annisgwyl. Ar ddydd olaf Awst, bythefnos cyn y bleidlais hanesyddol, daeth y newyddion fod y Dywysoges Diana wedi ei lladd mewn damwain car. Ar wyliau yn Llydaw gyda fy rhieni oeddwn i ar y pryd, ac yn grediniol fod fy nhad wedi camddeall y newyddion gan un o'r bobl leol. Ond yr oedd yn wir. Wedi dod adre, cefais fy synnu gan ddigwyddiadau rhyfeddol yr wythnos honno. Gwthiwyd y newyddion am farwolaeth y Fam Teresa i'r cefndir, a George Thomas yntau. Gohiriwyd yr ymgyrchu yng Nghymru a'r Alban am wythnos, ac yr oedd rhai yn gwirioneddol gredu y byddai'r hysteria Prydeinig yn dylanwadu ar y bleidlais. Does wybod a wnaeth ai peidio. Wn i ddim a all neb egluro'r bleidlais ryfeddol honno.

Yr oeddwn i yn reit optimistaidd – fel yr ydw i bob amser, ond yr oedd sawl un yn bryderus. Yr oeddwn am i'r Gymdeithas drefnu noson yng Nghaernarfon fel y gallai pawb fod gyda'i gilydd. Ond cymaint oedd yr ansicrwydd fel na threfnwyd noson rhag ofn mai colli a wnaem. Daeth criw o tua deg ohonom at ein gilydd yn ein hoff gyrchfan, cartref Sel Jones yn Ffordd yr Orsaf, Llanrug. Diau mai honno oedd un o nosweithiau mwyaf pryderus fy mywyd. Disgynnodd fy nghalon i'r iselfannau mwyaf dychrynllyd, a chododd i'r entrychion – sawl gwaith. O'r diwedd, daeth y canlyniad – 559,419 o blaid, 552, 698 yn erbyn. Fuo hi 'rioed mor agos. Dyna'r unig adeg y cofiaf weld Ben yn ei ddagrau. Yr oedd ef ers blynyddoedd wedi bod yn gweithio'n ddygn ar ymgyrch Senedd i Gymru. Fe gofiaf yr hapusrwydd gwallgof a deimlodd pawb ohonom y noson honno, ac a barhaodd drannoeth. Dethlais yr achlysur drwy gerdded muriau Caernarfon gyda baner y Ddraig Goch. Yn syth, yr oedd pobl wedi rhoi arwyddocâd cosmig i'r dyddiad. Yr oedd y posibiliadau yn ddiderfyn. Wedi diflastod deunaw mlynedd o Geidwadaeth roedd fel petai unrhyw beth yn bosibl y diwrnod hwnnw.

Diolch am rywbeth nad oedd yn llai na gwyrth. Biti na ddigwyddodd o ugain mlynedd ynghynt. Mae beirniadu mawr wedi bod ar y Cynulliad ers iddo gychwyn ar y gwaith, ond os ydyw yn dipyn o lanast, mae'n llanast o'n gwneuthuriad ein hunain, a dyna'r cwbl yr oeddem yn ei ofyn amdano. Fe ddaw'r amser pan gawn ni rymoedd go iawn, a phres go iawn. Bryd hynny, cawn roi'r gorau i rwdlan, a dechrau'r gwaith o gyfeirio tipyn ar egnïon yr hen genedl yma.

Betws

Wedi 36 mlynedd, ffarweliais a'r tŷ â'r canghennau deiliog yn ei amgylchynu, a'r olygfa fendigedig o Fôn ac o Landdwyn. Fi oedd yr unig un ar ôl erbyn hynny, ac roedd yn hen bryd i mi symud o'r nyth. Priododd fy chwiorydd i gyd yn ystod yr Wythdegau – dwy efo gwŷr o Wynedd a dwy efo gwŷr o'r Deheubarth. Llio oedd y gyntaf i briodi ym 1983 efo llanc o Lanelli, Derrick, ac y maent yn byw ym Mhenrhyndeudraeth ac yn magu pedwar o blant, Lois Mihangel, Lydia Ffrancon, Lea Helygain ac Andreas Elli. (Mae'r rhyw fenywaidd yn dal i deyrnasu yn y teulu hwn!) Croesodd Fflur bont Menai i ddewis hogyn o Fôn – Elfed, ac mae tri o blant ganddynt hwy – Nia Wyn, Dafydd Wyn a Siôn Gwyn. Yr un flwyddyn priododd Manon gyda Ieuan Rhys o Aberdâr ac ar flwyddyn olaf y ganrif, ganed Cai Rhys iddynt. Mae Ffion yn briod â Kevin o Gaernarfon ac yn y flwyddyn 2000, ganed Tomos Siôn. Rydym yn ffodus fod cymaint ohonom yn byw mor agos at ein gilydd, ac felly yn gweld ein gilydd bob wythnos a Manon bob deufis, dri.

Wrth symud o Fron Wylfa, ddaru mi ddim mentro ymhell, dim ond tair milltir i ffwrdd i Ben-y-groes. Prynais fwthyn bach unllawr, gwyngalchog a nant fechan yn rhedeg drwy'r ardd gefn. Profiad rhyfedd oedd meddwl 'mod i'n berchen ar ddarn o dir, ond mae eistedd yn yr ardd yn Betws yn rhoi bodlonrwydd di-ben-draw i mi. Arferai fod yn un o'r tai oedd yn gysylltiedig â'r tramiau, a dyna egluro enw'r stryd, Ffordd Haearn Bach. Symudais yma ym 1995 a'i alw yn 'Betws'. Dyna'r enw roddodd fy nhaid ar ei gartref ym Mangor. Dewisodd yntau'r enw gan mai Bet oedd enw Nain.

Ym 1993, rhoddais gychwyn ar rywbeth yr oeddwn wedi bod eisiau ei wneud ers tro, sef dilyn hanes bywyd Taid Bangor. Yr ysgogiad terfynol oedd clywed Siân Howys yn traethu ar bwnc ei hymchwil hi, Niclas y Glais, a chefais fy swyno gan y cyfnod. Cofrestrais gyda Phrifysgol Aberystwyth a gwneud traethawd M.Phil ar 'Fywyd a Gwaith David Thomas, Bangor.' Wrth ddilyn ei hynt, rhyfeddaf mor debyg yw fy mywyd i i'w fywyd ef. Y ddau ohonom efo diddordeb anghyffredin mewn gwleidyddiaeth, yn ysu am fesur o ymreolaeth i Gymru ac yn Sosialwyr i'r carn. Y ddau ohonom yn annerch cyfarfodydd cyhoeddus, yn golygu cylchgrawn ac yn ysgrifennu deunydd gwleidyddol. Mae'r tebygrwydd yn cynyddu wrth i mi fynd yn hŷn. Wrth ddechrau cyfrannu colofn i'r *Herald* ym 1993, rown i'n gwneud rhywbeth a wnâi fy nhaid ar ddechrau'r ugeinfed ganrif. Wrth gynnal dosbarthiadau WEA, roeddwn yn ymhel â mudiad y cysegrodd fy nhaid ei fywyd iddo. Wrth wneud gwaith ymchwil, dyna wnaeth fy nhaid yntau. Mae pethau bach eraill yn ein cysylltu – ein hoffter mawr o lyfrau a theithio, a'n hargyhoeddiad dros heddwch. Fe ddathlai ef ei ben-blwydd ar Orffennaf 16, dydd fy mhen-blwydd innau yw Gorffennaf 19. Roedd 'na elfen styfnig yn natur y ddau ohonom. Wrth gychwyn fy ymchwil, sylwais mai'r gwahaniaeth mawr rhyngom oedd bod fy nhaid wedi priodi, a minnau'n berson sengl. Ond fis neu ddau cyn 'mod i'n 36 oed, dyma gyfarfod Ben. Canfod wedyn i Taid gyfarfod Nain fis neu ddau cyn ei bod hi'n dathlu ei phen-blwydd yn 36 oed. O bryd i'w gilydd, mae cyd-ddigwyddiadau eraill yn dod i'r golwg – aeth fy chwaer adref a sôn wrth fy nhad am lun oedd yn crogi ar wal fy stafell wely – 'Bachgendod Raleigh' gan Millais. 'Wel, wel,' meddai yntau, 'dyna'r union lun a grogai ar wal tŷ Taid Bangor.'

Ni chymerodd fawr o amser i mi fwrw gwreiddiau ym Mhen-y-groes, er i ugain mlynedd fynd heibio ers yr adeg yr oeddwn yno yn yr ysgol. O'r diwrnod cyntaf bu Gwyneth ac Alan, drws-nesaf-ond-un yn gynnes eithriadol eu croeso. Mae Mr a Mrs Edward Williams yn yr un stryd yn gyfeillion da ac Ifor ac Enid Baines hwythau ar ben y lôn. Mae pawb yn Ffordd Haearn Bach yn gymdogion da. Rwy'n mynychu Capel Calfaria (Bedyddwyr) gan mai hwnnw sydd agosaf i mi. Caeodd y Capel Wesla ym Mhen-y-groes rai blynyddoedd yn ôl. I'r capel hwnnw, Horeb, y deuai'r pump ohonom ers talwm i'r ysgol Sul, a chof annwyl sydd gen i o'n hathrawon, Mrs Evans, Mrs Hughes a Mrs Gwyneth Thomas. Rwy'n dal i fynd i Gapel Ty'n Lôn yn y nos. Mae yna gymdeithas glos iawn ym Mhen-y-groes a hen ddigon o weithgarwch i gadw rhywun yn brysur – y Gymdeithas Lenyddol a'r Gymdeithas Hanes y byddaf yn eu mynychu yn rheolaidd, ynghyd â phwyllgor y papur bro, ac mae mwy nag un gweithgarwch yn y Neuadd Goffa bob nos yn ystod y gaeaf. I un fel fi a fagwyd ddwy filltir o'r safle bws agosaf, a heb fod yn agos at siop, mae cael bod o fewn tafliad carreg i bost a banc a siopau yn brofiad cyfleus iawn. Braf yw cael dweud fod Pen-y-groes yn dal i fod ymysg y pentrefi hynny lle mae ymhell dros dri chwarter eu pobl yn siarad Cymraeg. Nid yw'n gymdeithas lewyrchus iawn mewn termau economaidd ac y mae lefel diweithdra yn uchel, felly nid ydym heb ein pryderon. Mae yna ffordd osgoi fawr yn cael ei gwneud hefyd, felly bydd honno'n peri newid go sylfaenol i'r fan. Ond fe ddaliwn ati yn y cilcyn hwn o'r ddaear.

Wedi pedair blynedd o ganlyn, a dau can milltir rhyngom, gadawodd Ben ei waith efo Cymorth Cristnogol yng Nghaerdydd a dod i fyw i Ben-y-groes. Ymgartrefodd yn Nhŷ Capel Calfaria, ac roedd y siwrne o ddau can llath rhyngom yn llawer haws na'r dau can milltir. Cafodd swydd ran-amser fel Trefnydd Cymru i Jiwbili 2000, yr ymgyrch i ddileu dyledion y Trydydd Byd. Yn Birmingham ym 1998, cawsom fod yn rhan o'r dorf o 70,000 a ddaeth ynghyd i ffurfio'r gadwyn gyntaf ac i bwyso ar gynhadledd y G7, (y gwledydd cyfoethocaf yn y byd), ac aethom i Cologne y flwyddyn ganlynol. Roedd Okinawa yn Siapan braidd yn rhy bell, ond erbyn diwedd 2000, yr oedd un rhan o dair o ddyledion y gwledydd tlawd wedi eu dileu. Mae Ben yn dal yn weithgar efo'r ymgyrch i gefnogi Nicaragua, ac mae'r diddordeb hwn mewn ymgyrchu yn cryfhau'r ddealltwriaeth rhyngom.

Rwyf yn ffodus fod Ben wedi symud i fyw ataf. Mi fyddwn wedi cael trafferth aruthrol i godi 'ngwreiddiau. Yn wir, wn i ddim a allwn! Pe gorfodid fi i wneud hynny, nid yr un person fyddwn i. Hanner fy nghymeriad fyddwn i pe cawn fy ngwahanu oddi wrth fy nhylwyth.

Hanner ohonof yn unig fyddai'n goroesi hefyd pe cawn fy nhynnu ymaith o Arfon. Pob dydd, rwy'n dragwyddol ddiolchgar fy mod yn cael parhau i fyw yn y rhan hwn o Gymru, y lle godidocaf yn y byd.

Eto, wedi dweud hynny, nid yw hyn yn ein rhwystro rhag rhoi cynnig ar freuddwydion cwbl wallgof. Tua thair blynedd yn ôl, ceisiodd Ben am swydd chwe mis yn yr India, a byddwn wedi mynd efo fo yn llawen. Mae'n siŵr y byddwn wedi dioddef hiraeth enbyd ar ôl cyrraedd yno, ond yn ffodus, chafodd o mo'r swydd! Yr ydym yn treulio amser dramor yn flynyddol, ond cyn i'r hiraeth ddechrau brathu, rydym wedi dod adref.

Ym 1999 priododd y ddau ohonom, a dewisais Orffennaf 24 fel dydd ein priodas – bedair ugain mlynedd i'r dydd y priododd fy nhaid. Rai misoedd ynghynt, pan oeddem yn Nicaragua, cawsom fynd gyda chriw hwyliog mewn bws mawr melyn i fwynhau diwrnod ar y traeth. Yr oedd naws trip Ysgol Sul i'r diwrnod. Stopiodd y bws a sylwais fod yn rhaid croesi afon go ddofn cyn cyrraedd y traeth. Ni wnaeth neb arall unrhyw ffwdan, cododd pawb ei sgert neu odre ei drowsus a cherdded drwy'r dŵr. Yn dalog, dyma ddynwared pawb arall, a thrwy'r dŵr â mi, er ei fod yn cyrraedd at fy nghanol. Wedi cyrraedd yr ochr arall, setlodd pawb arall ati i baratoi'r wledd. Er mawr siom i mi, canfyddais fod y dŵr wedi mynd i'r bag o amgylch fy nghanol lle cadwn fy mhethau gwerthfawr i gyd. Fe dreuliais awr go dda yn eu sychu – gan osod fy arian papur, fy nhocyn awyren a fy neitheb allan yn yr haul! Erbyn i mi orffen, roedd llond y lle o fwyd i'w weld a chafodd pawb wledd. Edrychodd Ben a minnau ar ein gilydd a chytuno mai gwledd briodas felly y carem ei chael.

Wedi dychwelyd i Gymru, rhaid oedd cyfaddawdu tipyn. Yn hytrach na dathlu ar draeth Trefor dyma logi'r neuadd bentref gerllaw a bwyta yno, cyn cael gweddill y pnawn ar y traeth. Buom yn ffodus gyda'r tywydd, roedd yn ddiwrnod crasboeth. Y mae'n ddiwrnod llawn atgofion hapus. Ar fy modrwy briodas y mae'r gair 'Rhyddid' wedi ei naddu.

O ddod i adnabod Ben, deuthum yn rhan o deulu arall, teulu cwbl wahanol i f'un i. Gweithio yn y gwaith glo wnâi tad Ben, a dim ond am ychydig y cefais ei adnabod. Mewn gwely ysbyty yr oedd pan gwrddais ag o gyntaf. Unwaith yn unig y cawsom fynd ag ef allan o'r cartref lle roedd yn byw. Aethom ag ef mewn cadair olwyn o amgylch strydoedd Tredegar. Fis Tachwedd, 1995, yr oeddwn wedi ffarwelio â Ben ac wedi gwneud bore o waith gyda rhaglen Rwdlan. Cefais neges frys i mi gyfarfod Ben yng nghanol Caerdydd.

'Mae Dad wedi marw,' meddai.

Nid anghofiaf y bore hwnnw. Dyma brynu torth o fara a mynd draw i Dredegar. Arogl bara ffres a choed yn bwrw eu dail sy'n aros yn y cof. Cefais fy mwrw i fyd cwbl ddieithr – byd ymweld â threfnwyr angladdau, cwrdd â'r offeiriad Pabyddol a chyfarfod aelodau o'r teulu. O fewn dyddiau, cynhaliwyd yr angladd ym mynwent Tredegar, a theimlais yn ddieithr iawn yno.

Bellach, rwyf wedi dod yn gyfarwydd ag un gornel o'r Cymoedd. Un brawd iau o'r enw Jim sydd gan Ben ac fe briododd yntau ferch leol o'r enw Sarah. Un o Dredegar yw mam Ben, Lorraine, a does yr un ohonynt yn siarad

Cymraeg. Maent wedi fy nerbyn yn groesawgar, ond iddynt hwy mae'r man lle y'm magwyd i yn lle pell, dieithr. Cynghorydd Llafur yw Jim, – enillodd ef ei sedd ar y cyngor yr un flwyddyn ag yr enillodd Fflur ei sedd hi, yn enw Plaid Cymru. Eto, yr ydym i gyd yn perthyn i'r un genedl, a'r hyn a wna'r cysylltiad newydd hwn â Thredegar yw agor fy llygaid i sylweddoli fod sawl agwedd ar Gymreictod.

Mae bywyd priodasol yn ddedwydd iawn, hyd yn oed os nad oes fawr o seibiant i'w gael. Yn ogystal â'r ymgyrchoedd gyda Chymdeithas yr Iaith, caf fy nhynnu i mewn i ymgyrchoedd Ben. Ers rhai blynyddoedd, y mae wedi sefydlu Cynefin y Werin – clymblaid o fudiadau heddwch, cydwladol a dyngarol sy'n cyfarfod i ddysgu am ei gilydd a chadw cysylltiad. Buom yn cydymgyrchu ar fater Dwyrain Timor; mae Nicaragua yn cymryd llawer o amser Ben, ac mae achos y Cwrdiaid yn un y buom yn ymwneud ag o. Pan oedd bygythiad Argae Ilisu yn wynebu'r Cwrdiaid, trefnodd Ben a Gwyn Siôn Ifan rali ar lan Llyn Tryweryn i ddangos y cysylltiad rhwng brwydr y Cymry yn erbyn argae gan genedl arall a brwydr y Cwrdiaid.

Dyma yn aml yw'r sialens – dangos fod yna gysylltiad rhwng y frwydr yng Nghymru a brwydrau eraill ledled y byd. Am flynyddoedd, bûm yn canolbwyntio yn llwyr ar frwydr yr iaith gan mai wrth fy nhraed fy hun y gallwn wneud y cyfraniad mwyaf. Eto, dysgais fod cymaint o ymgyrchoedd yn cydgysylltu. Fedrwn ni ddim pryderu am y newyn yn y Trydydd Byd heb ddeall fod llywodraethau'r Gorllewin yn cyfrannu at y newyn hwnnw. Arferwn gredu mai anffawd natur oedd fod gwledydd

Affrica yn dlawd, cyn dechrau sylweddoli bod cael gwledydd yn ddibynnol arnom ni yn ein rhoi mewn sefyllfa o rym. Mor bell yn ôl â diwedd y Tridegau, yr oedd fy nhaid yn ymdrin â'r pwnc hwn yn 'Y Ddinasyddiaeth Fawr'. Ers hynny, mae Banc y Byd a'r WTO, y *World Trade Organisation*, a'u tebyg wedi gwaethygu'r sefyllfa hon o ddibyniaeth.

Mae pobl yn dal i ofyn, pam parhau i ymgyrchu? Efallai mai'r amheuaeth y tu ôl i'r cwestiwn ydi, 'Wnaiff o unrhyw wahaniaeth mewn gwirionedd?' Y llinell a ddaw i'r meddwl yw 'Gwell cynnau un gannwyll na melltithio'r tywyllwch'. I mi, ymgyrchu yn erbyn anghyfiawnder sy'n rhoi gobaith i ddynoliaeth. Mewn rali, mewn oedfa, mewn gweithred, mewn cân, mae ambell air, ambell gyffyrddiad yn tanio enaid arall i weithredu ymhellach. Cadwyn ddiddiwedd ydyw drwy'r oesau ac ar draws cyfandiroedd sy'n symbylu eraill i 'danio cannwyll'.

Roedd yn arferiad dweud fod protestio wedi dyddio, ond ar ddiwedd y mileniwm, ym mis Tachwedd 1999, gwelwyd miloedd o bobl ifanc o bob cwr o'r byd yn ymgynnull yn Seattle i brotestio yn erbyn y WTO. Mae ieuenctid heddiw yn dysgu fod buddiannau cwmnïau mawr yn fwy yn awr na buddiannau sawl gwlad. Brwydr yr egwan yn erbyn y barus yw hi o hyd. Pan fyddaf yn teimlo'r ymgyrchu yn straen, cofiaf am rai fel Waldo a aeth gymaint pellach ar y daith na mi. Ychydig eiliadau yn unig sy'n rhaid i mi fyfyrio ar gyflwr tlodion daear cyn sylweddoli ein bod ni yma yn byw fel brenhinoedd. Ar lechen y lle tân yn Betws, mae geiriau Waldo wedi eu torri,

'Yr un yw baich gwerin byd',

a chredaf fod hynny'n cywasgu llawer mewn ychydig eiriau. Yr un brwydrau a frwydrwn, waeth befo ar ba gyfandir yr ydym. Ein dyletswydd ni yw dal ati i frwydro nes bod gan bawb yr hawliau elfennol a rhyw fesur o ddedwyddwch. Dywed rhai na ddaw'r dydd hwnnw byth, ond nid yw hynny yn ein hesgusodi rhag gwneud dim. D.J. Williams ddywedodd, mi gredaf,

'Hau'r had yw ein gwaith ni, a gadael y gweddill i ragluniaeth.'

Ei adael i ragluniaeth fu raid i Taid. Yn ei nodiadau golygyddol yn *Lleufer* ym 1963 wrth fynegi ei ofid na châi fyw 'i glywed diwedd y stori', dywedodd, 'Cha'i byth wybod beth fydd ffrwyth yr ymdrechion a wneir heddiw i gadw'r iaith Gymraeg yn fyw. Wn i ddim a fydd hi'n fyw ac yn llwyddo yn y flwyddyn 2000 – heb sôn am y flwyddyn 2063. A cha i byth wybod.' Mi garwn i petai yna fodd i mi chwythu cyfrinach iddo drwy amser a dweud wrtho fod yr iaith Gymraeg yn dal yn fyw ac yn llwyddo yn y flwyddyn 2000. Ni fyddaf innau o gwmpas yn y flwyddyn 2063, ond byddaf yn dal fy ngwynt yn y flwyddyn honno yn y gobaith y bydd un o'm disgyn-yddion yn gallu sibrwd wrthyf drwy amser i ddweud sut y mae pethau. Ysgwn i a glywaf rywbeth, ac ai yn Gymraeg fydd y neges?

Tra'n ymwneud ag ymgyrchoedd byd-eang, mae Ben yn weithgar gyda Chymdeithas yr Iaith ac mae'n cyfaddef iddo ddysgu llawer am ddulliau ymgyrchu gan y Gymdeithas. Byddaf yn dweud yn aml 'mod i'n falch nad yw'r tŷ yn perthyn i neb arall. Peth cyffredin iawn yw cael posteri yn cael eu cynhyrchu, paent o gwmpas, baner yn sychu yn y parlwr a phlacardiau yn llenwi'r gegin. Gyda swyddi amser-llawn, ni fyddai amser yn caniatáu y math yma o beth, ond i'r ddau ohonom, mae'r rhyddid i fyw y bywyd a ddymunwn yn bwysicach nag ennill arian. Gartref yn Betws, wrth wrando ar sŵn y nant yn y cefn, neu wylio'r ddau geffyl ffyddlon o flaen y tŷ, cydnabyddaf mor bwysig yw cael angor i ddod adref ato. Yn sicr, pe na bai fy nhaid a'i gyfeillion wedi brwydro cymaint, ni fyddwn i yn gallu mwynhau yr un safon byw heddiw, cystal iechyd a chystal addysg. Y peth lleiaf fedrwn ni ei wneud yw trosglwyddo hyn i'r rhai ddaw ar ein hôl. Mor aml y daw geiriau fy nhaid i'm cof, geiriau a ddarllenwyd gan fy nhad yn ein gwasanaeth priodas,

'Na ddywed neb fod y delfryd hwn yn rhy uchel. Cadwed ni rhag y diffyg ffydd a ddywaid fod ein delfrydau uchel yn "rhy dda i fod yn wir". Nid oes dim yn rhy dda i fod yn wir... Pob gweledigaeth aruchel a roddir i ni, addewid ydyw fod posibilrwydd ei sylweddoliad eisoes yn y golwg. Bob yn gam y cyrhaeddir yno, y mae'n wir; ond nid oes gan Eglwys Dduw hawl i ddal i fyny yng ngŵydd y byd yr un delfryd is na'r uchaf a ddatguddiwyd iddi. Boed i ni fod yn ffyddlon i'r weledigaeth a gawsom, ac fe ddenwn y byd ar ein holau i geisio ei sylweddoli. Trwy hynny, byddwn yn prysuro'r dydd y bydd Teyrnas ein Harglwydd Iesu Grist wedi ei sefydlu ar y ddaear, megis y mae yn y nefoedd.'

Mae'r geiriau hyn yn fy ysbrydoli bob tro y darllenaf hwynt.

Yr ydym yn byw mewn dyddiau cynhyrfus. Cofiaf rywun yn fy holi unwaith ar raglen deledu a oedd gennyf unrhyw uchelgais. Ni allwn gyfeirio at unrhyw uchelgais benodol, ond yr un yw fy nymuniad heddiw ag ydoedd ddeng, ugain mlynedd yn ôl – sef fy mod yn gallu codi yn y bore ac edrych ymlaen at wefr yr annisgwyl. Hyd yma, rwyf wedi cael y fraint o wneud hynny. Does yna 'run diwrnod 'run fath, ac mae patrwm amrywiol i bob wythnos. Mae'r Cynulliad, er mor wan ydyw, wedi rhoi rhyw gychwyn newydd i bethau, mae pobl yn *meddwl* am Gymru yn wahanol. Wrth gwrs 'mod i, fel sawl un arall, yn digalonni pan welaf enghreifftiau o'r iaith ar drai, ond mae swigen fechan o obaith ynof sy'n gwrthod torri. Falle mai styfnigrwydd ydyw, ond rwy'n falch ei bod yno. Bûm yn ffodus o gael iechyd, o gael cariad teulu a chyfeillion, ac mae hyn yn ddigon o reswm i ddiolch i Dduw a chyfrif fy mendithion. Fel y dywedodd fy nhaid wrth benderfynu ar deitl ei hunangofiant – Diolch am gael byw.